HISTOIRE DE LA PEINTURE

Textes de Ralf Burmeister, Christoph Delius, Katrin Fehr, Kathrin Hatesaul,
Markus Hattstein, Katrin Bettina Müller, Melanie Pfaff,
Felicitas Rink, Ursula Rüter

©1995 Könemann Verlagsgesellschaft mbH
Bonner Str. 126, D - 50968 Köln

Exclusivité Librairie Gründ
60, rue Mazarine, 75006 Paris

ISBN 2-7000-2151-7
Dépôt légal : Août 1995

Editeur, Layout : Peter Delius
Traduction française : Annie Berthold (texte courant) et Wolf Fruhtrunk
Maquette : Peter Feierabend
Production : Detlev Schaper
Lithographie : Columbia Offset, Singapur
Imprimé par Sing Cheong Printing Co., Ltd.
Printed in Hong Kong, China

Anna-Carola Krausse

HISTOIRE DE LA PEINTURE
DE LA RENAISSANCE À NOS JOURS

GRÜND

SOMMAIRE

1300

1450

1600

1750

1800

1830

RENAISSANCE ET MANIÉRISME

LE BAROQUE

ROCOCO ET NÉO-CLASSICISME

DU ROMANTISME À L'IDÉALISME

LES PRÉCURSEURS DE LA RENAISSANCE 1300-1420

Les peintres pré-renaissants du XIVᵉ siècle

Depuis l'Antiquité, la peinture, à l'instar des autres arts, était considérée comme un métier manuel à part entière. Des personnes de haut rang ou des institutions commandaient des tableaux à des peintres. Les commandes étaient soumises à des contraintes : respect d'un certain délai, sujet et but fixés à l'avance. Les artistes ne commenceront à revendiquer la liberté de la création artistique – finalité propre de l'œuvre picturale, sens dépassant le motif lui-même – qu'il y a 700 ans environ.

Au tournant du XIVᵉ siècle, les artistes s'affranchirent peu à peu du langage pictural médiéval et inventèrent un système de perspective qui n'a cessé depuis d'influer sur notre perception visuelle. De plus, l'art consacré jusque-là à la représentation de thèmes sacrés s'ouvrit lentement à des sujets plus profanes. Les peintres cherchaient à s'émanciper de leur statut d'artisans et à exprimer leurs propres idées. De cette évolution, qui s'inscrit dans le cadre d'une autre plus profonde affectant tous les domaines de la vie humaine, allait émerger une vision nouvelle du monde. Le développement du commerce international apporte la richesse, l'aisance et le développement, et avec l'expansion économique s'affirme le rôle de la bourgeoisie urbaine : des artisans et des marchands prennent conscience de leur mérites et de leurs responsabilités dans la vie économique et sociale. L'homme a le sentiment de ne plus être une infime partie d'un tout mais se pense de plus en plus en tant qu'individualité. Les échanges avec des villes lointaines, la découverte de denrées inconnues, l'apport d'informations nouvelles élargissent l'horizon des hommes. La Terre que l'on croit encore plate, apparaît comme un défi à relever.

Les gens ne se fient plus seulement à la religion et au savoir accaparé par le clergé. Ils s'interrogent et veulent tout explorer. Des marins intrépides s'embarquent vers l'inconnu, vers l'Eldorado. Les trésors rapportés de leurs périples accroissent la richesse de leurs pays. Mais pour explorer des contrées inconnues, il faut une science et une technique adéquates. Des inventions pratiques voient le jour : montres, cartes et appareils mécaniques en tous genres.

L'intérêt grandissant des gens pour le monde qui les entoure va de pair avec l'émergence d'une peinture d'un réalisme inhabituel pour l'époque. Les œuvres de l'Italien Giotto di Bondone sont la première manifestation de cette nouvelle tendance.

La quête du réel

Lorsqu'en 1304 Giotto peint sa fresque *La mentation sur le Christ mort*, les peintres ne

Pendant la Renaissance, le monde est analysé et défini à partir de l'homme: *Instructions pour mesurer (Le dessinateur de la femme couchée).* Gravure sur bois d'Albrecht Dürer, vers 1527.

1302 Proclamation de la bulle « Unam Sanctam » par le pape Boniface VIII, selon laquelle « toute créature humaine » doit se soumettre à l'autorité du pape au nom du salut de son âme, et selon laquelle les souverains séculiers doivent mettre leur épée au service de l'Eglise.

1309 La lutte entre pouvoir séculier et pouvoir de l'Eglise s'exacerbe. La résidence du pape est transférée en Avignon (jusqu'en 1376).

1318 Instauration d'un nouveau mode de paiement : Venise promulgue une loi sur le virement d'argent (banque de virement).

1321 Dante Alighieri achève son œuvre majeure, *La divine comédie*.

1400 Premières fouilles de Filippo Brunelleschi pour dégager les ruines de la Rome antique.

1421 Jean de Médicis est élu doge de Venise, devenant ainsi le fondateur de la dynastie des Médicis.

1434 Cosme de Médicis suscite la fondation de l'Académie platonicienne de Florence.

1452 Leon Battista Alberti publie son traité fondamental sur l'architecture *De re aedificatoria*.

1492 Christophe Colomb découvre l'Amérique.

1546 Démarrage des travaux du Louvre à Paris. Création de la première Bourse d'État en France.

1550 Giorgio Vasari commence la publication de ses *Vies des plus excellents peintres, sculpteurs et architectes*, première histoire de l'art jamais écrite.

1588 L'armada espagnole est anéantie par la flotte anglaise. Fin de la domination maritime espagnole.

1590 Achèvement de la coupole de Saint-Pierre d'après les plans de Michel-Ange. William Shakespeare écrit ses premières pièces de théâtre.

sont encore que de simples artisans. L'idée que nous nous faisons aujourd'hui de « l'artiste » est récente. A l'époque médiévale, la tâche la plus noble des artisans est la décoration murale des églises. Elle traite généralement de l'Ecriture sainte dont la connaissance peut ainsi être diffusée auprès d'une population en majeure partie analphabète. Une autre tâche dévolue aux artisans est la peinture de retables. Parfois aussi ils exécutent des tableaux de dévotion pour le compte de souverains ou de personnalités très en vue. Les commandes n'ont pas toujours cependant l'importance de celle que reçoit un jour Giotto : décorer la chapelle du palais Scrovegni à Padoue. Souvent ce ne sont que de petits tableaux de dévotion conçus pour accompagner leurs propriétaires dans leurs pérégrinations. Cette forme « portative » de l'art pictural ne s'imposera d'ailleurs définitivement qu'au XIVᵉ siècle. Conformément à son statut d'artisan exécutant, un peintre du Trecento (période correspondant au XIVᵉ siècle) n'a pas à peindre les tableaux qu'on lui a commandés selon ses idées. La peinture est en effet religieuse et « codifiée » : elle prescrit exactement les personnages bibliques qui doivent être représentés et les signes ou attributs servant à les

reconnaître. La composition picturale obéit à la *perspective symbolique* : l'important est représenté en grand et l'insignifiant en petit. Il n'existe pas de représentation naturaliste correspondant au « réalisme visuel ». La sphère céleste, thème majeur de la peinture de l'époque, est perçue comme un monde de l'au-delà dont le sublime et la gloire sont symbolisés de préférence par un fond doré lumineux. Giotto rompt avec le langage traditionnel de la peinture médiévale. Il innove avec sa vision naturaliste qui saisit dans un même mouvement l'homme, l'espace et le paysage. Dans la *Lamentation sur le Christ mort*, nous n'avons plus devant nos yeux des personnages de principe, stéréotypés mais des êtres sensibles, qui souffrent et se présentent sous leurs traits individuels. Le fond or est remplacé par un paysage ; le tableau se décompose en un premier et un arrière-plan, il se creuse ainsi en profondeur, la surface se fait espace. Un seul regard suffit pour saisir le contenu du tableau. Il n'est plus nécessaire de regarder chaque élément de l'image pour se faire une idée de l'ensemble comme dans la *perspective symbolique*. Cette conception inédite vaut à Giotto de connaître la notoriété de son vivant. Dans une strophe de la *Divine*

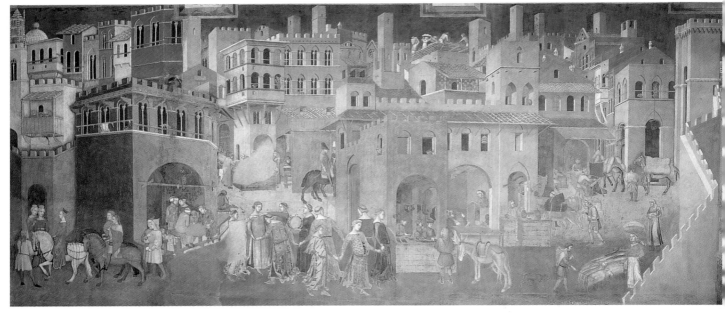

Ambrogio Lorenzetti, *Les Effets du bon gouvernement* (détail), 1337-1340. Fresque du palais communal de Sienne

Dans cette fresque de plus de douze mètres de long, commande du gouvernement de Sienne pour le palais communal, Lorenzetti fait l'éloge des *Effets du bon gouvernement*. Avec un amour particulier du détail, il a représenté Sienne comme une grande ville animée, avec ses vastes places et son architecture majestueuse (les tours des riches familles étaient alors en vogue) et des habitants satisfaits. On y travaille, on y étudie et on célèbre la ville : à gauche, sous les arcades, des marchands négocient, au premier plan, sur la place centrale, des jeunes femmes élégamment vêtues avec des rubans dans les cheveux, dansent au rythme d'un tambourin. Elles représentent la richesse de la Cité. Derrière elles, légèrement à droite, le peintre ouvre la vue sur une école.
Bien que Lorenzetti ait accordé une valeur particulière à l'accumulation des détails, il s'est efforcé de les regrouper dans une composition générale harmonieuse. Les *lignes de fuite* des édifices et la réduction proportionnelle des figures à l'arrière-plan génèrent une profondeur de l'espace pictural, bien que l'ensemble présente encore une imbrication extrêmement dense des éléments.

Comédie, écrite en italien vulgaire, et non plus en latin, puisqu'elle parle de la vie terrestre, Dante Alighieri, son contemporain, chante un hymne à Giotto, l'élève du grand Cimabue, jusqu'alors maître incontesté de l'art pictural italien : « Cimbue se crut, dans la peinture / Maître du champ ; or Giotto a le cri / Tant qu'en est obscurci le renom du premier. »
Ambrogio Lorenzetti, un autre contemporain de Giotto, cherche lui aussi à donner une vision du monde plus proche de la réalité. Dans la fresque qu'il exécute pour le palais public de Sienne, il raconte sa ville natale avec une grande précision dans les détails. Son style se caractérise par le dessin linéaire et la puissance du trait et se distingue certes des compositions monumentales, étagées en divers plans, de son devancier Giotto ; mais Lorenzetti donne l'impression de connaître les mêmes règles élémentaires de la représentation spatiale. La place occupe le « devant de la scène », l'architecture, étagée et peinte déjà en une perspective embryonnaire, donne au tableau une profondeur spatiale. Malheureusement, la grande épidémie de peste de 1348 met fin à la splendeur de Sienne et à la transmission orale des lois capitales de la perspective, connues d'un petit nombre d'hommes seulement. Masaccio ne les redécouvrira qu'un siècle plus tard. Au cours du XVe siècle, des artistes commencent à mettre au point la perspective rationnelle et géométrique dont les ressources seront pleinement utilisées par la suite. Parce que les peintres suivants ont souscrit à la vision naturaliste de Giotto, leur illustre précurseur, le peintre et écrivain Giorgio

Vasari qualifie celui-ci de « père de la peinture ». Sa biographie des artistes italiens les plus marquants, écrite en 1550, est la toute première « histoire de l'art ». Que Giotto ouvre le ban des artistes des temps modernes dans cet ouvrage de Vasari intitulé *Vies des plus excellents peintres, sculpteurs et architectes* est tout à fait logique : il n'est pas seulement celui qui introduit la tridimensionnalité dans la peinture mais aussi le premier peintre à signer ses œuvres. Avec ce signe distinctif de son individualité de créateur, il enclenche chez les peintres un processus de prise de conscience d'une identité propre et de libération de leur statut traditionnel d'artisans.

LA RENAISSANCE À FLORENCE 1420-1500

La renaissance spirituelle

Les innombrables changements et innovations qui se produisent à l'époque du Trecento font penser Vasari à une « *rinascità* », une re-naissance. Mais le mot « Renaissance » qui désigne le mouvement artistique du XVe et XVIe siècles n'est apparu que beaucoup plus tard, au XIXe siècle.
La volonté d'innover qui se manifeste à cette époque ne se limite pas à l'art. La Renaissance est un mouvement intellectuel qui reconsidère et revitalise le patrimoine culturel antique, en particulier son humanisme : intérêt porté à l'homme, réflexions sur Dieu et le monde, usage de la raison. Les œuvres classiques de l'Antiquité sont empreintes de cet esprit. Pour les artistes de la Renaissance

Rome apparaît comme une « mine de formes et d'idées ». Ils y étudient le système des proportions et admirent les sculptures qui leur semblent bien plus vivantes que tout ce que le gothique, cet art des Goths du Nord, des « barbares » aux yeux des Italiens, a pu produire. Le retour à l'Antique est nécessaire si l'on veut que le Moyen Âge appartienne enfin au passé. Le centre intellectuel et culturel du *Quattrocento* (XVᵉ siècle) est incontestablement Florence. Beaucoup d'artistes éminents y vivent et y travaillent, sûrs du soutien de nombreux commanditaires parmi les familles patriciennes fortunées de la ville. La plus importante est la famille Médicis, une dynastie de banquiers qui pendant des générations jouera un rôle primordial dans la vie culturelle et intellectuelle de la Cité. Cosme Médicis fonde l'Académie platonicienne de Florence, un cercle de savants s'occupant d'écrits anciens, et fait construire une bibliothèque comme le fera plus tard aussi son petit-fils Laurent. Il est de bon ton de se cultiver et de s'intéresser à l'art, et même la bourgeoisie s'efforce d'acquérir une large érudition, à un point jamais vu auparavant. La ville baigne dans une atmosphère d'extrême exaltation : on étudie l'œuvre de Vitruve et d'Euclide, on discute de géométrie, de poésie et de philosophie. La représentation picturale n'est plus un « secret » passant de maître à élève comme au temps de Giotto mais est discutée librement, publiquement. Les premières théories sur l'art font leur apparition. En 1435, l'architecte et écrivain italien Leon Battista Alberti présente son traité *De la peinture* dans lequel il systématise à l'aide des mathématiques les lois capitales de la perspective, ces mêmes lois que Giotto a déjà développées de façon rudimentaire dans ses œuvres.

Découverte de la perspective

Quelques années avant Alberti, Filippo Brunelleschi, sculpteur et architecte de la coupole du Dôme à Florence, est arrivé à la conclusion que l'œil perçoit selon une *perspective linéaire* : toutes les lignes parallèles qui se trouvent dans la nature convergent au loin vers un point central fixe. Alberti développe à partir de là un concept qui permet de représenter un objet à trois dimensions sur un plan bidimensionnel. Il compare la surface du tableau à une « fenêtre ouverte » à travers

laquelle le peintre regarde le monde. La fenêtre, donc la surface picturale, se glisse comme un écran entre l'œil et le motif et saisit les « rayons » qui vont en ligne droite du spectacle naturel à l'œil du peintre. Tout dans le tableau doit donc converger vers ce qu'on appelle le *point de fuite* unique. La distance entre les coordonnées horizontales est calculée proportionnellement à la réduction des lignes convergeant vers un point fixe au fond du tableau. Alberti obtient de cette manière un réseau dans lequel la taille des objets diminuent suivant leur éloignement. Ainsi naît une image qui correspond à notre perception visuelle tridimensionnelle. Le principe perspectif d'Alberti, qui focalise le regard sur un seul point, n'a plus rien de commun avec la simple juxtaposition de la *perspective symbolique*. Un espace pictural construit selon la perspective centrale convenait très bien à l'esprit du temps. Arrivant à point nommé, au moment en effet où on s'intéresse de plus en plus aux choses terrestres, il répond au désir d'une représentation naturaliste de la réalité et satisfait esthétiquement l'idéal de la Renaissance : s'approprier le monde par une démarche intellectuelle. Le peintre, au fait des lois de la perspective centrale, apparaît comme « l'ordonnateur du monde ». La réalité est saisie par l'intelligence et reconstruite sur la base des lois mathématiques.

Assimilation des lois de la perspective

Masaccio est le premier peintre à mesurer l'importance de la découverte de la perspective. Il peint autour de 1427 une fresque sur la Trinité dans l'église Santa Maria Novella à Florence, une œuvre qui choquera les fidèles. Il réussit à donner à sa peinture un effet de trompe-l'œil très inhabituel pour l'époque. Les visiteurs ont l'impression de regarder dans une chapelle contiguë. Cette illusion d'optique est produite, non seulement par les colonnes et le plafond à caissons peints en perspective, mais aussi et surtout par le rapport équilibré entre espace et corps. Figure humaine et architecture sont représentées à la même échelle et mis en accord. Dans les anciennes images saintes, les figures sont souvent « enchâssées » dans une architecture, trône ou niche, qui définit leurs volumes. Chez Masaccio, nul besoin d'une telle architecture suggestive. Les figures ont une exis-

Masaccio, *La Trinité*, vers 1427. Fresque, 680 x 475 cm. Sainte-Marie-Nouvelle, Florence

Dans le contexte de l'époque, la représentation de la Trinité – Père, Fils et Saint-Esprit (colombe) – peinte par Masaccio était si inhabituelle qu'on crut d'abord que le peintre avait pratiqué dans le mur une ouverture donnant sur une chapelle attenante. La représentation de l'espace en perspective ainsi que les corps de figures et de statues construites en quelque sorte « de l'intérieur », forment une unité organique. Cette fresque, sans doute réalisée l'année de la mort du jeune peintre tout juste âgé de 27 ans, fut la première peinture dans laquelle les *lignes de fuite*, une plasticité très marquée et un emploi homogène de la lumière généraient une perspective spatiale cohérente et systématique. Masaccio est ainsi considéré comme le pionnier et le fondateur de la peinture de la Renaissance.

tence propre dans un espace continu, ce qui confère à la composition une impression de réelle profondeur. La plasticité naturelle des personnages, produite par la douce modulation de la lumière − autre nouveauté − leur donne une présence, une autonomie et une individualité inconnues jusque-là.

Non content de prendre l'homme comme point de départ de sa démarche à l'intérieur de l'image, Masaccio implique aussi le spectateur dans l'organisation de la composition. Construite selon la perspective centrale, la scène éveille l'impression d'être dirigée exclusivement vers le regard du spectateur, car le *point de fuite* se trouve à la hauteur des yeux, au premier niveau de la corniche. La frontière entre l'espace céleste et l'espace réel est annulée du fait que les proportions sont les mêmes pour les personnages « charels » et pour les figures sacrées se trouvant dans la niche. Le sarcophage qui semble saillir de l'espace pictural accentue encore cette impression. Le monde céleste et le monde terrestre se trouvent ainsi réunis par des moyens artificiels. La composition construite avec beaucoup de raffinement confère à l'image sainte un caractère profane sans pour autant lui ôter son contenu sacré. Au contraire : le tableau gagne encore en présence par le caractère instantané de la représentation. Sa construction rationnelle renforce son impact émotionnel.

De même que la référence à l'art antique est visible dans l'œuvre de Masaccio, l'inspiration gréco-romaine est immédiatement perceptible dans le tableau du peintre Paolo Uccello, *Bataille de San Romano* : les formes sculp-turales des chevaux et le rapport des masses rappellent beaucoup la plastique de l'Antiquité. Cette scène de bataille, inhabituelle pour l'époque parce que profane, a été commandée par la famille Médicis à l'occasion de la victoire des Florentins en 1432. Cette commande semble avoir été l'occasion rêvée pour le peintre, un fanatique de perspective, paraît-il, de créer diverses vues suivant les lois de la perspective. Les principes de clarté et de conformité à la perspective dominent le tableau malgré le pêle-mêle des lances, des chevaux et des guerriers. Uccello concrétise la trame des lignes fuyantes, qui reste habituellement abstraite, par certains éléments picturaux : les lances abandonnées sur le sol indiquent le point de fuite et leurs diagonales donnent de la profondeur au premier plan.

Tandis que Masaccio et Uccello se distinguent surtout par leur maîtrise de la perspective, le moine dominicain Fra Angelico cherche à peindre les sentiments humains. Bien sûr, il a construit en partie l'*Annonciation* suivant les lois de la perspective mais ces questions techniques ne l'intéressent pas au premier chef. Son dessein est de saisir la dimension psychologique et sentimentale de la situation représentée. Marie, assise sur un petit tabouret − rien de plus profane − sous des arcades ouvertes sur un jardin fleuri, apprend de l'ange qu'elle mettra au monde le Sauveur. La représentation n'a plus rien à voir avec les madones figées sur fond d'or de la peinture du Moyen Âge. Nonobstant le cadre profane, Fra Angelico sait créer une atmosphère de religieuse sérénité et de profonde piété. La

Fra Angelico, *L'Annonciation*,
vers 1430-1445.
Fresque, couvent de Saint-Marc,
Florence

Le style pictural de Fra Angelico est marqué par la beauté et la grâce, l'élégance des lignes et la douceur de ses coloris. Bien qu'il soit encore largement tributaire du *gothique international*, il intègre à sa peinture les innovations des débuts de la Renaissance. Il renonce au fond doré et tient compte des lois de la perspective qui viennent d'être mises au point à son époque.

Dans son *Annonciation*, fresque ornant l'une des cellules du couvent de Saint-Marc, un ange aux ailes somptueuses s'approche délicatement de Marie. Les bras croisés en signe de salutation, les deux figures penchent leur tête l'une vers l'autre dans un dialogue intime. Comme dans ses autres scènes d'*Annonciation*, Fra Angelico ne s'écarte pas ici du type de l'*Humiliatio* (soumission) que montre Marie : « qu'il m'advienne selon ta parole ». Le jardin clos tout en fleur symbolise l'immaculée conception.

obriété de la représentation et l'extrême mo-estie du cadre correspondent à l'idéal de pauvreté des moines dominicains de San Marco, commanditaires de la fresque.

'homme, nouveau centre d'intérêt –
art du portrait

À la Renaissance, l'esprit humaniste, animé u désir de découvrir et d'étudier l'homme, e manifeste aussi en dehors des thèmes re-gieux avec l'apparition d'un nouveau genre rtistique : le portrait. Les peintres commen-ent par se concentrer sur l'élément indivi-uant le plus important et le plus expressif : e visage. Ils en font une description détaillée, laire et précise. Le *Portrait de femme* attri-ué à Antonio del Pollaiuolo est un exemple ypique de l'art du portrait du début du XVe iècle. Le profil est l'angle préféré des pein-es. On pense à l'époque qu'une vue latérale u visage se prête moins aux variations et déalisations de toutes sortes, que l'exactitude t la vraisemblance, notions si importantes à e moment-là, peuvent être ainsi respectées. Bien que les peintres s'efforcent de montrer eurs modèles comme des personnalités indi-iduelles, leur marge de manœuvre est étroi-e, le profil se prêtant peu à un rendu vivant t psychologique des sujets. Par sa compa-ité, le portrait de profil rappelle encore beau-oup les anciennes effigies de monnaies et e médailles que les artistes de la Renais-ance étaient encore chargés de dessiner.

Mais au cours de la seconde moitié du XVe siècle s'impose peu à peu le portrait de *trois-quarts*, qui autorise une représentation plus subtile et plus individuelle des modèles.

Les peintres, le monde et la géométrie

Considérée jusqu'à l'éclosion de la Renais-sance comme un art mécanique (*ars mecha-nica*), la peinture se verra consacrer art libre (*ars liberalis*) au cours de la période suivante. Il ne s'agit pas de lui octroyer un prestige social et culturel, dont pouvaient se targuer depuis longtemps la musique, la rhétorique et la poésie, mais de lui donner ses lettres de noblesse. C'était une réévaluation qui se justi-fiait objectivement dans la mesure où les artistes ne travaillaient pas uniquement à partir de méthodes scientifiques déjà établies, mais participaient au contraire à leur déve-loppement. Il est de fait que les vrais savants étaient souvent les peintres car ils connais-saient la nature par expérience et non, comme leurs collègues érudits, par la lecture de livres anciens ne délivrant qu'un savoir filtré par l'Eglise. Le peintre Piero della Francesca était l'un des ces esprits de recher-che. Il construisait tout, architecture, récipient ou crâne humain, à l'aide de mille dessins compliqués. Il compila ses résultats dans plusieurs traités dont l'un, *De la perspective dans la peinture*, est conçu comme un véri-table manuel. Piero était persuadé, comme beaucoup d'autres artistes de la Renaissance,

Antonio del Pollaiuolo, *Portrait de femme*, vers 1460.
Détrempe sur bois de peuplier,
52,5 x 63,5 cm. Staatliche Museen zu Berlin – Preußischer Kulturbesitz, Gemäldegalerie, Berlin

Piero della Francesca, *La Flagellation*, vers 1460.
Détrempe sur bois, 81,5 x 59 cm.
Galleria Nazionale, Urbin

La thématique de ce tableau est très inhabituelle sous cette forme et n'a pu être totalement élucidée jusqu'à ce jour. Cette œuvre fut sans doute le cadeau d'un citoyen ambitieux au duc d'Urbin et comportait un message diplomatique. Les hommes au premier plan étaient sans doute des contemporains de Piero, et c'est donc à une scène d'actualité, à un débat politique, que nous assistons ici.

La moitié gauche du tableau participe d'une autre réalité : la flagellation du Christ pourrait ainsi être comprise comme le contenu du débat qui se déroule à droite. Elle est ici symbole des souffrances endurées par les chrétiens sous la domination des Turcs, qui avaient conquis Constantinople en 1453, provoquant ainsi l'effondrement de l'Empire byzantin. L'orateur à droite pourrait être un membre de l'empire byzantin plaidant en faveur d'une intervention militaire de l'Occident.

que la création d'origine divine était fondée sur une géométrie parfaite qu'il lui fallait découvrir, étudier et représenter. Non seulement il construisait ses tableaux jusque dans les moindres détails, mais il fut en outre l'un des premiers peintres de la Renaissance à avoir compris l'importance de la lumière comme élément unifiant de la composition et créateur de couleurs et de volumes.

L'expérience du *glacis* acquise par Piero chez les peintres flamands travaillant à la cour d'Urbino donne à ses tableaux une éblouissante clarté et, nouveauté, une impression de lumière diurne naturelle. Les divers éléments picturaux se fondent en une unité cohérente grâce à des effets de lumière enveloppants. L'organisation compositive de la *Flagellation du Christ* est audacieuse : le sujet initial est relégué à l'arrière-plan, sous un portique, alors qu'un groupe de figures – probablement des connaissances du commanditaire – occupe « le devant de la scène ». La lumière qui inonde uniformément le tableau apparaît comme le facteur unifiant de la composition.

Piero della Francesca enrichit la peinture d'un nouvel élément, la lumière, un moyen formel qu'il ajoute à l'espace, à la couleur, au volume des corps. La peinture, encore statique au début de la Renaissance, n'est plus très loin de frémir sous les mouvements légers et dansants des *Vénus* de Botticelli et les peintres vont bientôt maîtriser cinq éléments clés de la peinture : la couleur, l'espace, la plasticité, la lumière et le mouvement.

Que les artistes aient joué un rôle essentie dans cette évolution qui aura duré une cen taine d'années seulement, qu'ils se soien lancés avec courage et audace dans l'innova tion, l'œuvre de Mantegna en est l'éclatant illustration. Ce peintre est surtout fasciné pa la perspective suggestive et puissante qu associe le spectateur. Elle était pour lui l moyen de « canaliser l'œil et le sentiment d spectateur ».

Son tableau *Christ mort* qui représente le corps de Jésus en *raccourci* n'impressionne pas seulement par sa perspective dramatiqu et spectaculaire mais frappe surtout par s manière d'inclure le spectateur dans la com position : celui-ci a l'impression de se trouve aux pieds du mort et le cadavre aux blessure visibles paraît s'avancer dans l'espace réel.

Des tableaux animés de dieux païens

C'est sous l'impulsion de Laurent de Médicis surnommé le Magnifique, que Florence de vient dans les années soixante-dix du xv siècle la première puissance politique et cul turelle de l'Italie. Il réussit, sans toucher à l forme républicaine du gouvernement floren tin, à si bien consolider sa position qu'il fini par exercer une autorité de monarque e tenir les rênes du pouvoir – bien que n'exer çant pas réellement la magistrature. Ce homme extrêmement cultivé se comporta comme un protecteur des Arts et un mécène

Michel-Ange et Sandro Botticelli étaient au nombre de ses protégés.

Il se peut que Laurent de Médicis ait remarqué Botticelli pour ses motifs picturaux qui supposaient une grande connaissance de la mythologie grecque. Jusque-là les peintres s'étaient contentés de prendre modèle sur les Anciens, philosophes et sages, pour étudier la réalité. L'expérience du réel de l'univers humaniste était transcrite en une iconographie chrétienne qui constituait le seul répertoire thématique de l'art. Cependant, vers le milieu du siècle, se dessine une évolution : l'Antiquité est analysée et réinterprétée dans son contexte propre. Les artistes commencent à s'inspirer des modèles classiques, et dans l'art de la seconde moitié du siècle, se côtoient de plus en plus scènes mythologiques et thèmes chrétiens.

Le tableau de Botticelli *La Naissance de Vénus* fait partie de ces œuvres représentant un thème mythologique. Aphrodite (Vénus dans la mythologie romaine), émanant de sphères célestes, intangibles, naît de l'écume de la mer : en clair, à la vie réelle. Ce nu féminin grandeur nature, sensuel, d'une exquise grâce naturelle, est le premier de l'art post-gréco-romain à avoir une telle monumentalité et occuper une telle présence dans la composition. Il constitue à la fois une manifestation programmatique contre « l'art incorporel du gothique » et une image allégorique de la « Renaissance de l'humanité par l'esprit antique » sous la forme d'une figure féminine émergeant de « l'écume marine ». Le tableau

ne livrait son vrai sens que lorsqu'il était perçu comme symbole d'une idée. Mais une double lecture présupposait une certaine érudition et c'est justement ce qui attirait les Princes d'ici-bas dans les thèmes païens. Une représentation mythologique pouvait bien vite se révéler être une allégorie politique ou une allusion érotique astucieuse, à condition de connaître l'histoire qu'elle voilait. Les œuvres de cet art d'« initiés » dénotaient la distinction et la large érudition de leur possesseur, deux vertus qui représentaient pour le bourgeois humaniste et cultivé un moyen de se libérer du carcan clérical et religieux.

Pour l'artiste aussi, cet univers de dieux, de satyres et de nymphes était synonyme de libération. Comme il n'existait pour ces motifs aucune iconographie codifiée – à la différence des thèmes religieux – l'artiste jouissait de la plus grande liberté dans ce domaine et n'était tenu qu'à ses seules connaissances scientifiques, en mathématique, philosophie et poésie. Le peintre et le tableau y gagnaient une autonomie jamais atteinte jusqu'alors. Même si les motifs religieux continuent à dominer longtemps encore, la religion n'est plus le seul fondement et le seul contexte de l'art, et celui-ci repose désormais sur la science. L'artiste dont les connaissances dans ce domaine sont grandes, se rapproche de plus en plus du scientifique. Le peintre artisan est devenu un savant. Ce changement signe le passage de la Renaissance à la Haute Renaissance. Le plus grand « peintre savant » de l'époque s'appelle Léonard de Vinci.

Andrea Mantegna, *Le Christ mort,*
vers 1480.
Détrempe à la résine sur toile,
68 x 81 cm. Pinacoteca di Brera, Milan

Sandro Botticelli, *La Naissance de Vénus,* vers 1485.
Détrempe sur toile, 1,72 x 2,85 m.
Galerie des Offices, Florence

Dans sa *Naissance de Vénus,* Botticelli fait appel à un sujet mythologique. Debout dans un coquillage (symbole de fécondité), Vénus – déesse de la beauté et de l'amour –, née de l'écume des vagues, est poussée vers la terre par les dieux des vents. Sur le rivage, Flora, déesse des fleurs, l'attend pour l'envelopper dans une étoffe rouge. Les cheveux et les habits flottant au vent confèrent à cette peinture une légèreté tourbillonnante. Prenant exemple sur la statuaire grecque, Botticelli a représenté la déesse dans la pose nonchalante « jambe d'appui/jambe libre ». L'attitude intériorisée, mais pourtant animée de la figure centrale, confère à l'œuvre une joyeuse sérénité, soulignée encore par des tons pastel, qui renforcent en même temps la stylisation de la représentation.

LÉONARD DE VINCI

1452-1519

Léonard de Vinci est le prototype du créateur de la Renaissance, de l'« uomo universale ». Il ne fut pas seulement un novateur génial dans le domaine de la peinture, mais possédait aussi de vastes connaissances en architecture et dans tous les domaines scientifiques et techniques de l'époque. Ses contemporains admiraient déjà son universalisme et son inépuisable soif de connaissance scientifique. Il sut unifier de façon géniale une observation lucide et objective de la nature et une passion pour l'investissement artistique et créateur de la réalité non visible. Sa peinture allait influencer l'œuvre de nombreux artistes tout au long des siècles.

Autoportrait (attribution incertaine), vers 1515. Sanguine, 33,2 x 21,2 cm. Biblioteca Reale, Turi

Léonard de Vinci est né en 1452 dans le petit village de Vinci, au Nord de l'Italie. On sait peu de choses aujourd'hui sur sa jeunesse. A partir de 1469, on le trouve à Florence, où il travaille dès 1471 pendant cinq ans comme assistant dans l'atelier du peintre Verrocchio.

Parmi ses œuvres de jeunesse, on trouve plusieurs représentations mariales, dont *L'Annonciation* reproduite ici constitue un excellent exemple. Dans ce tableau sur bois

Léonard de Vinci développe le *sfumato*

En 1482, Léonard de Vinci se rendit à Milan, à la cour de Ludovic Sforza, qui l'emploiera tout d'abord comme portraitiste de cour, mais mettra bientôt à profit ses connaissances étendues pour la construction de nouvelles canalisations, l'invention et la confection de nouvelles machines de guerre et de fortifications, et enfin pour l'organisation artistique de somptueuses fêtes de cour et de représentations

ques du tableau, aux moyens d'expressio rigoureusement linéaires, abstraits et géométri ques, un dialogue riche, mais toujours fluid entre la lumière et l'ombre, dialogue qui révè les corps dans leur vitalité et signale en mêm temps une imprégnation spirituelle par l'âm Le point de départ de cette innovation est l conception positive de Léonard de Vinci cor cernant l'ombre. Pour lui, l'ombre n'est plus l simple absence de lumière, elle constitue a contraire une valeur colorée à part entière, pos tive, ayant une atmosphère propre que le pein tre doit s'efforcer de représenter et d'interpréter.

Une réalité construite – *La Cène*

Léonard de Vinci ne se contente pas d'analy ser les effets des couleurs et de la lumièr pour les incorporer d'une façon nouvelle à se tableaux. Comme beaucoup de ses contempo rains, il étudie le rendu de la réalité spatial dans le plan par la perspective. Mais la repré sentation « réaliste » du monde ainsi obtenu sera ordonnée en une réalité picturale nou velle obtenue par des rapports sémantiques e formels internes au tableau. Cette volonté d « maîtriser la beauté de la nature », c'est-à-dir de la percevoir, de la recréer et de la surpas ser, apparaît avec une évidence particulièr dans sa fresque *La Cène*.

Commandée pour leur réfectoire par le moines du monastère milanais Santa Mar delle Grazie et réalisée entre 1495 et 1498 cette peinture murale présente une tram serrée de références internes à la compositio Disposée frontalement, la table s'étend le lon du bord inférieur du tableau, de sorte que l spectateur se trouve placé directement face a Christ et aux apôtres. Le Christ assis au centr vient de prononcer les paroles lourdes d conséquences : « l'un d'entre vous me trahira ! Les apôtres rejettent cette accusation et discu tent entre eux. Leur émotion et leur étonne ment se répand comme une vague du centr du tableau vers les bords, d'où elle repart ver le centre. Placée au centre exact du tableau, l figure du Christ se singularise en revanche pa

L'Annonciation, 1472-75. Huile sur bois, 98 x 217 cm. Galleria degli Uffizi, Florence

commencé en 1471, on voit déjà se manifester clairement les moyens d'expression picturaux qui seront ceux de Léonard de Vinci. La scène baigne dans la douce lumière du crépuscule et se déroule devant la maison de Marie. Le jardin entouré d'un muret est adouci par un tapis d'herbe humide et de fleurs. Dans la partie centrale supérieure, la forêt s'ouvre sur les profondeurs d'un paysage d'arbres et de collines. L'archange Gabriel vêtu de rouge a mis le genou droit à terre pour annoncer le message du Seigneur à Marie. L'esprit serein et libre de toute appréhension, la Vierge rend son salut à l'ange. Son bras droit repose sur un ouvrage.

Avec ses cheveux ondulés et la douceur de ses traits, Marie incarne l'idéal de beauté et de tendresse féminine de Léonard. La représentation graphique très exacte et les subtiles nuances de couleur de visages doux et bienveillants caractérisent les portraits de cette période ; ils illustrent la tentative de donner une image extérieure de l'intériorité, de l'âme.

théâtrales. Pendant ses années milanaises, Léonard de Vinci recevra par ailleurs de nombreuses commandes pour l'illustration de sujets religieux et bibliques. C'est au cours de cette période qu'il développera à un très haut degré de perfection sa technique picturale très particulière appelée *sfumato* (en italien, proprement, « enfumé »). Il parvient au *sfumato* par de douces transitions de lumière et d'ombre ; les objets perdent de leur raideur et la réalité apparaît comme adoucie, éveillant de nombreuses sensations chez le spectateur.

L'adoucissement de tous les contours rigides et des délimitations nettes génère l'atmosphère d'une représentation picturale plus libre, où les couleurs semblent s'adapter aux propriétés des lieux et des objets – le jour et la nuit, la clarté et l'obscurité deviennent des composantes significatives du tableau. Léonard de Vinci se présente ainsi à la fois comme maître et comme rénovateur des débuts de la peinture florentine. En effet, il en reprend l'héritage tout en substituant aux fondements graphi-

Etude de proportions du corps humain, vers 1492. Galleria dell'Accademia, Venise

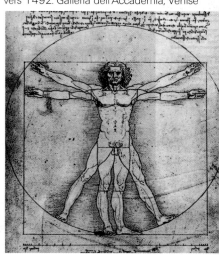

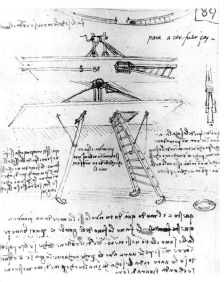

Croquis pour la construction d'une machine volante. Bibliothèque de l'Institut de France, Paris

en équilibre paisible et un statisme empreint d'une grande dignité. Au-dessus de la fenêtre centrale, on voit un arc circulaire qui peut être compris comme une auréole du Christ élevée dans l'architecture. Toutes les lignes de la salle convergent vers cet élément architectural au-dessus de la tête de Jésus, en particulier celles des tapisseries et du plafond à caissons.

L'équilibre entre l'observation exacte de la nature et la rigueur de la composition dans *La Cène* a été fréquemment décrit et admiré.

Léonard de Vinci scientifique et technicien

Chez Léonard de Vinci, l'amour de la nature et des choses était toujours lié à la volonté de les examiner sous l'angle scientifique, de les maîtriser et de leur donner forme. Comme architecte et ingénieur, il conçut des plans visionnaires et anticipa des inventions bien plus tardives, par exemple la construction de machines volantes mues par la puissance muscu-

laire. A partir de 1478 environ, il se consacrera à l'établissement d'un résumé des connaissances manuelles et techniques de son époque ; il étudia les fonctions de la mécanique et de l'optique à l'appui des mathématiques et entreprit des recherches sur les lois de la mécanique naturelle. Avec de grands médecins de son époque, il fit des études (officiellement condamnées à cette époque) autour de l'anatomie humaine, consignant ses observations et les fixant dans des dessins.

L'œuvre tardive

Lors de l'invasion française en Italie en 1499, Léonard de Vinci se trouva pris dans le tourbillon des luttes qui conduisirent à la chute des Sforza à Milan. Au cours des années suivantes, il mena une vie errante et inconstante, voyageant sans cesse entre Mantoue, Florence, Rome, Milan et Parme. Une œuvre de cette époque de sa vie a survécu au temps, et c'est sans aucun doute l'œuvre la plus célèbre de Léonard de Vinci, peut-être même la plus célèbre de toute l'histoire de l'art : *La Joconde* (« La Gioconda », c'est-à-dire « la joyeuse ») ou *Mona Lisa.*

Ce tableau réalisé vers 1505 laisse aujourd'hui encore bien des questions en suspens. En premier lieu, on ne connaît pas avec certitude l'identité de la personne représentée. Vasari, qui nous a légué le nom de Mona Lisa et indique que le tableau serait un portrait de l'épouse de Francesco del Giocondo, a parlé des origines de cette œuvre sans l'avoir jamais vue lui-même. Tout au long de l'histoire de l'art, on a ainsi pu assister à une série d'interprétations et d'identifications. Comme il l'avait déjà fait dans ses œuvres antérieures, Léonard de Vinci ne recherchait nullement dans ce portrait une simple représentation naturaliste. Il y créa le portrait extérieur d'une jeune femme dont le sourire doux et les yeux paisibles et bienveillants renvoient à une intériorité, à l'âme. De ce fait, la *Joconde* ne semble pas peinte

La Joconde (*Mona Lisa*), vers 1503. Huile sur bois, 77 x 53 cm. Musée du Louvre, Paris

d'après son apparence extérieure, mais construite de l'intérieur ; ceci vaut d'ailleurs aussi pour les montagnes qu'on peut voir à l'arrière-plan. La magie du *sfumato*, la douceur d'une lumière tamisée sans aucune dureté est particulièrement bien réalisée dans ce tableau. C'est précisément dans le caractère incertain du *sfumato* et dans les traits imprécis du modèle que réside la vie de ce visage : la façon dont la Mona Lisa regarde le spectateur est fonction de sa propre attente.

Passé au service de François Ier après 1507, Léonard de Vinci répondit à son invitation et se rendit en France, où il reçut une propriété et vécut entouré de tous les honneurs.

Léonard de Vinci mourut en mai 1519 au château de Cloux, près d'Amboise.

La Cène, 1495-1498. Détrempe et huile sur enduit, 460 x 880 cm. Santa Maria delle Grazie (réfectoire), Milan

Créateur génial de la puissance légère

MICHEL-ANGE

1475-1564

Michel-Ange est considéré par beaucoup comme l'artiste qui éleva la Renaissance à sa perfection, en la personne et dans l'œuvre de qui la grandeur et le tragique de cette époque s'illustrent comme chez nul autre. Dans les domaines de la peinture, de la sculpture et de l'architecture, son art forme une œuvre homogène au centre de laquelle se trouve la figure de l'homme-créateur avec toute sa puissance et sa souffrance. Pour Michel-Ange, la création artistique est un moyen de connaissance – de soi comme du monde –, et elle devient pour lui une sorte de religion universelle.

Michelangelo Buonarroti, né en 1475 dans une famille de la haute bourgeoisie de Caprese près d'Arezzo, entra dès 1488 dans l'atelier florentin de Ghirlandajo. Mais il changera bientôt pour celui de Bertoldo di Giovanni, qui l'introduisit dans l'entourage des Médicis. En 1490, grâce à Laurent le Magnifique, il fit la connaissance des grands hommes de l'Académie néoplatonicienne, dont les idées humanistes allaient prendre une grande importance dans son œuvre.

Après la chute des Médicis en 1494, il se rendit tout d'abord à Bologne avant de revenir à Florence un an plus tard, après quoi il alla pour la première fois à Rome en 1496. De retour à Florence en 1501, il recherche la confrontation artistique avec son antipode Léonard de Vinci. Les peintures murales des deux artistes dans le Palazzo Vecchio n'existent plus aujourd'hui, mais une autre œuvre nous renseigne sur le style pictural de Michel-Ange à cette époque. *La Sainte Famille*, également appelé *Tondo Doni*, a vu le jour en 1503-1504. La figure centrale de Marie y est assise dans l'herbe au premier plan, jambes repliées sous elle ; avec une ample torsion du corps délibérément exagérée par le peintre (et appelée « linea serpentina »), elle se tourne sur sa droite vers Joseph agenouillé derrière elle et reçoit de ses mains un robuste enfant Jésus. A droite derrière un mur, on reconnaît Saint-Jean-Baptiste encore enfant. La césure spatiale que constitue ce mur donne à entendre que les chemins des deux hommes vont se séparer : Saint-Jean-Baptiste va dans le monde et prêche la venue du Seigneur ; de son côté, le Christ de Michel-Ange semble prendre déjà le chemin de la solitude intérieure et de la Passion qui se prépare pour lui. Toutes les figures laissent un sentiment

La Sainte Famille (Tondo Doni), vers 1503. Diamètre : 120 cm. Galerie des Offices, Florence

ment de solennelle gravité. La netteté avec laquelle le groupe principal se détache du fond, le paysage aux couleurs claires et la plasticité de la scène peuvent être considérés comme un moyen de composition s'opposant délibérément à la technique subtilement « enveloppante » du *sfumato* de Léonard de Vinci.

Michel-Ange sculpteur

C'est avant tout dans la sculpture que Michel-Ange pensait pouvoir réaliser sa conception de l'homme en tant que centre de la création divine. La transposition la plus parfaite de cette idée était pour lui le nu masculin, le géant. Comme idéal de toute éducation et comme puissance morale, le nu masculin se situe certes dans la tradition antique, mais Michel-Ange avait de la sculpture une conception différente. Pour lui, le corps se résume avant tout à la masse et au volume, qui doivent être conquis sur la résistance de la matière-pierre ; il est lié à la pesanteur terrestre – conception que Michel-Ange illustrera également dans sa peinture.

C'est aussi au cours des années florentines, entre 1501 et 1504, que Michel-Ange réalise son célèbre *David*. Initialement destinée à orner une niche de la cathédrale de Florence, cette sculpture fut ensuite dressée devant le Palazzo Vecchio. Dans l'opposition entre richesse des détails et générosité des dimensions, il émane de cette figure un pathos héroïque, mais contenu.

David, 1501-1504. Marbre, hauteur : 550 cm. Galleria dell'Accademia, Florenz

Les jambes supportent la lourde charge d'u[n] torse tout en puissance, dont le poids repos[e] entièrement sur la jambe droite tendue (défini[e] par l'Antiquité comme « jambe d'appui » par op[po]position à la « jambe libre » détendue), tandis qu[e] le reste du corps semble tendu comme pour ac[]complir un intense effort. Les mains sont grande[s] et lourdes et cette impression est encore ren[]forcée par le geste de la main gauche ramené[e] vers l'épaule. Toute l'attention, toute l'énergie es[t] concentrée dans la tête, où elle est entièremen[t] focalisée entre les sourcils, à la base du nez.

Dans son unité entre force et courroux, le *Dav[id]* de Michel-Ange fut déjà considéré par ses con[]temporains comme un gardien monumental d[e] la liberté et de l'indépendance, comme une allé[]gorie politique de la République florentine et de[s] vertus bourgeoises de l'Etat.

La chapelle Sixtine

En 1505, le pape Jules II fit venir Miche[l-]Ange à Rome et lui commanda tou[t] d'abord la réalisation de son tombea[u] dans l'église S. Pietro à Vincoli. Jules [II] était un chef de guerre qui soumit lu[i-] même plusieurs villes à la tête de se[s] troupes, l'épée à la main, et les annex[a] à l'Etat pontifical. En même temps, c[e] protecteur des arts réunissait autour d[e] lui les plus grands artistes de so[n] époque et faisait tout pour les soumettr[e] à sa volonté. Ses emportements le con[]duiront même à mettre Michel-Ange a[u] travail à coups de bâton.

En 1508, Michel-Ange, qui aurait de loi[n] préféré se consacrer entièrement à la sculptur[e,] se vit commander par le pape le décor de [la] chapelle Sixtine encore nue à l'époque. Un a[n] plus tard, l'artiste se mettra à l'œuvre pour réalise[r] la décoration principale, travail qui durer[a] jusqu'en 1512. Michel-Ange semble avoir exé[]cuté cette œuvre de ses propres mains.

Il agença la voûte colossale de la chapelle en [y] peignant une architecture en trompe-l'œil e[t] choisit pour thème principal la création du mon[]de et de l'homme jusqu'à sa chute du paradis. L[e] cycle de la Genèse – neuf épisodes, depuis Die[u] séparant la lumière des ténèbres jusqu'à l'ivress[e]

Madone avec l'enfant Jésus, dessin à la sanguine. Casa Buonarroti, Florence

La Création d'Adam (Détail de la fresque du plafond de la chapelle Sixtine), 1508-1512. Fresque, env. 2,8 x 5,7 m. Chapelle Sixtine, Vatican, Rome

de Noé − est ainsi illustré, mais Michel-Ange y fit aussi entrer des figures isolées issues d'autres contextes. Prophètes, sibylles, ancêtres de Jésus et aussi des *ignudi* (adolescents nus).

Dans ce projet ambitieux sans cesse troublé par les conflits orageux avec le commanditaire de l'œuvre, Michel-Ange put réaliser ses conceptions de la représentation de la mythologie chrétienne par la fusion des opposés que sont l'enchaînement corporel et la liberté inspirée par l'esprit. Sa décoration de la chapelle Sixtine est caractérisée par un inépuisable trésor de formes et de versions du corps humain qui suggèrent au spectateur un mouvement perpétuel au sein de l'ensemble, et donc un caractère d'« actualité » très marqué, un caractère nettement terrestre.

Au centre de la Genèse biblique vue par Michel-Ange, on trouve l'homme libéré dont le destin est de réaliser sa propre puissance d'action et de création − l'idéal de la Renaissance dans sa plus haute perfection. La scène de la création d'Adam marque le point culminant de la rencontre de deux énergies primordiales : Dieu, force active, et l'homme sommeillant encore en lui-même. Il ne manque que l'étincelle passant d'un doigt à l'autre pour conférer à l'homme sa puissance d'action.

Dieu apparaît comme une puissante tornade ; dans son bras gauche, il tient Eve encore incréée, sa main repose sur l'épaule de l'enfant-Jésus encore à naître.

Après la mort du pape Jules II, son successeur Léon X, de la maison des Médicis, renvoya Michel-Ange à Florence pour lui faire achever les tombeaux des ducs Julien et Laurent (Giuliano et Lorenzo) dans la chapelle funéraire des Médicis (Capella Medicaea). Dans ces œuvres, le genre héroïque des œuvres antérieures cède la place à des figures plus spiritualisées et mélancoliques, à une expression qui illustre la tranquillité de l'homme placé entre le temps et l'éternité.

Le Jugement dernier

Paul III Farnese, qui devint pape en 1534, délia Michel-Ange de toutes ses obligations et le nomma architecte, sculpteur et peintre en chef du Vatican, sur quoi Michel-Ange s'installa définitivement à Rome.

Un an plus tard, il fut chargé de réaliser la représentation du *Jugement dernier*, fresque destinée au mur du fond de la chapelle Sixtine et qu'il acheva en 1541.

Cette œuvre est l'une des transpositions les plus impressionnantes de ce sujet dans toute l'histoire de l'art. Tout un univers s'y dévoile, au centre duquel se tient un Christ nu d'une force surhumaine et d'une rayonnante jeunesse. Dans sa divine majesté, le ressuscité porte encore les stigmates de la Passion.

Dans la partie supérieure de la fresque, on trouve à gauche du Christ les patriarches et les délivrés des limbes avec Adam, premier homme et préfiguration du Christ, à sa droite, les saints et martyrs avec les signes de leur martyre. Au-dessus, dans un puissant effort, des anges sans ailes portent les insignes de la Passion du Christ.

Sous le Christ, à droite, est assis Saint-Barthélémy tenant sa peau dépecée, sur laquelle on peut voir l'autoportrait déformé de l'artiste.

Plus loin au-dessous du Christ, des anges soufflent dans les trompettes du Jugement dernier. Dans la partie inférieure gauche, les morts surgissent lourdement de leurs tombes ; au-dessus d'eux, les élus commencent déjà leur ascension vers le ciel. Il ne s'agit cependant pas d'un libre envol : les élus font un violent effort pour surmonter la pesanteur, ils s'accrochent pour grimper et mener à bien leur escalade. Au même niveau à droite, on peut voir la chute des damnés aux enfers. Des anges vengeurs accomplissent le Jugement divin et repoussent les malheureux vers la terre, où des diables à la lourdeur de plomb s'accrochent à leurs corps. Ils succombent au pouvoir de Charon et de Minos ; Michel-Ange fait ainsi appel à des conceptions antiques du monde infernal.

Mais la nudité des figures allait bientôt susciter le mécontentement des successeurs de Paul III et de la Contre-Réforme. En 1559-1560, l'élève de Michel-Ange, Daniele da Volterra, repeignit le Christ et d'autres figures pour les habiller, sauvant ainsi la fresque de la destruction projetée par l'Inquisition.

Au cours des dernières années de sa vie, Michel-Ange se consacra surtout à des projets d'églises et au travail sur Saint-Pierre de Rome, pour laquelle il dessina les plans d'une coupole en bois réalisée en 1590 par son élève della Porta. Michel-Ange mourut à Rome en février 1564.

Le Jugement dernier, 1534-1541. Fresque, 17 x 13,3 m. Chapelle Sixtine, Vatican, Rome

Sommet de l'art de la Renaissance : *L'Ecole d'Athènes*, 1510-11. Fresque, largeur 7,72 m. Stanza di Raffaello, Vatican, Rome

RAPHAËL

En 1508, Raphaël se rendit à Rome, où il fut employé par le pape Jules II pour la décoration des *stances* (en ital. « chambres ») du Vatican, qui servaient alors de pièces de travail ou de petite bibliothèque. Il devint très vite le premier artiste de la cour pontificale et eut de nombreux assistants. La réalisation de l'ensemble des stances est marquée par la conception néoplatonicienne et humaniste, qui se propose de réunir la sagesse et la beauté en une noble humanité. Dans une architecture de voûtes et de salles composée en perspective centrale, *L'Ecole d'Athènes* montre les sept arts libres réunis sous un même toit sous la forme d'une conversation entre les principaux représentants de ces disciplines. La fresque tire ses effets dynamiques surtout des rapports étroits entre une construction claire et rigoureuse des lourds éléments architecturaux et l'animation chaleureuse des érudits grecs pris dans un vivant débat.

Malgré la dispute apparemment informelle entre ces hommes célèbres, disposition des différents groupes est elle aussi soumise à un ordre rigoureu C'est ainsi qu'à gauche, au premier plan du tableau, on voit le groupe de philosophes et poètes regroupés autour d'Anacréon et de Pythagore, tand qu'à droite, les mathématiciens et les scientifiques sont réunis autour c d'Euclide et de Ptolémée (un globe dans la main). Devant le groupe c gauche, on peut voir un homme plongé dans ses réflexions (il a les traits c Michel-Ange), assis accoudé contre un bloc de pierre taillé servant de tab de travail. L'attitude de cette figure destinée à faire entrer le spectateur dans tableau, et celle de l'homme allongé sur les degrés de l'escalier, sont dirigée vers le point de fuite du tableau, situé entre les têtes des figures centrales.
Au centre du tableau – manifesté par le dernier arc –, débattant amicale ment, on peut voir un Platon à barbe blanche, portant les traits de Léonard c Vinci, et l'énergique Aristote, la main tendue vers le spectateur.

LA HAUTE RENAISSANCE 1500-1530

L'art à la gloire de Rome

A la fin du XVᵉ siècle, les intrigues, les complots et les luttes intestines pour le pouvoir finissent par affaiblir la position de Florence. Sous le pontificat de Jules II, au début du XVIᵉ siècle, Rome devient pour quelque temps le centre culturel de l'Italie. A une époque où il est de bon ton de se distinguer par la culture, le pape s'empresse d'attirer à la cour pontificale les meilleurs artistes de son temps. Il espère légitimer par les arts le pouvoir et la grandeur de l'Eglise, et battre les Princes en lutte les uns

contre les autres sur leur propre terrai Michel-Ange et Raphaël sont appelés à Rom et entrent au service du pape.

Maintenant que les artistes savent créer c l'espace, de la couleur, du volume, de la lu mière et du mouvement, la capacité à invente est placée plus haut que la simple copie de l réalité pour laquelle les artistes du XVᵉ sièc s'étaient battus. L'art doit désormais intensifie les beautés de la nature, les reproduire artis tiquement. Les peintres atteignent à cet idé par une heureuse synthèse d'expérienc d'idéalisme, de sentiment de la nature, de lo artistiques et de conception personnell L'interpénétration de la reproduction de la ré ité et de la création artistique est si réussie que les tableaux, pourtant respectueux de la convenance, ne donnent jamais l'impression d'être factices, bien mieux, les compositions paraissent d'une nécessité absolue. L'art de la Haute Renaissance se caractérise par les « grands-œuvres » d'un seul bloc, où s'harmonisent contenu et forme. Ces compositions symétriques, de forme pyramidale ou circulaire, qui représentent des structures harmonieuses et équilibrées, constitueront l'idéal esthétique classique pendant des siècles. Quatre peintres de renom marquent l'art de cette période : Léonard de Vinci, Michel-Ange, Raphaël et Titien. Artistes de premier plan pour la singularité et la richesse de leurs inventions picturales, qualifiés de « génies » par leurs admirateurs euphoriques, ils s'élèvent au-dessus de la masse des peintres encore organisés en corporations.

Si les noms de Michel-Ange et de Raphaël sont liés à Rome, celui de Titien l'est à Venise.

LA PEINTURE VÉNITIENNE 1500-1570

La vie en couleurs

Venise est, à côté de Florence et de Rome, le centre culturel le plus important d'Italie, et Tiziano Vecellio, surnommé Titien, en est la personnalité artistique la plus marquante. Son penser pictural, ses compositions laisseront, par leur sens du naturel et leur grande sensibilité coloriste leur empreinte, non seulement sur la peinture vénitienne, mais sur l'art en général ; les impulsions qu'il donnera à la peinture se répercuteront jusqu'au XIXe siècle lorsque des peintres comme Delacroix redécouvriront la couleur en tant que vecteur de sens.

L'art de la scintillante Cité lagunaire qu'est Venise se différencie de celui de l'école florentine par la féerie des couleurs et une représentation de diverses matières nobles qui flattent les sens de l'observateur. Etoffes fines, habits luxueux, verre aux éclats lumineux, pierres précieuses chatoyantes font partie du quotidien de la République. Selon un édit du gouvernement, tout navire marchand en partance pour l'Orient devait ramener des trésors d'art et des objets précieux. Les couleurs somptueuses du Levant imprégnèrent la peinture vénitienne. Pour les Vénitiens, c'était moins le dessin, la construction géométrique (*disegno*) du tableau qui importait que son expression par la couleur (*colorito*). On concevait moins la vie selon les principes antiques, et ce qu'on recherchait dans l'art n'était pas tant la beauté formelle, la perspective ou la science pure, comme à Rome et à Florence, que les couleurs qui donnent un plaisir direct et immédiat. Les peintres vénitiens pensaient en couleur. Une palette brillante à base de rouges et de bleus, veloutés et profonds, un sens nouveau de la lumière atmosphérique et un modelé délicat des figures humaines sont les caractéris-

Giovanni Bellini, *Le Doge Leonardo Loredan*, 1501/1505. Huile sur bois, 61,5 x 45 cm. National Gallery, Londres

Contrairement à la représentation de profil en usage au début de la Renaissance, la représentation de trois-quarts, qui permettait une caractérisation plus individuelle du modèle, devait s'imposer de plus en plus dans le portrait pendant la seconde moitié du XVe siècle. Le doge Loredan, chef de la République de Venise, apparaît ici comme un homme empreint de dignité, de sagesse et de chaleur humaine. Le peintre renonce aux attributs traditionnels du pouvoir et les transpose dans le mode de la représentation.

Titien, *La Vénus d'Urbin*, vers 1538. Huile sur toile, 119,5 x 165 cm. Galerie des Offices, Florence

Le corps clair de la Vénus d'Urbin se détache, lumineux, sur un fond sombre. A l'arrière-plan, des servantes veillent à sa beauté. Vénus, qui a peut-être les traits de la maîtresse du commanditaire de l'œuvre, est allongée sur son lit dans une pose lascive. Lançant un regard sans détour hors du tableau, elle est pleinement consciente du spectateur qui la contemple. Les traits fortement individualisés du modèle, la représentation très vivante du corps (qui montre clairement que les artistes vénitiens ne peignaient pas d'après des statues − comme ce sera longtemps le cas à Florence −, mais d'après un modèle vivant) et l'atmosphère chaleureuse des couleurs, caractéristique du Titien, confèrent à ce tableau un caractère de franche intimité et un rayonnement particulier empreint de sensualité. En dépit du caractère très « privé » de la représentation, Titien a su faire de sa Vénus une divinité qui n'est pas de ce monde, un idéal intemporel de la beauté féminine.

Giorgione, *La Tempête*, vers 1505.
Huile sur toile, 82 x 73 cm. Galleria
dell'Accademia, Venise

Ce tableau de Giorgione est considéré
comme un des premiers paysages. En
effet, le paysage n'y est pas traité comme
un décor destiné à remplir l'arrière-plan,
mais contribue d'une façon décisive à
l'atmosphère du tableau. Un éclair
nerveux illumine les maisons d'une façon
fantomatique et confère à cette œuvre
une atmosphère mystérieuse qui est en
accord avec son contenu, dont le sens
n'a pu être élucidé jusqu'à ce jour.

**Le Corrège, *L'Adoration des bergers
(La Nuit)*,** vers 1530. Huile sur bois de
peuplier, 256 x 188 cm. Gemäldegalerie
Alte Meister, Dresde

tiques de l'art vénitien. Peut-être la capacité
des peintres vénitiens à capter la lumière et à
créer des éclats brillants inhabituels tenait-elle
à la Cité elle-même et à sa luminosité particulière due à l'eau de la lagune. Cette nouvelle
manière de peindre se développa grâce à une
technique que les Vénitiens empruntèrent aux
Néerlandais avec lesquels ils commerçaient :
la peinture à l'huile. Les artistes avaient utilisé
jusqu'alors la technique de la peinture *a tempera*, des pigments de couleur pulvérisés
mélangés à un liant rapide, de l'œuf le plus
souvent. La nouvelle matière picturale, faite de
pigments liés avec de l'huile, était plus mal-
léable que celle de l'*a tempera*, rendait les
glacis plus brillants encore, séchait plus lentement et permettait de travailler dans le frais les
zones de passage entre surfaces colorées voi-
sines. Son brillant donnait aux choses une tout
autre matérialité que la peinture *a tempera*
très couvrante, ou la peinture *a fresco*, terne.

A la gloire de l'État et pour le plaisir des yeux

Giovanni Bellini épuise toute les possibilités de
cette nouvelle technique en peignant son *Portrait du doge Leonardo Loredan*. Il émane de
l'imposante matérialité du lourd brocart, mais
aussi de la physionomie, qui ressemble à n'en
pas douter à celle du personnage représenté,
une grande dignité, une haute spiritualité et
une profonde humanité. C'est toute la puissance et la gloire de la République vénitienne
qui se reflètent ainsi dans un seul personnage.
Le tableau est à la fois portrait de caractère,
portrait d'aristocrate et portrait d'apparat.
La peinture à l'huile offrait, en dehors des effets de brillant, deux autres avantages importants : d'une part, les tableaux à l'huile se
conservaient mieux que les fresques dans le
climat humide de la lagune, d'autre part, la
malléabilité et l'assez grande élasticité de la
couleur à l'huile permettaient de se passer du
support en bois lisse. On se mit à tendre des
toiles sur un châssis à coins. Ce système était
meilleur marché et ingénieux à deux points de
vue : les toiles pouvaient être de la taille de
peintures murales mais elles étaient plus
facilement transportables parce qu'enroula-
bles. Un aspect non négligeable pour une
cité marchande comme Venise où fleurissait
un véritable marché international de l'art.
Les représentations allégoriques des idylles de
l'Arcadie mythologique étaient très appré-

ciées : les bacchantes, les fêtes des dieux antiques, les représentations de Vénus en étaient
les motifs préférés. Vénus, à la fois déesse et
beauté « charnelle » est languissamment
allongée sur un divan et telle que Titien l'a représentée (en plusieurs versions), elle restera
jusqu'au XIXe siècle l'archétype du nu allongé.
Rubens, Goya et Manet se sont inspirés de
cette Vénus dans de nombreuses variations.
Le choix de motifs mythologiques et l'intérêt
naissant pour le paysage, ainsi qu'en témoigne l'œuvre de Giorgione, *La Tempête*, où
la nature représentée par un ciel d'orage est
devenue le sujet principal du tableau, sont des
nouveautés caractéristiques de la peinture vénitienne. La nature considérée comme un paysage d'ambiance n'est plus un élément accessoire relégué à l'arrière-plan du tableau mais
un élément majeur de la composition et créateur d'atmosphère. L'éclair menaçant, fantomatique, de *La Tempête* illumine un instant les
maisons et renforce ainsi le caractère mystérieux et impénétrable de la mise en scène.
Quel est le thème du tableau ? est-il basé sur
une fable ? aucune interprétation sûre n'a pu
en être donnée jusqu'à maintenant. Les colonnes sont peut-être une allégorie du courage et
la mère un symbole de la Charitas, la sollicitu-
de aimante, mais le contenu narratif n'était pas
ce qui intéressait le plus le peintre, comme le
montrent les nombreuses retouches du tableau. Apparemment, l'artiste s'était attaché à
traduire une ambiance. L'homme et la nature
composent une unité et une ambiance harmonieuses. Selon un inventaire de l'époque, l'œuvre est d'ailleurs tenue pour un « paysage », l'un
des tout premiers. Le choix de thèmes profanes, comme le paysage, et la représentation
« laïcisée » de l'histoire biblique, ainsi les
Noces de Cana, se trouvent en corrélation
étroite avec une attitude politique occultée de
la République : les Vénitiens aspiraient à une
profonde autonomie, encore plus au XVIe siècle,
depuis que la puissance économique de
Venise, qui s'étendait alors jusqu'au Moyen-
Orient, était remise en question. La découverte
de la route des Indes en 1500 avait été un
rude coup pour Venise qui perdait ainsi son
monopole sur le commerce du poivre et des
épices. La Cité ne voulait pas, en plus, se laisser mettre sous la tutelle de Rome. En se
détournant des motifs religieux, l'école de
Venise affirmait son indépendance vis-à-vis

des dogmes artistiques de plus en plus pesants de l'Eglise catholique. Cette dernière, confrontée dans le nord de l'Europe avec la fronde réformatrice, voulait imposer un autoritarisme étouffant.

Des noces à l'odeur de soufre

Au XVIe siècle, l'Eglise, qui redoute de perdre son pouvoir et son influence, crée l'Inquisition pour réprimer ce qu'elle appelle le crime d'hérésie, qu'elle voyait aussi dans le domaine artistique. La richesse de l'art de Véronèse, l'un des maîtres de la peinture vénitienne les plus marquants de son époque, le plaisir des sens et la gaité apparemment sans limites qu'il exprime, la *Cène* qu'il représente sous la forme d'un festin de patriciens vénitiens le menèrent droit devant le tribunal de l'Inquisition. Il dut répondre de ce tableau où se trouvent nains, bouffons et Allemands – donc des adeptes potentiels de la Réforme. Le peintre réussit à s'innocenter par une naïveté jouée et une ruse de paysan. Il mit en avant la liberté de la création artistique, revendication déjà osée de sa part, et déclara que « le tableau est assez grand et peut comprendre de nombreuses personnes ». S'agissant des *Noces de Cana*, l'affirmation était exacte. C'est à l'examen

seulement qu'on y découvre un motif biblique. Sur ce tableau de six mètres de haut sur dix mètres de large – c'est en taille l'une des plus grandes toiles peintes jusqu'à ce jour – se trouve Jésus entouré de bourgeois richement vêtus et de serviteurs affairés, un homme parmi une multitude d'autres hommes, une centaine en tout. Par la disposition de la table, symétrique et parallèle au tableau – Jésus est assis au milieu – l'œuvre a une certaine ressemblance avec la *Cène* de Léonard de Vinci, mais le miracle de l'eau transformée en vin a disparu pour ainsi dire dans le festin vénitien. Le tableau est inondé de lumière et très animé. De nombreuses scènes émaillent la composition et donnent une impression de vie si forte que l'on croirait presque entendre le brouhaha des voix et le quatuor au premier plan. Cette fausse réalité est renforcée par l'architecture en trompe-l'œil des magnifiques palais de la Renaissance. Le regard glisse le long des façades en direction de l'horizon et s'arrête un instant sur une galerie où gesticulent des cuisiniers, le couteau aiguisé à la main. L'enchaînement des diverses petites scènes en une synthèse scénographique, la richesse chromatique et l'ampleur décorative annon-

Paolo Véronèse, *Les Noces de Cana*, 1562-1563. Huile sur toile, 669 x 990 cm. Musée du Louvre, Paris

De 1553 à sa mort, Véronèse a vécu et travaillé à Venise. Il y a peint un grand nombre d'œuvres dans lesquelles il a glorifié la grandeur, l'éclat et la richesse de la cité lagunaire. Son sens de la forme classique, son amour du détail et sa prédilection pour les pompes architecturales lui apportèrent de nombreuses commandes pour des œuvres monumentales qu'il ne pourra exécuter qu'avec l'aide de nombreux assistants travaillant dans son grand atelier. La gigantesque peinture à l'huile *Les Noces de Cana* fut peinte pour le réfectoire – récemment reconstruit par Palladio – du monastère bénédictin San Giorgio Maggiore. Vêtus d'habits chatoyants d'une étonnante diversité, les invités de la noce donnent le sentiment d'une joyeuse compagnie, animée et bon enfant. Jésus y est assis comme un homme parmi une multitude d'autres hommes – le tableau compte en tout 132 personnages. On reconnaît aussi un certain nombre de contemporains célèbres dans cette illustre société égayée par un orchestre. Composition de l'orchestre : à la contrebasse, Titien ; à l'alto, Véronèse ; au violoncelle, le Tintoret.

cent déjà la prochaine grande époque, celle du baroque. Même les lignes serpentines, le tourbillon mouvementé des corps et les effets magnifiques du clair-obscur mis en scène par le Corrège dans son tableau *La Nuit* relèvent déjà d'une nouvelle conception picturale. Le chaînon reliant la Renaissance au baroque se présente sous la forme du maniérisme.

LE MANIÉRISME 1530-1600

L'autre réalité

Si les représentations équilibrées, harmonieuses et idéalisantes de la Renaissance sont l'expression de la conscience de soi acquise par l'homme qui se sent désormais la mesure de toutes choses, les événements qui secouent les premières décennies du XVIᵉ siècle entament largement cette confiance en soi. Ce sont tout d'abord les grandes questions théo-logiques qui sont débattues dans les pays de l'Europe du Nord à la suite de la Réforme. En 1517, Martin Luther ouvre les hostilités contre l'Eglise catholique avec ses propositions de Wittenberg. De l'avis des Protestants, la papauté était devenue synonyme de décadence des mœurs et de la foi. Mais ce qui scandalisait surtout les Réformateurs, c'étaient les lettres d'indulgence avec lesquelles les croyants achetaient la rémission de leurs péchés accordée par l'Eglise. L'argent de ce commerce lucratif passait dans la fastueuse reconstruction de Saint-Pierre de Rome. Pour Luther, de telles pratiques étaient aussi peu conciliables avec la croyance chrétienne que le luxe et le culte des images qu'il traitait d'« iconolâtrie ». La débauche de faste et de magnificence n'avait rien à voir à son avis avec la religion. La recherche de la splendeur terrestre incitait l'homme à adorer les images et les statues plus que Dieu lui-même.

Le développement rapide de la Réforme montrait combien l'aspiration à transformer l'Eglise était profonde. Le prix à payer pour réaliser ces réformes fut toutefois très élevé : des guerres religieuses ensanglantèrent l'Europe pendant un siècle ; un schisme se produisit au sein de l'Eglise et l'autorité de celle-ci fut de plus en plus remise en question.

Il s'en suivit une déroute générale des idées aggravée par les découvertes scientifiques qui changeaient la face du monde. Copernic avait constaté à la suite de ses recherches, que le soleil constituait le centre de l'univers et que les astres, dont la Terre, tournaient autour de lui. La théorie héliocentrique de Copernic s'opposait à l'image de l'Eglise catholique et à sa prétention à la vérité et à l'hégémonie. L'idée que le représentant de Dieu sur terre ne se trouve pas au centre du cosmos n'avait rien pour séduire, mais le tour du monde de Fernand de Magellan et la découverte de l'Amérique par Christophe Colomb confirmèrent l'idée que la terre tournait bien autour du soleil et n'était pas un disque fini. La découverte du Nouveau Monde transforma le rapport de forces en Europe : l'Espagne et le Portugal se partagèrent l'Amérique du Sud et l'Espagne devint un empire puissant où, comme le prétendait Charles V, « le soleil ne se couche jamais » ; elle ébranla jusque dans ses fondations l'idée présomptueuse que l'Europe, voire Rome, se trouvait au centre de

Jacopo Pontormo, *La Visitation*, vers 1530. Huile sur bois, 202 x 156 cm. Eglise de Carmignano près de Florence

univers. Enfin, les divergences entre les doctrines théologiques et la pensée humaniste étaient devenues patentes. Le temps de l'optimisme renaissant était révolu.

La « révolution copernicienne » concernant l'image même du monde se reflète dans l'art italien de l'époque. Les peintres, comme beaucoup d'autres de leurs contemporains, ne croyaient plus en une harmonie ordonnée. Ils pensaient que les règles de l'art basées sur la rationalité et la mesure n'étaient plus adéquates pour représenter un monde en pleine désagrégation. C'est en ce sens que l'art de cette période – le maniérisme – est l'art d'une époque en pleine révolution, art nourri par la recherche d'un nouveau langage pictural.

Les jeunes artistes avaient le sentiment de ne pouvoir développer plus avant le style de Léonard de Vinci, de Michel-Ange et de Raphaël, qu'ils trouvaient d'une perfection achevée. Le tour de force des grands maîtres avait été de peindre des tableaux qui paraissaient naturels et véridiques tout en étant parfaitement composés. Aux yeux de la jeune génération, tout ce qui pouvait être atteint suivant les règles courantes de l'art avait été atteint. Aussi les maniéristes cherchaient-ils une dimension et une tension nouvelles dans l'art. Comme les avant-gardistes modernes le feront bien des siècles plus tard, ils se rebellèrent contre les canons esthétiques traditionnels en dépeçant, déformant, recombinant le répertoire formel du langage pictural « classique ».

L'œuvre de Jacopo Pontormo résulte d'une fusion de diverses influences stylistiques : celle de son maître Andrea del Sarto, de Léonard de Vinci, de l'œuvre tardif de Raphaël et de la peinture de Michel-Ange. Il créa ainsi un *langage pictural* qui paraît abstrait malgré son réalisme. Les personnages féminins de *La Visitation*, tableau qui décrit la rencontre de Marie et d'Elisabeth, ressemblent à des êtres surnaturels. Les pieds effleurent à peine le sol. Les corps se perdent dans les drapés épais et onduleux dont les couleurs brillent d'un éclat métallique. Un regard formé à la peinture renaissante devait se faire à l'idée qu'il n'existait pas qu'une seule et unique vision naturaliste.

Les peintres maniéristes mettaient plus l'accent que leurs prédécesseurs sur une manière de peindre individuelle, sur une vision personnelle et sur la puissance évocatrice. Ils découvraient le contenu symbolique de la

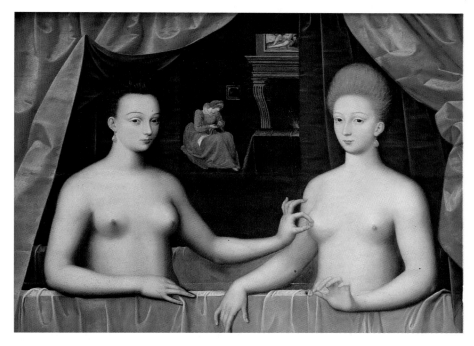

création picturale, le pouvoir imageant de la peinture. Ils enfreignaient sciemment la règle de la pondération. Les compositions pyramidales et circulaires typiques de la Renaissance étaient abandonnées, la rhétorique classique remplacée par des effets étonnants, des dissymétries, des compositions basées sur la tension et la densité. Les peintres renonçaient dans leurs œuvres à une architecture structurante et équilibrante. Au lieu d'une configuration gouvernée par la *perspective centrale* faisant converger le regard vers un point fixe apparaissait maintenant un espace pictural dynamisé impossible à clore. L'unité spatiale était réalisée en étirant la structure dans le plan ou poussée à l'extrême par la présentation de différents points de vue successifs. Ainsi, dans *La Vierge au long cou* du Parmesan, le premier plan et l'arrière-plan sont placés côte à côte, sans transition véritable. La composition est déséquilibrée, parce que fragmentée en parties distinguables inégalement réparties. Dans la moitié gauche du tableau, le peintre a placé un groupe d'anges qui se pressent les uns contre les autres, dans la moitié droite, s'ouvre un *espace en profondeur*, son seul point fort étant une colonne éclairée sous une vive lumière, derrière laquelle s'étend un fond de paysage sombre. Pourtant le tableau ne se scinde pas en deux parties. Le peintre réussit par divers procédés de superposition (le manteau artificiellement gonflé de la Madone retient le regard qui se porte vers le fond du tableau) et par des analogies

Ecole de Fontainebleau, *Gabrielle d'Estrées et la duchesse de Villars*, vers 1592. Huile sur bois, 96 x 125 cm. Musée du Louvre, Paris

Ce tableau représente la maîtresse d'Henri IV, Gabrielle d'Estrées, avec sa sœur. Assises au bain, les deux femmes sont parfaitement conscientes de leur observateur. L'anneau que l'une d'entre elles tient entre ses doigts est un anneau d'amour qui, comme le motif du bain, indique le statut de maîtresse du roi de l'une des sœurs (ou des deux ?). Le sens de la pose de l'autre reste cependant énigmatique ; peut-être ne s'agit-il que d'un « assaisonnement » érotique comme on les appréciait dans le maniérisme français.

Le Parmesan, *La Vierge au long cou*, vers 1536. Huile sur bois, 216 x 132 cm. Galerie des Offices, Florence

Giuseppe Arcimboldo, *Vertumne (Rodolphe II)*, 1590. Huile sur bois, 70,5 x 57,5 cm. Skokloster Slott, Uppsala (Collection Baron R. von Essen)

Arcimboldo fut l'un des maniéristes les plus originaux. Selon les documents de l'époque, ses portraits composés à partir d'objets de toutes sortes auraient dénoté une ressemblance stupéfiante avec les modèles ainsi représentés. La bouffonnerie de l'artiste, dont les œuvres connurent un grand succès, situe ses tableaux dans une tradition qui va de Bosch aux surréalistes.

Le Tintoret, *La Cène*, 1591-1594. Huile sur toile, 365 x 568 cm. San Giorgio Maggiore, Venise

Le Tintoret était d'une nature difficile et instable. Il émane le plus souvent de ses tableaux une certaine nervosité et une inquiétude torturée. Ses figures semblent comme animées par des démons intérieurs, fait souligné en outre par de forts contrastes entre des tons sombres-lugubres et des tons d'une clarté fantomatique, par des torsions physiques et des raccourcis exécutés dans une facture nerveuse.
L'exacerbation forcée des sentiments et un pathos annonçant le baroque font du Tintoret l'un des représentants les plus importants du maniérisme. Cette *Cène* datant de l'année de sa mort est la représentation lugubre d'un mystère : la simple table avec le groupe compact des apôtres fait entrer le regard dans la profondeur de la salle, dans laquelle la figure chétive du Christ passe presque inaperçue.

formelles de nature spirituelle, à préserver l'unité du tableau. Il établit ainsi une étroite corrélation de composition entre la colonne à l'arrière-plan, le genou brillant de Marie et la jambe allongée de l'ange au premier plan. Les formes effilées, étirées, les torsions et les dislocations des corps, bien loin des proportions idéales classiques, constituent une des caractéristiques formelles du maniérisme. Le Parmesan représenta lui aussi une Vierge aux formes très allongées. Le long cou de cygne qui a donné son nom au tableau est remarquable. Le Parmesan renchérit sur la mise en forme idéalisée des figures de Raphaël en parvenant à une élégance stylisée que les contemporains du peintre considéraient avec admiration comme la « grâce ». L'artificialité extrême et triomphante, la volonté esthétisante, la manière de représenter, qui parfois, comme dans les portraits d'Arcimboldo, prenait la forme d'un jeu original et fantaisiste, donnèrent son nom à cette tendance stylistique (« *maniera* », manière en italien). Au XVIIe siècle, le terme verra s'accuser son sens péjoratif qu'il ne perdra jamais plus réellement. Selon les critiques de l'époque, le maniérisme ne serait qu'une convention stylistique rigide n'imitant plus les œuvres de la nature. Au XVIe siècle cependant, cette peinture maniériste était très prisée à toutes les Cours européennes, en particulier à celle de François Ier. Entre 1530 et 1560, celui-ci fit aménager le château de Fontainebleau par des artistes italiens, flamands et français. Le style décoratif fastueux de « l'école de Fontainebleau », qui n'est

dénué ni de frivolité ni de piquant, comme e[n] témoigne le tableau *Gabrielle d'Estrées et l[a] duchesse de Villars*, n'a que peu d'analogie[s] cependant avec le maniérisme italien. Ce styl[e] trouvera son prolongement un siècle plus tar[d] dans le style rococo français.

Mondes inconnus, mondes divins

Derrière les nouveaux mondes picturaux et l[a] rupture avec la perspective géométrique, ex[-] pression d'un monde dominable et domin[é], se cachait une question profonde : existait-[il] une vraie réalité ou la manière de percevoir le[s] choses n'était-elle pas plus importante ? Le[s] maniéristes transformèrent l'espace pictura[l] illusionniste, imitateur de la réalité, en u[n] espace « spirituel » dans lequel est révélé l'invi[-] sible, accessible à l'œil intérieur seulemen[t]. C'est dans cette approche, où excellent visio[n] et conception personnelles de l'artiste, qu[e] l'art moderne a sa source. Aussi n'y a-t-il rie[n] de surprenant dans le fait qu'un peintr[e] comme le Greco, un des maîtres du manié[-] risme, ait été redécouvert par les artistes d[u] début du XXe siècle et qualifié par eux d'« an[-] cêtre de l'art moderne ».

Domenikos Theotokopoulos, El Greco, le Grec[o] comme on l'appelait à la cour d'Espagne où i[l] travailla la majeure partie de sa vie, fut avec l[e] Tintoret l'un des peintres les plus important[s] de la seconde moitié du XVIe siècle. Tous deu[x] à l'instar du Parmesan, aspiraient à créer quel[-] que chose de neuf. Leurs œuvres n'étaien[t] pas seulement un jeu raffiné produit par d[e] nouveaux procédés artistiques, elles présen[-]

taient un contenu spirituel et montraient l'invisible.

Le Tintoret admirait aussi les maîtres de la Renaissance, Michel-Ange et Titien. Il cherchait, selon ses propres termes, à « unir le dessin de Michel-Ange au chromatisme de Titien » pour faire apparaître l'impossible, le transcendant qui ne peut se représenter. Il voulait trouver un langage pictural qui rende sensible le contenu spirituel, le divin. La peinture naturaliste de la Renaissance, qui avait fait appel si naturellement à la mythologie antique et à l'imagerie chrétienne, s'avéra être de peu d'utilité pour une telle entreprise. L'objectif des maniéristes était justement de ne pas créer un espace pictural ressemblant exactement à la réalité et donnant l'impression au spectateur qu'il peut y pénétrer à tout moment : ils désiraient peindre des tableaux qui ne seraient pas une simple reproduction du monde et sur lesquels flotterait un souffle de sphères inconnues, divines. La nature n'offrant aucune forme de monde surnaturel, les peintres s'en remettaient à leur imagination. Ils montaient leurs histoires à la manière de metteurs en scène de théâtre. Ils essayaient de soustraire leurs représentations à la vie réelle par un luminisme irréel, théâtral, par une perspective originale ou des *raccourcis* saisissants. Ils métamorphosaient les scènes religieuses en scénarios exaltants. Une comparaison entre les tableaux sur la *Cène* de Léonard de Vinci et du Tintoret montrent de façon éclatante la différence de leur démarche et de leur point de vue : à la *composition frontale* de Léonard de Vinci, équilibrée, symétrique, s'oppose l'espace spatial du Tintoret, dynamisé par une table placée en diagonale par rapport au plan de l'image. Le Jésus de Leonard de Vinci est, suivant la théologie chrétienne, à la fois de chair et de nature divine. La *Cène* est une scène d'ici-bas, mais empreinte en même temps d'un sens éternel et sacré. Cette coexistence harmonieuse se morcèle dans l'œuvre du Tintoret. Entre la vie terrestre représentée au premier plan où on voit les domestiques s'occuper du boire et du manger, et l'histoire sacrée à l'arrière-plan, la différence est patente. Les deux niveaux de représentation ne sont réunis que par la lumière et le mouvement extatique de la structure, qui trouve son équilibre de composition dans la pléiade d'anges, à peine visibles tourbillonnant au-dessus d'elle.

Le Greco, *La Résurrection du Christ,* vers 1584-1594. Huile sur toile, 275 x 127 cm. Museo del Prado, Madrid

Les figures des tableaux du Greco, qui présentent généralement des sujets bibliques ou tirés de l'histoire des saints, sont toujours d'une maigreur exagérée, parfois irréellement étirée, et animées de mouvements aux torsions serpentines, effets par lesquels le peintre voulait exprimer une aspiration spirituelle vers le ciel, une aspiration au transport mystique. Les attitudes et les visages sont caractérisés par la passion et dénotent des traits visionnaires. Si l'homme et le monde forment sans doute encore une unité organique chez le Greco, leur équilibre semble avoir été perturbé. Le peintre privilégie un fond dénué d'espace, la lumière généralement blafarde est d'un effet funeste ; enfin, les couleurs et les corps sont pâles et exsangues. La *Résurrection du Christ* représente le triomphe de la lumière sur les puissances des ténèbres. Dans sa résurrection, le Christ est transfiguré par la lumière, il est pur et libéré de toute pesanteur. Sa main droite pointe vers le triomphe du Père, alors que les pieds sont encore superposés comme sur la croix. Derrière le Christ apparaît le manteau pourpre de la majesté terrestre, tandis que la bannière blanche évoque la paix éternelle. Contre le bord inférieur du tableau, le capitaine romain gît, terrassé au sol, incarnant ainsi l'antithèse terrestre de la résurrection. Entre les deux hommes, on aperçoit un imbroglio de visages et de corps dont la peau chatoyante semble fusionner avec les vêtements, et dont les gestes d'escalade, d'étonnement et de supplique sont d'un effet pour le moins fantomatique.

Une atmosphère surnaturelle, mystique, une peinture expressive où le réel et l'irréel, le monde de l'Esprit ne peuvent se distinguer du monde perceptible étaient inconnues des peintres de la Renaissance. Dans le baroque – à partir de 1600 – les mondes picturaux spirituels développés par les maniéristes les années précédentes atteignent à la perfection. Les peintres du baroque abandonnent la réalité terrestre ou s'adonnent à un jeu déconcertant d'illusion et de réalité. Les pères de l'Eglise furent les premiers à comprendre le pouvoir suggestif d'une telle peinture illusionniste, que la maîtrise parfaite de la *perspective linéaire et atmosphérique* avait rendue possible. Vu la menace que constituait pour la papauté la Réforme venue du Nord, un art suggestif semblait tout à fait approprié pour redonner à la foi catholique sa force d'antan. En 1562, lors du concile de Trente, point de départ de la Contre-Réforme dans les pays catholiques, il fut décidé de mettre désormais au premier plan de l'art les aspects mystiques et surnaturels de l'expérience religieuse.

LA PEINTURE FLAMANDE 1420-1580

Regarder de l'extérieur

Dès le début du XVᵉ siècle, les prémices d'une « ère nouvelle » étaient perceptibles dans le nord de l'Europe. Les Flandres, à l'époque encore province du duché de Bourgogne, était avec Florence la région d'Europe la plus riche et la plus développée sur le plan économique. A l'instar de l'Italie, une culture urbaine s'y était développée, largement influencée par la bourgeoisie.

Pourtant, en dépit de conditions sociales équivalentes, l'art du Nord n'a pas connu de bouleversement comparable à celui de la Renaissance italienne. La peinture y est restée beaucoup plus longtemps tributaire des traditions médiévales. C'est avec lenteur que les sujets profanes se substitueront aux thèmes sacrés. Les peintres, dont les tableaux religieux baignent dans une ambiance profane essaient de rendre l'espace, la couleur, le volume et la lumière de manière naturaliste. Sur le panneau de gauche du *Retable de Pierre Bladelin* peint par Rogier Van der Weyden, la Vierge Marie apparaît à l'empereur Auguste dans une chambre flamande de l'époque médiévale. Le monde terrestre est présent partout : la grande fenêtre ouverte laisse voir des champs et des prés s'étendant à l'infini, procédé qui confère à l'image une profondeur spatiale.

Peindre ce que l'on voit

Alors que l'art italien du XVᵉ siècle se fondait sur la *perspective linéaire* géométrique, les Flamands se fiaient à la *perspective empirique*. A la différence des artistes de la Renaissance italienne qui, pour saisir le monde, avaient adopté une démarche rationnelle et scientifique et construisaient une image quasiment de l'intérieur, les Néerlandais essayaient de comprendre les mystères du monde par une observation sensible de la réalité, menée de l'extérieur et attachée à chaque détail. Pour guides, ils avaient l'observation directe et la connaissance de la nature des choses. Ils peignaient ce qu'ils voyaient et approchaient de cette manière, ainsi qu'en témoigne le sol dallé du retable de Rogier Van der Weyden, de l'effet de perspective centrale. Cette approche par l'observation et l'expérience permit par ailleurs de constater que les formes des objets

Rogier Van der Weyden, *Retable de Pierre Bladelin* (panneau de gauche), vers 1460. Bois, 91 x 40 cm. Staatliche Museen zu Berlin – Preußischer Kulturbesitz, Gemäldegalerie, Berlin

éloignés s'estompaient, les contrastes de valeurs perdant de leur intensité dans les lointains et virant au bleu. Bien avant Léonard de Vinci, les peintres flamands inventèrent la *perspective chromatique et atmosphérique* pour représenter des paysages qui donnent de la profondeur aux scènes d'intérieur en s'étendant jusqu'à l'horizon.

Le regard analytique placé à une certaine distance du tableau et son corollaire, la synthèse additive, caractérisent aussi le tableau de Jan Van Eyck, *Les Epoux Arnolfini*. Le thème profane et le caractère intime du portrait – dans un pays où la peinture d'autel constituait encore le genre le plus important de l'art pictural – sont certainement dus, en grande partie, à la nationalité du commanditaire. Giovanni Arnolfini était un très riche homme d'affaires italien qui dirigeait la filiale de Bruges de son père. Il connaissait la valeur qu'on attribuait dans son pays à l'individualité, et l'habitude qu'avaient les hommes importants de se faire portraiturer ; en plus, il ne manquait pas d'argent, autant de raisons qui l'ont certainement décidé à commander cet « acte de mariage peint » à Jan Van Eyck.

La prodigieuse évocation naturaliste des détails au premier et à l'arrière-plan ne déséquilibre pas la composition, la valeur atmosphérique et unifiante de la lumière en constitue l'unité. Le nouveau procédé de la peinture à l'huile, dont la pratique se répandit assez tôt dans les pays du Nord, favorisa cette manière de peindre. La peinture à l'huile, par sa plus grande fluidité, sa meilleure siccativité, permettait de travailler avec plus de lenteur, par couches superposées et retouches. Elle permettait aussi les nuances chromatiques les plus fines. Les drapés étaient « sculptés », par des gradations tactiles, en des tons de plus en plus pâles et les matériaux brillants pouvaient être rendus par des « lumières » délicates peintes avec la pointe d'un pinceau fin. Les vêtements, les corps et les visages acquéraient une matérialité naturaliste inconnue jusque-là.

Cette technique flamande, cet « *ars nova* » (art nouveau en latin) comme on la vantait alors, fut bientôt diffusée et admirée hors des Pays-Bas par l'intermédiaire des artistes néerlandais appelés à travailler aux cours italiennes. Par contre, l'influence qu'exercera la Renaissance italienne sur l'art de l'Europe du Nord sera beaucoup plus tardive.

l'enfer terrestre

L'œuvre de Jérôme Bosch se situe au tournant du XVe et du XVIe siècle. Au moment où Léonard de Vinci, Raphaël et Michel-Ange s'adonnaient aux idéaux du Beau classique, Bosch créait un univers céleste et infernal dont les êtres fantasques semblaient sortis tout droit de l'imagiaire médiéval. Mais le message de ces tableaux correspondait à l'esprit de son époque et de son pays, car au contraire de la vision optimiste du monde de la Renaissance italienne, la « conquête de la vérité » dans l'Europe du Nord était profondément marquée par le doute et l'incertitude.

Les conflits sociaux provoqués par les mutations économiques, les guerres, les épidémies de peste, les famines qui n'ont cessé de tourmenter les Pays-bas du XVe siècle, les hommes les craignaient comme un signe de la colère de Dieu et de l'abandon de la protection divine. L'incertitude se muait en fanatisme religieux : d'interminables processions de pénitents parcouraient le pays, la chasse aux sorcières se déchaînait, d'innombrables sectes promettaient le salut de l'âme. L'Eglise catholique, apostolique et romaine perdait de sa crédibilité notamment en raison de sa recherche exacerbée du Pouvoir, et n'était plus en mesure d'apporter un soutien à l'homme tourmenté par le doute. La religion vivait une crise profonde. Le besoin d'une réorientation religieuse, d'une Réformation se faisait sentir.

Les œuvres de Jérôme Bosch reflètent parfaite-

Jan Van Eyck, *Les Epoux Arnolfini*, 1434. Détrempe à la résine sur bois, 82 x 60 cm. National Gallery, Londres

Le grand talent de Van Eyck dans la justesse des perspectives, sa précision dans le détail et sa représentation vivante des figures et des espaces en font un des précurseurs de la représentation réaliste du monde.

Par sa description naturaliste d'un couple dans un intérieur bourgeois fixé avec une grande précision de détails, le tableau Les Epoux Arnolfini marque le tournant de l'art sacré vers l'art profane. Vêtus d'habits somptueux, l'homme et la femme se tiennent debout dans la chambre nuptiale pour conclure les liens du mariage. Devant eux, un petit chien, symbole de la fidélité. Sur le lustre suspendu au-dessus d'eux brûle une unique bougie symbolisant la présence du Christ. Le peintre a fixé cette cérémonie dans son tableau et sa signature en fait le témoin des mariés : « Johannes Van Eyck hic fuit » (« Jan Van Eyck était présent »), c'est l'inscription qu'on peut lire au-dessus du miroir, dans lequel on reconnaît deux autres témoins.

Jérôme Bosch, *L'Enfer* (panneau de droite du triptyque *Le Jardin des délices*), vers 1503. Huile (?) sur toile, 220 x 97 cm. Museo del Prado, Madrid

ment ce sentiment. L'art des maîtres flamands se situait dans la grande tradition médiévale des visions du ciel et du salut. Bosch « humanisa » l'enfer en décrivant avec minutie l'abîme insondable que constitue l'homme, ainsi que ses manquements et ses vices. Grâce au traitement atmosphérique unitaire du paysage, de l'homme, de la faune et des différentes matières, l'enfer acquiert une dimension « réelle », il apparaît sur terre. Il faut supposer qu'une idée préalable sous-tendait les tableaux, que des figures et des détails qui ont l'air aujourd'hui simplement surréels étaient compris alors par un cercle d'initiés comme des symboles ésotériques.

Son imagination onirique, qui fit sa renommée de son vivant, consiste en une fusion parfaite entre réalisme (rendu des sujets) et symbolique (sens profond des sujets). Les œuvres de Bosch, victimes de contrefaçons dès cette époque, n'ont rien perdu, des siècles après leur création, de leur effet cauchemardesque et angoissant. Les surréalistes en particulier, qui peignirent au début du XXe siècle le même genre de visions, trouvaient en elles un souffle inspirateur. Pourtant, le propos de Bosch n'était pas de montrer l'âme humaine, mais la façon d'agir de l'homme. Derrière les visions oppressantes se cachait un discours moralisateur. Son univers pictural dénonçait la présence du démon sur terre, mettait en garde l'humanité contre les tourments qu'elle se préparait.

Symboles terrestres

Les tableaux de Bruegel, figure dominante de la peinture hollandaise du XVIe siècle, sont empreints eux aussi d'un ton moralisateur. Sa peinture de représentation a des analogies avec celle de Bosch, mais Bruegel, cultivé e humaniste, ne représentait pas des visions de l'enfer ou des thèmes purement religieux, i préférait les thèmes liés à son époque, les allusions à des événements contemporains. Sa *Tour de Babel* doit être comprise – ainsi le veut la morale biblique – comme un avertissement adressé à l'humanité sûre d'elle jusqu'à la présomption, phénomène que le peintre a peut être observé chez ses contemporains. Au début du XVIe siècle, Anvers, la cité où Bruegel peignit ce tableau, était devenue en quelques années l'une des plus grandes villes d'Europe. La découverte de la route des Indes et de l'Amérique du Nord avait entraîné l'essor rapide des ports de la côte ouest de l'Ancien Continent. Des marchandises et des gens du monde entier débarquaient à Anvers. La diversité des langues avait quelque chose de babylonien et maint marchand enrichi a pu se laisser griser par une grande satisfaction d'amour-propre. Ce n'est pas un hasard si Bruegel a traité par trois fois le motif de la construction de la tour de Babel. Cette histoire était en quelque sorte un miroir brandi devant les yeux de ses contemporains. Le panorama de Bruegel se fait symbole, un symbole dans lequel le *paysage panoramique*

Pieter Bruegel, *La Tour de Babel*, 1563. Huile sur bois, 114 x 155 cm. Kunsthistorisches Museum, Vienne

A partir de 1562, Pieter Bruegel l'Ancien se consacra de plus en plus à la représentation des monstruosités, des vices, des angoisses et des démons humains, qu'il représente sous une forme imagée, souvent avec une forte tendance moralisatrice – fréquemment exagérée jusqu'au grotesque. Les idées de la Réforme inspirée par l'humanisme et les débuts des guerres de libération des Pays-Bas ont laissé leur empreinte dans l'œuvre de Bruegel.
Avec une extrême précision du détail, l'artiste représente la tour de Babel, ses constructeurs et leur outillage, comme une immense fourmilière. Chacune des activités décrites semble pleine de bon sens en tant que telle, mais la vanité de l'entreprise dans son ensemble saute aux yeux lorsque Bruegel, et cela souvent au même niveau de l'édifice, associe de simples ébauches de construction, des parties à moitié terminées et d'autres, achevées jusqu'au moindre détail : l'élévation et le déclin de cet édifice se dressant dans un vaste paysage panoramique semblent avoir la même valeur.

n'est plus un extrait du monde réel, mais un cosmos refermé sur lui-même. La ville, le pays, les montagnes, les rivières, le ciel forment un macroscome. L'espace est traité de façon unitaire, les couleurs et la lumière enveloppant les détails miniaturistes en un tout. De plus, Bruegel n'a pas abandonné la minutie graphique au profit de l'effet de distance, bien au contraire : l'air, l'atmosphère sont élevés au rang d'objets picturaux. La synthèse du réalisme et du symbolisme que Bruegel, à la suite de Bosch, a su réaliser dans ses mises en scène « populaires », a exercé une grande influence sur l'art des Pays-Bas et ouvert la voie aux *tableaux de mœurs* qui connaîtront leur apogée à l'époque du baroque, un siècle plus tard.

LA RENAISSANCE EN ALLEMAGNE 1490-1540

Des images tradidionelles dans un esprit nouveau

En Allemagne, de l'autre côté de cette barrière naturelle que forment les Alpes, loin de l'Antiquité qui nourrit la pensée moderne dans le Sud, le passage du Moyen Âge à la Renaissance se produit avec un retard de près d'un siècle. Tandis qu'en Italie s'épanouissaient la Renaissance et la Haute Renaissance, l'art allemand s'obstinait dans les formules stylistiques de l'art gothique. La Vierge Marie y était toujours représentée sur un fond or alors que cette technique avait été abandonnée depuis longtemps dans les autres pays européens. Il fallut donc attendre le XVIᵉ siècle pour que l'art allemand se défasse de la culture et de l'esprit médiévaux.

La pensée humaniste de la Renaissance se diffusa par l'intermédiaire des artistes itinérants italiens venus travailler en Allemagne et par la *gravure sur cuivre* apparue vers le milieu du XVᵉ siècle, et qui autorisait une reproduction en série et bon marché des œuvres des Maîtres italiens. Grâce à cette nouvelle technique, les artistes allemands découvrent le « nouvel » art. Ils prendront bientôt l'habitude du « voyage à Rome », vers cette Italie considérée comme le « berceau de l'art » pour étudier sur place les Maîtres italiens. L'impression que fit l'art italien sur Albrecht Dürer se mesure à l'accueil euphorique qu'il réserve à la Renaissance : « En mille ans, rien n'est venu enrichir notre art [...] Il n'a recommencé à évoluer que depuis cent

cinquante ans. J'espère qu'à l'avenir, il grandira pour porter ses fruits. » Dürer contribua d'ailleurs beaucoup à la réalisation de cet espoir. Au tournant du XVIᵉ siècle, la peinture et la gravure allemandes connaissent une période florissante inattendue, mais qui ne durera que quelques décennies. Cette époque est parfois appelée « époque Dürer ». Outre Albrecht Dürer, Hans Baldung Grien et Albert Altdorfer, d'autres peintres comme Mathias Grünewald, Lucas Cranach l'Ancien et Hans Holbein le Jeune marqueront l'art allemand de leur temps.

La création picturale de l'Allemagne au tournant du XVIᵉ siècle est toujours étroitement liée à l'Eglise et à son *iconographie*. Elle acquerra pourtant son dépendance en ce sens que l'art finira par se libérer de l'architecture et se concentrera ensuite sur le lieu le plus important de l'église : l'autel. Un exemple extraordinaire de la peinture d'autel nous est donné par le *Retable d'Issenheim* dû à Grünewald et qui se présente sous la forme d'un grand polyptyque. Ce retable est formé d'un panneau central et de plusieurs volets mobiles rabattables, comme les pages d'un livre, au gré des besoins liturgiques. La crucifixion de Jésus apparaissait lorsque le retable était refermé. La peinture de Grünewald se caractérise par un réalisme impitoyable et, insistant, et par une charge émotionnelle traduite par la couleur et la forme. Ces deux moyens d'expression ont à ses yeux autant

Mathias Grünewald, *La Crucifixion*
(Retable d'Issenheim, panneaux gauche et droit refermés), 1513-1515. Détrempe à la résine sur bois, 269 x 307 cm. Musée Unterlinden, Colmar

Si Grünewald se sentait encore fortement rattaché à la conception du monde et à l'iconologie du Moyen Âge, ses œuvres sont marquées par des tonalités d'une luminosité très particulière et par une expressivité poussée à l'extrême dans ses scènes et ses figures. La représentation nocturne du Christ en croix est d'une plasticité bouleversante. Comparé au groupe de personnages à gauche, le Christ est colossalement agrandi, et son corps supplicié et sanguinolent dénote déjà la teinte verdâtre de la viande en décomposition. A gauche de la croix, on peut voir Marie-Madeleine agenouillée, les bras levés vers le ciel ; à côté d'elle, le disciple préféré du Christ, Jean, semble soutenir Marie, la mère de Dieu, qui, accablée de douleur, perd connaissance. A droite de la croix, Saint-Jean-Baptiste montre du doigt le Christ mort. Pendant longtemps, l'histoire de l'art a considéré Grünewald comme une sorte d'excentrique. Ce furent les expressionnistes qui redécouvrirent son emploi lapidaire des couleurs et la mise en forme poignante de la douleur et de l'expressivité humaines, tandis que son réalisme insistant devait fasciner les peintres de la nouvelle objectivité, en particulier Otto Dix.

Albrecht Dürer, *Autoportrait*, 1500.
Huile sur bois, 67 x 49 cm. Alte Pinakothek, Bayerische Staatsgemäldesammlungen, Munich

Dans un premier temps, la frappante ressemblance avec un Christ peut donner à
penser que pris d'un sentiment d'arro-
gance blasphématoire, Dürer a voulu se
représenter en Sauveur. Cependant, son
propos n'était nullement de se comparer
au Christ, mais de dégager la profonde
« parenté » entre la puissance créatrice
divine et l'artiste à qui Dieu a conféré des
dons de créateur.
L'inscription portée dans la partie droite
du tableau en témoigne : « Moi, le
Nurembourgeois Albrecht Dürer, me suis
moi-même ainsi reproduit avec des couleurs durables en ma 29ème année. »
Dürer s'est délibérément servi non pas
du terme « peindre », mais de celui, plus
polysémique, de « (re)produire », qui
évoque un acte créateur. A l'instar du
Créateur lui-même, l'artiste doit soumettre son œuvre à un ordre pour qu'elle
soit à même de refléter la beauté de la
Création.

Lucas Cranach, *Le Cardinal Albrecht
de Brandebourg en saint Jérôme*,
57 x 37,6 cm. Staatliche Museen zu
Berlin – Preußischer Kulturbesitz, Gemäldegalerie, Berlin

valeur d'expression symbolique que de représentation réaliste. Les mains crispées, simple
image réelle et symbole de douleur, l'incarnat
blafard qui forme un contraste brutal avec le
noir du ciel nocturne et le rouge sang des vêtements des personnages se tenant au pied
de la croix montrent de deux manières le sup-
plice du Christ : réaliste et « abstraite ». Jésus
est là sous nos yeux sous forme d'une simple
représentation, et pourtant, nous pouvons ressentir les affres qu'il endure.

Bien que de nombreux aspects du retable de
Grünewald soient encore tributaires de l'*iconographie* postgothique, la structuration de
l'espace à la manière renaissante, le traitement subtil de la couleur, l'anatomie des
personnages et le rendu minutieux donnent à
penser que l'artiste connaissait et l'art italien et
les œuvres des maîtres flamands. Le *langage
pictural* qui est né de ce riche mélange a pu
paraître très inhabituel à l'époque puisque
personne ne s'est trouvé pour lui succéder. Ce
n'est qu'au début du XXe siècle que les expressionnistes allemands redécouvrirent et
s'approprièrent ce peintre dont l'œuvre se
situe à cheval sur le Moyen Âge et les temps
modernes. Le traitement de la couleur et de la
forme désagrège les canons d'équilibre et
d'harmonie, dans le but d'intensifier l'effet
expressif de l'image. Sur ce point, Grünewald
se différencie nettement de Dürer pour qui « la
mesure en toutes choses était ce qu'il y avait
de mieux ».

Dürer, fidèle à la tradition nordique, avait
essayé à ses débuts de saisir le monde par
l'observation minutieuse, mais au cours de ses
années d'apprentissage et de voyage, il
s'ouvrit à d'autres méthodes : en Italie, il apprit
les mathématiques et la géométrie comme
sciences accessoires de l'art et se familiarisa
avec l'étude de la nature et de l'anatomie
humaine. Il découvrit des éléments de composition nouveaux, fascinants : la perspective, les
proportions, la mesure et l'harmonie. En
même temps, lui, l'artisan formé à la manière
corporative, trouvait chez l'artiste du Sud une
conscience de sa qualité d'artiste différente de
celle qu'il connaissait jusque-là. En Italie, les
artistes qu'il rencontrait étaient des lettrés et
des savants. Dürer, suivant cet exemple, se mit
à étudier l'art et les sciences et devint lui aussi
un peintre savant façon Renaissance. Ses tableaux, ses innombrables dessins et gravures

montrent à l'évidence son goût pour le détail
minutieusement reproduit, ses efforts pour représenter le monde sur une base rationnelle
et mathématique et pour étudier l'homme.
Dürer voulait en effet saisir à la fois l'image
visible de l'homme et sa « physionomie
intérieure ». C'est grâce à ses portraits où se
révèle cet idéal comme à son approche artistique qui approfondit la matière par la méthode scientifique que l'art allemand s'ouvrit
aux idées de la Renaissance. L'*Autoportrait*
peint en 1500 fait apparaître la conscience
orgueilleuse de sa propre dignité d'artiste que
Dürer a acquise au cours de ses voyages
d'études en Italie. Le portrait est l'image idéalisée d'un certain type d'artiste. La ressemblance frappante avec Jésus est une référence à
l'« artiste comblé par le ciel », une idée de la
Haute Renaissance. Si la Renaissance italienne
eut une influence stimulante sur les artistes
allemands, un phénomène fut autrement décisif pour l'art allemand : la Réforme. Dans les
régions où le mouvement réformateur, icono-
claste, avait réussi à s'imposer, la demande en
tableaux religieux avait terriblement diminué.
Pour les artistes, le coup était dur car ils
perdaient ainsi leur principale source de
revenus. La nécessité faisant, ils se convertirent
à d'autres sujets picturaux. La peinture de
paysage et la peinture de *portrait* devinrent
ainsi des *genres* à part entière et acquirent vite
la faveur des artistes comme du public.

Hans Holbein est l'un des meilleurs portrai-
tistes allemands de son époque. Il passa une
bonne partie de sa vie à la cour d'Henri VIII
d'Angleterre dont il devint le peintre officiel. Un
de ses tableaux londoniens, *Portrait de Georg
Gisze*, représente un marchand allemand
travaillant au comptoir londonien de la Ligue
hanséatique. Si l'artiste a peint son client à
une distance objectivante, l'observation
détachée, qui saisit pareillement homme et
choses, va de pair cependant avec une composition à caractère psychologique : attitude,
expression et attributs qui révèlent la personnalité et la position sociale de Gisze. Holbein
concilie dans ses portraits le souci de vérité
typique des pays nordiques, et la grandeur
majestueuse de la Renaissance italienne. Les
détails prennent une importance considérable
tout en s'intégrant modestement à l'ensemble
de la composition.

Lucas Cranach était un autre fameux portrai-

Hans Holbein, *Portrait de Georg Gisze,*
1532. Huile sur bois de chêne,
96,3 x 85,7 cm. Staatliche Museen
zu Berlin – Preußischer Kulturbesitz,
Gemäldegalerie, Berlin

Hans Holbein le Jeune fut tout d'abord
actif à Bâle. Il était lié d'amitié avec
Erasme de Rotterdam, qui le recomman-
da en Angleterre, où Holbein s'installa
définitivement en 1532. A partir de
1536, il entra comme peintre de cour au
service d'Henri VIII, qui ne l'employait
pas exclusivement. Des personnes
privées pouvaient elles aussi passer des
commandes à Holbein – comme le fit
par exemple Georg Gisze, un marchand
allemand établi à Londres.
Le portrait nous montre Gisze en demi-
figure, c'est-à-dire en torse avec les deux
bras. Le jeune homme prospère est
debout à sa table de travail, entouré de
toutes sortes d'instruments – livre de
comptes, écritoire, ciseaux, bâton de cire
et saupoudroir –, derrière une table couverte d'un somptueux tapis d'Anatolie.
Derrière lui, au-dessus de sa tête, une
affichette nous renseigne sur l'homme
représenté : « Cette image que tu vois
reproduit les traits du visage de Georg
Gisze, et ses yeux sont vraiment aussi
vivants, et ainsi sont ses joues. Dans la
34ème année de sa vie en l'an de grâce
1532. » Ses traits de caractère sont représentés sous une forme symbolique.
Au tout premier plan du tableau, le vase
de fleurs au bouquet d'œillets et de
romarin symbolise les vertus du modèle :
amour, fidélité, pureté et modestie. En
même temps, la transparence du verre
renvoie à l'honnêteté du marchand. Tout
comme la montre, qui indique ici la fugacité du temps, la fragilité du vase peut
également se lire comme un symbole de
l'éphémère.

tiste. Son œuvre la plus célèbre est un portrait
de Martin Luther, avec qui le liait une étroite
amitié. Cranach était proche de la Réforme et
est considéré comme un des créateurs de
l'iconographie protestante. Il illustra par exemple la *Bible de Luther*, première bible traduite
en langue allemande, publiée en 1522.
Sa sympathie pour le mouvement protestant
ne l'empêcha pas de peindre dans son immense atelier des retables et des tableaux de
dévotion, de choix indifféremment luthérien et
catholique. L'influence humaniste n'est pas absente de son œuvre, certes, mais on y cher-
chera vainement les proportions idéales à
l'italienne ou la recherche d'une image idéalisée de l'homme. Ses tableaux respirent un
naturel populaire caractéristique des peintres
dits de « l'école du Danube » et qui unissaient
les influences renaissantes de l'Italie du Nord
aux traditions postgothiques allemandes. Leur
manière de traiter la nature et les figures
comme phénomènes chromatiques et lumi-

neux était très pittoresque. Ils concevaient le
paysage et l'homme comme une unité
cohérente, inconnue jusque-là. La hiérarchie
interne au tableau, qui semblait réduire la
fonction du paysage à un simple arrière-plan a
disparu aussi du tableau de Cranach, *Saint-
Jérôme*. L'ermite est «enchâssé » dans un paysage luxuriant – flore, faune et homme – où
tout est saisi visuellement avec la même intensité. Le langage narratif, le vocabulaire
pictural de Cranach, comme ceux de Dürer et
de Grünewald d'ailleurs, témoignent encore
des traditions figuratives du Moyen Âge. C'est
la raison pour laquelle il est difficile de parler
de « renaissance de l'art » selon la conception
italienne. En Allemagne, l'art de la Renaissance ressemble plutôt à un souffle vital venu
du Sud qui aurait animé un temps les artistes
avant que – pour rester dans la même image –
la grande tourmente de la guerre de Trente
ans qui se déchaîne au XVIIᵉ siècle ne vienne
balayer toute cette évolution artistique.

Le faste pur

LE BAROQUE

1600-1750

LE BAROQUE DANS L'EUROPE CATHOLIQUE 1600-1750

Le Ciel sur terre

Le combat que les Réformateurs avaient engagé au XVIe siècle contre l'Eglise catholique dégénéra au siècle suivant en une véritable lutte pour le pouvoir temporel. L'Europe fut ensanglantée par des Guerres de religion qui bouleversèrent de fond en comble les rapports de forces traditionnels. Autant l'histoire de cette période fut mouvementée, autant l'art fut riche en expressions les plus diverses. Aucune période dans l'histoire n'a connu une telle variété de courants de pensée et de conceptions artistiques que l'époque du baroque. En Italie, en France, en Espagne, en Flandre, pays catholiques, et dans la Hollande protestante apparurent des tendances stylistiques spécifiques à chaque pays, de type national ou plus encore confessionnel. L'Italie riche en traditions retrouva avec éclat sa primauté spirituelle et artistique. Les peintres y dépassèrent la « maniera » du XVIe siècle dont le manque de naturel, voulu, avait fini par dégénérer en une peinture décorative stérile. Pour le différencier du maniérisme, Bellori, critique et biographe d'artistes, ainsi que l'était Vasari à la Renaissance, louait le XVIIe siècle comme une sorte de recommencement. Il entendait par là la revification du style classique des peintres de la Renaissance, en particulier

Raphaël, dont les inventions servaient de modèles à bon nombre d'artistes contemporains. La vie interne de la composition, la beauté profondément sentie et le champ de référence propres aux idéaux classiques – comme on les trouve chez les maîtres de la Haute Renaissance – sans oublier la force d'impulsion émanant des compositions dynamiques du Tintoret suscitèrent l'éclosion nouvelle d'un monde iconique d'une immense richesse.

Une variante de la *peinture monumentale*, un genre très prisé en Italie parce que fascinant est ce qu'on appelle, en raison de sa clarté et de sa rigueur, « le style classique » ou « baroque classique ». Ce style était surtout apprécié en France où le langage formel exhubérant qui prévalait alors dans l'art italien ne correspondait pas au goût français. D'ailleurs, le mot « baroque » a gardé en français une connotation péjorative signifiant une surcharge d'effets.

Dans la Hollande protestante se développa un réalisme bourgeois, un style minutieux typiquement néerlandais où le peintre pose un regard attentif sur son environnement immédiat en cherchant à le rendre avec une précision presque microscopique. La peinture de *paysage* s'institutionnalisa désormais dans la pratique artistique et la *peinture de genre* comme la *nature morte* devinrent des genres à part entière. Malgré son éclectisme, le « baroque » est présenté dans l'histoire de l'art comme le dernier grand courant stylistique commun au monde

---

1600 Fondation de compagnies marchandes pour les Indes orientales en Angleterre et aux Pays-Bas.

1602 Galilée développe les lois de la chute des corps et du mouvement pendulaire.

1609 La Bourse d'Amsterdam est fondée et instituée comme centre des transactions bancaires.

1618 Début de la guerre de Trente-Ans en Allemagne (jusqu'en 1648).

1622 Richelieu est nommé cardinal et devient peu à peu l'éminence grise de la politique française (jusqu'en 1642).

1626 Fondation de Neuwe-Amsterdam (aujourd'hui New York), premier comptoir des Pays-Bas dans les colonies nord-américaines.

1633 Galilée doit se rétracter et renier la doctrine copernicienne.

1635 Institutionnalisation de l'Académie française pour le

soutien des Arts et des Sciences.

1637 Présentation du premier opéra public à Venise.

1640 La Hollande obtient le monopole du commerce avec le Japon. Le Portugal entre en guerre contre l'Espagne.

Le « Roi-Soleil » Louis XIV dans une gravure sur cuivre de l'époque de Gérard Edelinck.

1642 La Saxe introduit la scolarité obligatoire pour les enfants.

1648 Fondation de l'« Académie royale de peinture et sculpture » à Paris.

1649 L'Angleterre devient république.

1661 Louis XIV monte sur le trône de France. Début des travaux de construction du château de Versailles.

1664 Molière écrit *Tartuffe*.

1670 La Hollande est la première puissance marchande du monde.

1672 Newton publie les résultats de ses recherches sur l'analyse spectrale de la lumière solaire.

1675 Fondation de l'observatoire de Greenwich.

1682 Louis XIV installe sa résidence et celle de la cour à Versailles.

1683 Vienne est assiégée par les Turcs.

1685 Les Huguenots sont chassés de France ; essor de l'industrie en Brandebourg et en Hollande grâce à l'accueil des réfugiés.

1687 Newton publie son ouvrage fondamental sur la gravitation.

1700 Après la mort du dernier descendant des Habsbourg d'Espagne, guerre de succession entre la France et l'Autriche.

1701 La Prusse devient un royaume.

1709 Pierre le Grand bat les Suédois à Poltawa, la Russie devient la première puissance à l'Est. Premières fouilles à Herculaneum.

1718 Le physicien Fahrenheit invente le thermomètre au mercure.

1720 Banqueroute financière de l'Etat français.

1721 Jean-Sébastien Bach compose les *Six Concertos brandebourgeois*.

occidental. L'art baroque massif muta vers le milieu du XVIIIe siècle en un style gracieux appelé « rococo », puis fut remplacé au siècle des lumières par le classicisme, avant que l'art moderne ne lui succède sous la forme d'une floraison de styles dont la manifestation fut simultanée, aussi bien dans le temps que dans l'espace.

Illusion parfaite – le baroque italien

L'art profite largement de la puissance retrouvée de l'Eglise catholique, devenue depuis la Contre-Réforme le principal commanditaire et mécène des artistes italiens. Alors que la guerre de Trente-ans faisait rage en Allemagne, Rome redevenait une véritable capitale culturelle et attirait des artistes du monde entier. L'intervention de la papauté dans le domaine de l'art était à la fois une mise en scène et une propagande pour ses propres intérêts. Les dignitaires de l'Eglise misaient sur la force émotionnelle du beau : l'art leur paraissait en effet le médium idéal pour regagner les âmes au Catholicisme, grâce à son pouvoir de suggestion. En Italie, la voie était ouverte à des représentations enflammées de l'histoire chrétienne ou de la mythologie. Des tableaux monumentaux, stupéfiants, avec des mises en scène spectaculaires de ferveur religieuse, des œuvres déchirantes et tour-

mentées, s'imposent un peu partout. Les artistes du baroque étaient ramenés à l'art renaissant car celui-ci avait su réaliser et célébrer l'unité entre univers terrestre et univers céleste. Ils ne résistaient pas à cette « grandeur intérieure » qu'ils trouvaient dans le système de rapport harmonieux entre volumes et espaces mis au point par les artistes de la Renaissance. Leur manière de représenter, rigoureuse et parfaitement étudiée sans paraître toutefois affectée, semblait accroître la crédibilité des scènes bibliques représentées et donner ainsi une « réalité » à une doctrine chrétienne qui ne pouvait que se postuler. Les églises et les palais se couvrirent de peintures murales impressionnantes. Leurs motifs relevaient de cette thématique que le Protestantisme contestait le plus : les visions des saints, la vie des martyrs et le culte de la Vierge Marie. Des scènes et des personnages de la mythologie antique peuplaient souvent aussi cette peinture sacrée.

Dans les églises, seuls, en général, les plafonds et les voûtes étaient décorés de peintures. Les fidèles devaient lever la tête pour les observer et cette vision verticale ne manquait pas de leur rappeler où se trouvait le ciel. La plus haute manifestation qu'on pût admirer dans les maisons de Dieu, c'était le ciel sur terre. En peignant la nef de Saint-Ignace à Rome, Andrea Pozzo por-

Andrea Pozzo, *Le Triomphe de Saint-Ignace et la mission des Jésuites*, 1691-1694. Fresque du plafond de San Ignazio, Rome

Andrea Pozzo fut l'un des peintres-décorateurs les plus importants du baroque. Le plafond de l'église San Ignazio, qui représente « la propagation du feu par l'amour divin de l'ordre des Jésuites », n'est pas seulement le chef-d'œuvre de Pozzo, mais aussi un sommet de la peinture en trompe-l'œil du baroque. Dans cette allégorie de la mission des Jésuites, le peintre, lui-même frère laïque jésuite, glorifie le travail de l'Ordre, qui s'était donné pour mission – tout à fait dans le sens de la Contre-Réforme – de libérer l'humanité de l'incroyance et de l'hérésie. Au centre de la représentation trône la sainte Trinité. La figure de Dieu le père envoie un rayon de lumière vers saint Ignace, fondateur de l'Ordre. Celui-ci envoie à son tour quatre rayons vers les quatre parties du monde représentées dans l'attique de l'architecture en trompe-l'œil, qui prend appui sur l'architecture réelle et semble en être un prolongement direct. Avec une technique parfaite et une extrême précision dans le calcul des perspectives, le peintre est parvenu à abolir les limites entre apparence et réalité.

Le Caravage, *Bacchus*, vers 1593. Huile sur toile, 94 x 85 cm. Galerie des Offices, Florence

Le Caravage fut une personnalité très indépendante. Sa vie dissolue est parsemée d'échauffourées, de duels, d'un procès pour meurtre, d'emprisonnements et de plusieurs fuites. Malgré son instabilité personnelle et ses innombrables changements de domicile, son œuvre dénote une évolution cohérente et homogène.

Virulent novateur, il défendait dans sa peinture un réalisme puissant, sans pathos ni transfiguration, avec lequel ce bon vivant s'opposait à un maniérisme spirituel dans l'art. Une des caractéristiques les plus frappantes de son art est son traitement de la lumière, qui fait ressortir les figures d'un fond obscur souvent laissé dans l'indéfinition. Et de fait, selon le récit d'un biographe, Le Caravage allait jusqu'à « ne jamais disposer les modèles à la lumière du jour, mais dans une pièce obscure et fermée ne recevant de lumière que verticalement et d'en haut. Ainsi, seules les parties les plus importantes des corps étaient éclairées, le reste demeurant dans l'ombre. »

Le *Bacchus* du Caravage est un dieu très terrestre. Ce vigoureux adolescent pourrait parfaitement – c'est du moins l'impression qu'il donne – se lever d'un instant à l'autre pour se défaire du « déguisement » antique dont l'a affublé le peintre.

te l'illusion à son comble par d'ingénieux effets de trompe-l'œil : l'œil ne distingue plus où s'arrête la construction réelle, où commence le ciel peint, et le regard plonge dans l'espace céleste ouvert. Les figures semblent flotter dans l'air, et malgré tout le réalisme de la représentation, paraissent impalpables. Ce n'est pas leur « matérialité » (comme par exemple chez Massacio) qui les caractérise, mais leur spiritualité. L'espace pictural n'éveille plus une impression de réalité, mais d'irréalité totale, de fantastique pourtant empreint de la plus haute spiritualité. Les anges, les saints et les humains flottent librement dans cette architecture spatiale. L'observateur s'envole dans ce « monde intermédiaire », entraîné par un mouvement giratoire ascendant. Son regard ne peut s'aider d'aucun point de fuite. Des lignes diagonales et courbes le conduisent à travers l'espace en suivant une trajectoire en forme d'un S pour l'amener, en un crescendo continu, au but ultime : Jésus-Christ. La maîtrise parfaite de la perspective permit aux maîtres du baroque d'ouvrir l'espace réel grâce à des effets de trompe-l'œil : l'architecture réelle était peinte et prolongée dans le monde de

l'illusion. Espace feint et espace réel s'interpénétraient, les limites entre réalité et vision, entre matérialité et transcendance étaient abolies. Pour donner une unité à des fresques de cette ampleur, qui produisent un effet de mouvement grandiose, il faut une composition qui condense et harmonise leurs innombrables éléments morcelés. Aussi les peintures sont-elles sous-tendues d'un fin « lacis » de composition qui rend chaque personnage et chaque objet solidaires les uns aux autres. Ces rapports internes sont exprimés par le frôlement des figures, leur regard et le sens de leurs mouvements. Aucun élément, aucune voix ne peuvent être supprimé sans que l'ensemble, l'harmonie, n'en souffre.

Jeunes vauriens sous la lumière divine – Le Caravage et les caravagistes

Le Caravage rejeta la tradition des représentations religieuses puissamment orchestrées. Il était convaincu que le phénomène divin tel que les images du « paradis sur terre » le suggéraient n'avait pas de preuve tangible et que les vérités métaphysiques ne pouvaient être saisies que par l'esprit. Il se distança de l'*illusionnisme* pour adopter un réalisme d'une expressivité inconnue jusque-là, qui choqua et impressionna à la fois ses contemporains.

Ses représentations sombres et réduites à quelques figures forment un violent contraste avec l'armée céleste baroque, caracolant à des hauteurs vertigineuses et baignant dans la lumière. Ses figures ne font jamais incorporelles ni spirituelles, elles sont presque palpables et actuelles, aujourd'hui comme hier. La légende veut que le Caravage soit allé chercher ses modèles dans les rues de Rome. Il peignait ses personnages tirés de l'hagiographie ou de la mythologie – ainsi *Bacchus*, dieu de la Vigne et du Vin – comme des gens du peuple, marqués par la vie et le travail. Le Caravage avait une approche nouvelle de la réalité, plus immédiate, plus brutale – son naturalisme sera d'ailleurs souvent condamné comme un sacrilège –, peu compatible avec les canons esthétiques de la Renaissance et l'expression affectée du maniérisme.

Le naturalisme qu'il affichait n'a jamais un obstacle à la dimension spirituelle de ses œuvres grâce au traitement symbolique de la lumière : un violent éclairage latéral en est la caractéristique la plus frappante. Sa peinture ténébreuse sera appelée plus tard « style soupirail », parce que ses personnages semblent émerge de l'ombre sans crier gare. La lumière donne presque l'impression d'être un élément narratif. Elle est source de spatialité, fait briller les couleurs, dynamise la composition, donne de la plasticité aux corps et une spiritualité presque mystique aux images. Malgré leur forte présence, ses représentations ont un caractère surnaturel et abstrait. Le peintre transcende sa description si crûment réaliste par sa mise de la mettre en scène. Une histoire mythologique ou sacrée n'était pas simplement illustrée, il fallait en comprendre la dimension spirituelle et l'interpréter ensuite dans la peinture. Le message passait pour ainsi dire par la réalisation artistique.

Sa conception novatrice de la lumière lui valut un succès immédiat, suscitant aussi l'admiration des générations suivantes. Des peintres comme le Français Georges de La Tour ou les Hollandais, qui séjournèrent à Rome au XVIIᵉ siècle, s'inspirèrent tant du style du Caravage que certains à l'époque les qualifièrent de « caravagistes », un fait inhabituel étant donné que les noms de styles sont trouvés généralement à une époque postérieure aux artistes en question. Un livre du Hollandais Carel Van Mander intitulé *Les peintres italiens qui séjournent actuellement à Rome* fut publié du vivant du Caravage. Un court chapitre consacré au jeune Caravage conclut que la manière du peintre est destinée à faire école.

Les « caravagistes d'Utrecht » comptent parmi les premiers héritiers du peintre. Ils unissaient le

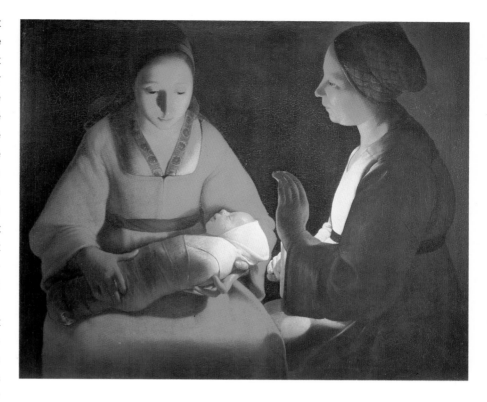

traitement de la lumière et la composition du Caravage avec les petits motifs « de la vie quotidienne » typiquement hollandais. Gerrit Van Honthorst, par exemple, éclaire une scène se déroulant chez l'arracheur de dents à la manière caravagesque : elle est plongée dans une lumière qui lui donne un caractère à la fois ténébreux et intime.

Nostalgie de la beauté antique – le classicisme baroque

Parallèlement à la *peinture illusionniste* et à la sobre monumentalité du Caravage se dévelop-

Georges de La Tour, *Le nouveau-né,* vers 1644. Huile sur toile, 76 x 91 cm. Musée des Beaux-Arts, Rennes

Georges de La Tour fait partie des peintres qui ont repris dans leur peinture les clairs-obscurs dramatiques du Caravage. Il est l'un des plus importants « caravagistes » français. Contrairement au clair-obscur de l' « École d'Utrecht », La Tour renonça cependant à tout décor anecdotique, créant ainsi des tableaux paisibles et profonds dont la source lumineuse se résume souvent à une bougie cachée.

Gerrit Van Honthorst, *Le Dentiste,* 1622. Huile sur toile, 147 x 219 cm. Gemäldegalerie Alte Meister, Dresden

Le « caravagiste utrechtois » Van Honthorst passa de nombreuses années de sa vie à Rome, où il étudia l'art du Caravage, ses scènes nocturnes lui ayant valu le surnom de « Gerhardo della notte » (Gérard de la nuit). Van Honthorst devait cependant transformer les forts contrastes de lumière de son modèle célèbre, Le Caravage, en une lumière plus douce qui, – contrairement aux lumières crues du Caravage –, emplit la totalité de l'espace pictural.

Dans ses œuvres, il décrit des scènes populaires avec un grand amour du détail. Ici, des badauds curieux sont venus se grouper autour d'un patient chez le dentiste. Observateur scrupuleux, le peintre a avant tout su fixer d'une façon très pertinente la diversité des expressions rendues d'une manière hautement réaliste. Ce sujet tiré de la vie quotidienne et le mode de représentation narratif et vivant allaient délibérément à contre-courant du maniérisme.

Nicolas Poussin, *Et in Arcadia ego* *(Les Bergers d'Arcadie),* 1638-1639. Huile sur toile, 85 x 121 cm. Musée du Louvre, Paris

Poussin se sentait lié à l'idéal de beauté de l'Antiquité et de la Renaissance, par lesquelles il se laissa guider dans sa création de paysages idéalisés. Ainsi, sa conception de la nature n'est nullement le fruit d'une observation directe, mais résulte toujours d'un acte de création idéalisateur dont le but est de substituer la forme éminente − la forme idéale « en soi » − à la représentation naturaliste.

Ce propos est signifié par l'inscription portée sur le tombeau du tableau. « *Et in Arcadia ego* − je suis moi-même en Arcadie ». Les bergers déchiffrent l'inscription et méditent sur le rêve d'Arcadie, pays légendaire du bonheur et de la paix où les hommes vivent en harmonie avec les dieux et la nature. Les couleurs terreuses, une composition équilibrée et paisible confèrent une substance toute émotionnelle au message spirituel de ce tableau.

pa un tout autre style. Sa clarté et sa rigueur lui valurent le nom de « classicisme baroque ». Le « style classique », dont les représentants les plus marquants furent Nicolas Poussin et Claude Lorrain, était la version française du baroque. Les deux peintres, bien que d'origine française, passèrent une bonne partie de leur vie en Italie. Ils espéraient trouver dans le pays de l'Antiquité classique et des grands maîtres de la Renaissance cet idéal spirituel et éthique qu'ils recherchaient dans leur art, et vainement dans leur pays.

L'absolutisme atteignit son paroxysme au XVIIe siècle sous le règne de Louis XIV, « Roi-Soleil », se croyant aussi essentiel que l'astre du même nom. Il chercha même à étendre son pouvoir absolu jusque dans le domaine de l'art. En 1648 fut fondée sur son iniative l'« Académie royale de peinture et de sculpture », une des premières écoles des beaux-arts, où les élèves étaient initiés aux secrets de l'art suivant un programme d'enseignement bien défini. L'Académie avait d'autres prérogatives, dont celle de choisir les artistes pour la décoration du fastueux château de Versailles que Louis XIV s'était fait construire à partir de 1661. L'Académie décidait du « bon goût » en général et celui de l'art en particulier.

Louis XIV aurait bien aimé compter parmi les peintres officiels de la cour une personne, Poussin, dont le style clair et inspiré des idéaux classiques avait de maintes analogies avec l'académisme français. Le talent et la maîtrise

de Poussin furent reconnus et fêtés de son vivant. Mais la *peinture d'histoire*, monumentale et de prestige politique, que le « Roi-Soleil » souhaitait développer, et que le peintre officiel de la cour, Charles Le Brun, la peignait, n'était pas du tout du goût de Poussin. Celui-ci avait bien été un moment au service de Louis XIII, mais au bout de deux ans, il avait préféré repartir en Italie : les paysages de la Campanie ou de la côte napolitaine étaient sa source d'inspiration profonde et les musées du Vatican lui fournissaient les modèles qu'il avait besoin d'étudier, lui, l'autodidacte.

Aucun autre peintre de l'époque ne fut autant féru de mythologie antique, de philosophie et d'art renaissant que Poussin. On retrouve dans ses œuvres l'unité harmonieuse de la forme et du contenu, la concordance parfaite de l'apparence extérieure et de l'idée, sous-jacente de la Renaissance. L'idée n'était pas seulement traduite par le motif, mais par la peinture elle-même. Comme dans la peinture caravagesque, la réalisation condensée du sujet permettait d'interpréter le contenu. Les *Bergers d'Arcadie* ont un caractère intemporel, ils suggèrent l'éternité avec leur immobilité de statues, alors qu'ils se penchent vers un sarcophage, symbole de la mort et de l'éphémère. C'est dans le rapport intérieur éphémère (motif) / éternel (réalisation artistique) que s'exprime l'intention du tableau : celui-ci est une méditation en peinture sur le sujet choisi par le peintre.

Dans ses œuvres tardives, Poussin a renoncé

Dans ses peintures, Claude Lorrain, qui était habité des mêmes aspirations que Poussin et qui passa lui aussi sa vie à Rome, conçut un royaume onirique de la nature et de la culture, où toutes choses convergent en définitive vers la représentation de la lumière du soleil. La nature n'y apparaît jamais dans sa puissance vivante, mais sous la forme d'une idylle paisible, enveloppe visible des sentiments humains. Des éléments architecturaux épars appartenant à toutes les époques ont pour but d'accentuer cet idéal.

Le sujet de ce tableau − le départ de la reine − semble parfaitement secondaire, l'accent porte sur le fait que des hommes vivent en paix dans un port composé d'éléments réels, mais dont l'unité est un pur produit de l'imagination. Tout ne semble y être qu'un décor pour l'immensité de la mer et du ciel et pour le rayonnant mystère de la lumière.

largement aux figures : elles apparaissent dans les paysages, vers lesquels son intérêt le porte maintenant, au rang d'accessoires. Le paysage devient le seul et unique vecteur de sens. Poussin conçoit sa peinture paysagiste comme un regard contemplant un paradis oublié : ses *paysages héroïques* sont des allégories d'une aspiration vers l'harmonie, vers la beauté parfaite. Ce double contenu, cette méditation sur un thème s'exprimant à la fois dans le motif et dans la composition artistique, ne cessera d'exercer une fascination sur les générations suivantes, et même sur Cézanne. Son répertoire formel rigoureux fera considérer Poussin comme « l'ancêtre » de la peinture classique française.

Claude Lorrain avait lui aussi une prédilection pour la peinture paysagiste. Si Poussin se mit assez tardivement à ce genre pictural, Lorrain s'y consacra dès le début de sa carrière. L'action − généralement des scènes inspirées de la mythologie classique − ne joue qu'un rôle secondaire, Lorrain ne cherchant pas à approfondir l'Antiquité classique comme Poussin. Les acteurs principaux de ses tableaux sont le paysage et la lumière. Les toiles de Lorrain ont plus de lyrisme, d'onirisme que celles de Poussin, le peintre philosophe, et sont remplis d'une atmosphère élégiaque. Les paysages de plaines ou les marines baignent dans une chaude lumière, rendue par de subtiles gradations de ton. La lumière diffuse, voile atmosphérique enveloppant, suggère différentes ambiances idyl-

liques. Un coucher de soleil ou une atmosphère crépusculaire donnent quelque chose de surréel aux scènes représentées, si bien que les images semblent difficiles à saisir. Dans les *paysages idéaux* de Claude Lorrain, baignés de lumière et rendus dans des tons de brun, la nature est si transcendée par la composition artistique que Goethe, un grand admirateur de Lorrain, ne trouva en eux « pas la moindre réalité, certes, mais la Vérité ». A ses yeux, ils avaient cette « noble simplicité et cette grandeur tranquille » que le XVIIIe siècle appréciait tant dans l'art antique classique et voulait faire revivre.

La peinture en Flandre et en Espagne

Ce que Poussin était au classicisme baroque français, Pierre Paul Rubens l'était au baroque flamand. Chacun fit école, mais les « poussinistes » et les « rubinistes », comme on les appela plus tard, n'étaient pas de vulgaires imitateurs de leurs maîtres, ils ne partageaient que leurs conceptions artistiques. Une question fondamentale divisait les artistes baroques en deux camps : « *disegno* ou *colorito* − dessin ou couleur, sur lequel des deux construire une composition » ?

Rubens, le représentant le plus marquant du baroque flamand était un « anti-classique ». Ses tableaux n'étaient pas dominés par le calme, la mesure et un équilibre faisant presque statique, ils étaient traversés par une dynamique intense, telle qu'on peut la trouver aussi dans le baro-

Antoine Van Dyck, *Charles I*^{er} *à la chasse*, vers 1635. Huile sur bois, 266 x 207 cm. Musée du Louvre, Paris

Peter Paul Rubens, *L'Enlèvement des filles de Leucippe par les dioscures Castor et Pollux*, 1617. Huile sur toile, 224 x 210,5 cm. Alte Pinakothek, Bayerische Staatsgemäldesammlungen, Munich

que italien. Les œuvres de Rubens se distinguent par une composition occupant toute la surface et par l'importance du chromatisme, comme la peinture vénitienne du XVIe siècle.

L'Enlèvement des filles de Leucippe – les auteurs du rapt sont les Dioscures Castor et Pollux – est caractéristique de la peinture de Rubens : contrastes chromatiques accentués, amples mouvements des corps, composition animée et complexe, produite par des effets dynamiques internes. Un séjour en Italie permit au peintre de découvrir les Carrache, le Caravage et d'étudier attentivement les œuvres des maîtres de la Renaissance. Ces peintres ont exercé une profonde influence sur l'œuvre de Rubens : la construction, le rythme et la répartition des masses rappellent Michel-Ange, et parfois Raphaël ; le chromatisme, le Titien et Véronèse ; la lumière et la réalisation, le Caravage. Cet éclectisme n'a pas été un obstacle pour Rubens, au contraire : il a mis au point son propre langage pictural à partir des différents styles qu'il avait déjà parfaitement assimilés.

La vitalité et la virtuosité technique de ses tableaux, leur joie de vivre et leur sensualité ont eu un immense succès auprès de ses contemporains, et ce, d'autant plus qu'il savait donner à ses tableaux d'autel, ses portraits, ses paysages, ses scènes de chasse et ses compositions mythologiques un caractère « vrai » qui était de tradition dans l'art hollandais depuis Jan Van Eyck. Ses représentations sensuelles de déesses et de nymphes (plantureuses comme le voulait l'époque), mais aussi ses tableaux religieux, ainsi que ses portraits pleins de sensibilité, ont fait sa gloire. Rubens compte parmi les premiers artistes enrichis de toute l'histoire de l'art, vendant ses œuvres à des prix jusque-là inimaginables. Pour répondre à la demande, il fonda un atelier où les commandes étaient exécutées soit en coproduction avec d'autres ateliers de peintres, soit en collaboration avec ses élèves et ses compagnons qui réalisaient ses tableaux sur des esquisses peintes par lui. Pas moins de 3000 œuvres y furent réalisées, dont 600 seulement sont de la main de Rubens. Rigoureusement organisé, l'atelier était en même temps lieu d'apprentissage et école, et c'était un grand honneur pour de jeunes peintres de pouvoir travailler au côté d'un maître de la renommée de Rubens.

Parmi les nombreux assistants du peintre, Anthonis Van Dyck fut de loin le plus doué. Il connut plus tard la célébrité comme peintre officiel du roi d'Angleterre et fondateur du « style courtisan ». Van Dyck est le créateur d'un nouveau type de portrait, comme en témoigne la représentation de Charles Ier : le souverain, élégamment vêtu, pose debout sur fond de paysage. Seuls les pages et la magnifique monture signalent son rang. Le roi en impose bien plus par son attitude fière et nonchalante que par toutes les poses cérémonieuses des portraits traditionnels. Rubens aurait pu poser lui-même avec autant de fierté et de sûreté de soi car son succès ne se limitait pas à la peinture. Cet homme cultivé, doué pour les langues, fut également diplomate. Il mena des missions diplomatiques pour le compte de diverses cours européennes qui, pour gagner ses bonnes grâces, lui promettaient les meilleures conditions de travail possibles. Les lourdes tâches des peintres de cour lui étaient épargnées, il était libre de décider où il voulait vivre, ce qu'il voulait peindre, pour qui et comment.

Diego Vélasquez, peintre officiel de la cour d'Espagne, ne mena certainement pas une vie aussi indépendante. Dans ce haut lieu de la Contre-Réforme et de l'Inquisition qu'était l'Espagne, le répertoire pictural était limité, la

Lorsque le grand peintre baroque italien
Luca Giordano se trouva en présence
des *Ménines*, il s'exclama : « C'est la
théologie de la peinture ! », puis, « de
même que la théologie embrasse toutes
les sciences particulières, de même ce
tableau résume les possibilités de la
peinture. » Espace, matière, contact visuel
et action entre les personnages, vie et
représentation deviennent eux-mêmes le
sujet de cette œuvre monumentale.
Aujourd'hui encore, la destination de ce
tableau inhabituel et sa genèse posent
mainte énigme. Nous pouvons cependant décrire très clairement ce qui nous
est montré. La salle et les tableaux accro-
chés au mur sont identifiables, de même
que tous les personnages du tableau :
de face, au centre du tableau, la princes-
se, héritière potentielle du trône, Margari-
ta, entourée de deux dames de la cour
(« ménines », du portugais : « petites
dames »), ensuite des nains et des cour-
tisans. A gauche, on aperçoit Vélasquez
tenant dans ses mains un pinceau et
une palette, debout, devant un grand
tableau. Il semble en passe de peindre le
spectateur. Au fond de la salle, le miroir
nous fournit des indications plus précises
sur ce point : c'est le couple royal qui,
faisant office de spectateur, contemple
l'ensemble de la scène, et qui est à son
tour représenté sur la toile du peintre.
Vélasquez, qui n'était pas seulement
peintre, mais aussi un respectable
maréchal du palais, déploie ici tout un
jeu autour de la représentation picturale
de la cour et de l'Etat. Avec des traits de
pinceau d'une désinvolte virtuosité, il
parvient à créer une illusion quasi
surréelle où être et apparence sont
devenus indissociables.

hématique plus restreinte qu'ailleurs. Les tableaux religieux et les portraits de cour for-
maient le gros de la production picturale du
pays. L'œuvre de Vélasquez, *Les Ménines*
(Dames d'honneur), était un portrait officiel
commandé par le roi. Le peintre vénérait
Rubens, admiration d'ailleurs réciproque, mais
le langage pictural de l'Espagnol n'avait rien de
commun avec le trait du Flamand, plein d'élan
et de dynamisme. Même si *Les Ménines* se dis-
inguent justement par une composition raffinée où le sujet initial, relégué à l'arrière-plan,
se reflète dans un miroir, le peintre reste avant
out un coloriste, un harmoniste de la couleur,
proche de Titien. Vélasquez a probablement
peint ses tableaux dans une facture *alla prima*,
directement sur la toile et sans dessin préalable.
La ferme plasticité de ses personnages était ob-
enue par une couleur aux riches et subtiles to-
alités appliquée en une touche fine et fluide. Il
essayait ainsi de rendre la matière telle que l'œil

la perçoit selon la variation des jeux de la
lumière, un procédé qui fera l'admiration de
Delacroix et de Manet au XIXᵉ siècle.

Le réalisme de la peinture de Bartolomé
Estéban Murillo est d'une autre nature. La peinture du Caravage, son trait, son réalisme populaire et son sens de la dignité des gens simples
avaient profondément imprégné la peinture
espagnole. Murillo cherchait lui aussi ses modèles dans la rue, et comme le Caravage, il
réussissait à les transfigurer dans un contexte
religieux sans leur faire perdre fraîcheur et de
insouciance.

Ce sont cependant dans les « bodegones »
(« estaminet ») que le naturalisme pictural espagnol trouva son expression la plus aboutie. Apparues dans une Espagne où prévalait pourtant
la peinture sacrée, ces représentations de thèmes populaires purent s'affirmer comme un
genre à part entière, au moment même où les
tableaux de mœurs s'imposaient en Hollande.

Frans Hals, *Dîner des officiers du corps des archers de Saint-Georges*, vers 1627. Frans Halsmuseum, Haarlem

Une joyeuse compagnie. L'archer au centre du tableau jette un regard engageant vers le spectateur, comme s'il voulait l'inviter à se joindre à ce groupe de bons vivants. Ou bien est-il seulement en train d'attendre le sommelier, ce qui expliquerait pourquoi il est en train de vider les quelques gouttes de vin restant dans son verre ?

Cette représentation très vivante est soustendue par une composition minutieusement réfléchie. Le porte-drapeau, debout au milieu du tableau, partage la composition en deux parties. La hampe du drapeau, qui s'étire de gauche à droite en une ligne ascendante, est contre-balancée par la ligne ascendante formée par les têtes qui s'élèvent de la droite vers la gauche. Egalement caractéristique de la peinture baroque, les rapports des diverses personnes entre elles, rapports établis par le jeu des positions de têtes et de mains. Il résulte de tout cela une trame compositionnelle extrêmement ténue qui illustre et souligne elle aussi l'« unité » du groupe.

LE BAROQUE EN HOLLANDE 1600-1750

Paysans et gens distingués

Tandis qu'une partie de l'Europe était dévastée par la guerre de Trente-ans, la Hollande s'affirmait comme le pays le plus riche du monde. Les provinces du Nord avaient accédé en 1648 à l'indépendance, cédées par l'Espagne catholique et habsbourgeoise aux Provinces-unies. Avec l'indépendance politique, le pays accédait aussi à la liberté religieuse. Les thèmes sacrés disparurent presque complètement ou furent traités de manière très novatrice, comme c'est le cas avec Rembrandt, le représentant le plus éminent du baroque hollandais. Ses représentations intellectualisées de l'histoire sacrée n'ont rien à voir avec le culte de la Vierge ou les exubérants scénarios hagiographes des pays catholiques. Mais ses tableaux bibliques, qui n'étaient pas toujours immédiatement compréhensibles, perdirent la faveur du public bourgeois. Rembrandt, si fêté pendant un temps, lui dont la verve et la virtuosité technique étaient devenues célèbres, mourut dans la solitude et la pauvreté.

Les inventaires et les catalogues de ventes aux enchères sont une mine de renseignements sur le goût artistique à l'« Âge d'or » : les sujets préférés étaient ceux de la vie courante car ils étaient le reflet exact de l'univers, de l'image et de la conscience de soi des acquéreurs. Les bourgeois enrichis souhaitaient embellir leur maison avec des œuvres d'art, accéder ainsi au raffinement aristocratique, l'art étant réservé jusque-là à la noblesse. Une telle évolution ne fut pas sans conséquences puisque le répertoire pictural et le marché de l'art en sortirent bouleversés. Des ateliers se fondèrent, régis comme en Flandre, par une organisation rigoureuse et fonctionnant selon les lois de l'économie de marché. Les ateliers peignaient à la demande et se spécialisaient dans les motifs les plus demandés. Le public bourgeois préférait les genres de la hiérarchie académique : paysages, scènes de la vie quotidienne ou *tableaux de mœurs*, et enfin *natures mortes*.

Mais la peinture de *portrait* connaissait aussi un engouement croissant. La bourgeoisie – marchands, magistrats, érudits, guildes – avide de prestige social, fière d'elle-même, et surtout fortunée, se faisait immortaliser en peinture. Ce sont cependant les membres des guildes qui formèrent, au moins au début, le gros de la clientèle. Les corporations commandaient des portraits de groupe (« portraits de corporation ») pour orner leurs salles de réunion, ainsi la garde municipale de Saint-Georges immortalisée par Franz Hals dans son fameux tableau. Le peintre a choisi de rendre ses modèles de façon immédiate et vivante, avec une caractérisation des visages. La portée de tels choix fut immense puisqu'ils devaient devenir canoniques pour la peinture de portrait hollandaise. Les tableaux de Hals sont conçus comme des instantanés, sans pose, débordant de mouvement, de vie et d'action. Ses modèles ne sont plus, comme dans la tradition, alignés et figés sur un ou deux rangs. Sa composition, typique du baroque, se présente sous la forme d'une trame impliquant les personnages dans des actions liées entre elles. Bien que les traits et les expressions de chacun soient très individuels, les personnes nous apparaissent groupés de façon cohérente, assemblée joyeuse et intime qui, par ses regards ou ses gestes, invite à la rejoindre. Le caractère vivant et fugitif de la scène est souligné par une facture très personnelle, constituée de touches rapides et désinvoltes.

Morale et immoralité – la peinture de genre

Les tableaux de Vermeer de Delft, considéré aujourd'hui encore, comme le meilleur portraitiste de la bourgeoisie hollandaise, décrivent une intimité d'une autre nature. Ses *scènes d'intérieur*, simples et silencieuses, frappent par les reflets nacrés de la lumière et de la couleur, par le charme discret de leur sens profond. Les femmes ont toujours été un sujet de prédilec-

JAN VERMEER

Les peintures de Jan Vermeer sont des œuvres d'une grande force de suggestion, peintes avec un grand amour du détail. Ses sujets de prédilection sont les vues urbaines, de somptueux intérieurs parés de tapis orientaux, de perles, de turbans, ainsi que les hommes. Mais Vermeer ne fut pas à proprement parler un portraitiste. Dans ses tableaux, toutes choses se figent en effet en nature morte, tout semble arrêté en un arrangement précieux et soigneusement pesé. Les hommes n'y apparaissent pour ainsi dire que comme des accessoires de leur environnement.

On ne sait que très peu de choses aujourd'hui sur la vie et la formation de Vermeer. La date de son baptême, le 31 octobre 1632 à Delft, nous est cependant connue.

A côté de la peinture, qu'il pratiquait avec une telle méticulosité qu'il ne réalisait pas plus de deux tableaux par an, il se fit aussi un nom

La Dentellière, vers 1669. Huile sur toile, 24,5 x 21 cm. Musée du Louvre, Paris

comme expert et marchand de tableaux. Sa production picturale limitée permet de conclure qu'il travaillait moins pour le marché officiel de l'art que pour des protecteurs et des mécènes. Les dernières années de sa vie seront pourtant marquées par une dégradation dramatique de ses conditions de vie. Appauvri et insatisfait, Vermeer mourut en 1675.

Le tableau *Gentilhomme et femme buvant* permet de relever certains traits de composition caractéristiques de Vermeer. Comme c'est d'ailleurs le cas dans le tableau plus tardif *L'Atelier du peintre*, la scène est ainsi placée dans l'encoignure gauche d'une pièce et reçoit la lumière d'une source lumineuse unique éclairant la pièce par la gauche. La technique picturale de Vermeer se distingue en outre par d'intenses contrastes de couleur ; le peintre juxtapose le rouge de la robe au blanc lumineux du chaperon, le chapeau de l'homme se détache sur le mur gris. L'emploi d'une *camera obscura* permettait à Vermeer d'éviter les distorsions de perspective et de représenter des espaces dont l'effet est presque surnaturellement réaliste. Mais le tableau *Gentilhomme et femme buvant* est également remarquable par son sujet. Comme c'est si souvent le cas dans les peintures de

Gentilhomme et femme buvant, vers 1658-1660. Huile sur toile, 66,3 x 76,5 cm. Staatliche Museen zu Berlin – Preußischer Kulturbesitz, Gemäldegalerie, Berlin

Vermeer, la représentation visible d'une scène est en effet sous-tendue par un sens plus profond, moralisateur, qui n'apparaît et ne peut être compris qu'une fois déchiffrées certaines indications subtiles et cachées : il s'agit ici d'une scène amoureuse qui n'est pas sans ambiguïté. La jeune femme porte son verre aux lèvres comme si elle voulait se soustraire au regard patient de son élégant chevalier. Ce dernier n'a pas lui-même de verre et s'apprête à la resservir. Le sentiment qui s'en dégage est qu'il cherche à l'enivrer et à lui faire perdre l'usage de sa volonté. Mais l'ensemble de la scène n'est empreint d'aucune grossièreté ni d'aucun érotisme superficiel.

Vermeer crée une distance entre les acteurs et le spectateur en plaçant les figures au second plan et en évitant tout « contact » avec les bords du tableau, contact qui induirait le sentiment d'une proximité immédiate. L'intérieur n'est pas conçu comme un environnement pour la figure, ce sont au contraire les figures qui sont visiblement un élément de l'intérieur. La scène ne se contente pas d'entourer la personne, cette dernière en est entièrement dépendante. La même chose vaut pour *L'Atelier du peintre* – tableau qui illustre également la sublimité du langage pictural et du choix du sujet chez Vermeer. Le modèle posant pour le peintre n'est autre que la muse Clio, patronne de l'histoire. Le message de cette représentation était donc que l'artiste devait rechercher

L'Atelier du peintre (Allégorie de la peinture), vers 1665. Huile sur toile, 120 x 100 cm. Kunsthistorisches Museum, Vienne

ses sujets dans l'histoire. En cela, l'artiste suivait la conception de son époque, selon laquelle la peinture d'histoire était un des genres picturaux les plus nobles.

Dans *La Dentellière*, on relève la technique de la touche en pointillé propre à Vermeer, technique à laquelle les impressionnistes allaient revenir plus tard : le col blanc et l'ouvrage sous les mains de la jeune femme présentent manifestement cette juxtaposition de points de couleur isolés qui, considérés de loin, produisent l'unité de l'ensemble.

Peintre de la lumière dramatique

REMBRANDT HARMENSZ. VAN RIJN

1606-1669

Comme grand maître de la peinture baroque, Rembrandt plonge sans doute ses racines dans l'art de son époque. Mais comme très peu de peintres, il est resté actuel à travers les siècles. Les actions, ou encore la réflexion sereine ou obstinée de ses personnages, leur « esprit », continuent de nous être directement compréhensibles et familiers. Beaucoup de peintres et d'écrivains, d'innombrables visiteurs des musées se sont intéressés et s'intéressent encore à Rembrandt comme à un observateur, à un metteur en scène et à un exégète biblique résolument moderne.

Portrait de l'artiste par lui-même, 1660. Huile sur toile, 110 x 86 cm. Musée du Louvre, Paris

Né le 15 juillet 1606 à Leyde, Rembrandt Harmenszoon Van Rijn grandit dans un milieu bourgeois prospère. Propriétaire d'un moulin, son père Harmen était parvenu à une remarquable prospérité ; sa mère Neeltje était issue d'une grande famille de boulangers. En 1620, lorsque le jeune Rembrandt, qui venait d'entamer des études de philosophie, voulut les interrompre pour suivre une formation de peintre, son souhait fut soutenu par ses parents. Son premier professeur fut un maître de Leyde, Jacob Van Swanenburgh, qui prit Rembrandt pour trois ans dans son atelier et lui donna les bases du métier. Ensuite, Rembrandt se rendit à Amsterdam pour entrer dans l'atelier de Pieter Lastman, un des peintres d'histoire les plus célèbres de la ville. Lastman avait voyagé en Italie, où il avait découvert et adopté la mise en scène dramatique de la lumière et de l'ombre.

Six mois plus tard, Rembrandt mit un terme à son apprentissage à Amsterdam et revint à Leyde. A l'âge de 18 ans, il était désormais un peintre indépendant, bien qu'il eût encore besoin du soutien financier de ses parents. Malgré des débuts ambitieux, ses premières œuvres ne connurent aucun succès. Une série d'autoportraits de cette époque témoigne de la haute idée qu'il se faisait de lui-même en tant qu'artiste, mais aussi d'un certain penchant humoristique pour la

comédie et le déguisement. L'observation de sa propre personne et sa réflexion critique allaient l'amener à développer l'autoportrait psychologique, avec lequel il allait continuer de donner un aperçu de ses divers états d'âme tout au long de sa vie.

Rembrandt peintre d'histoire

Les tableaux d'histoire de Rembrandt se distinguent en ce qu'ils ne se bornent jamais à représenter un fait historique particulier, mais qu'ils nous renseignent toujours aussi sur l'homme et sur ses sentiments. Rembrandt donnait une interprétation très personnelle des sujets historiques et rompait avec les schémas de composition traditionnels. C'est ainsi qu'il s'éloignera de la manière de Lastman, qui consistait essentiellement à faire jouer les scènes historiques en extérieur, les paysages étant utilisés comme des décors dramatiques où les couleurs contrastent dans une lumière homogène. De son côté, Rembrandt plaçait souvent ses scènes dans des intérieurs et développa un traitement très personnel de la lumière.

Par son emploi très affirmé du clair-obscur, Rembrandt recherchait des effets suggestifs et émotionnels. Il n'emplissait pas ses tableaux de lumière, mais laissait souvent de grandes parties dans l'ombre ; la plupart du temps, ses parties

lumineuses, souvent même presque trop claires n'ont aucune source lumineuse concrète – la lumière semble rayonner de l'intérieur et possède un caractère symbolique. Rembrandt se situait ainsi dans la tradition du Caravage.

Au sommet de la gloire

En 1628, un poète de renom, érudit et conseiller gouvernemental, Constantijn Huygens vint à Leyde, où il vit des œuvres de Rembrandt qui l'émerveillèrent. Ses éloges intarissables eurent bientôt l'effet espéré : le nombre des acheteurs s'accrût et la célébrité de Rembrandt grandit rapidement. Dans son atelier, Rembrandt put désormais prendre des élèves qui s'approprièrent son style en si peu de temps et avec une telle perfection que les historiens d'art ont aujourd'hui encore bien des difficultés à distinguer un authentique Rembrandt de l'œuvre d'un de ses élèves. Le meilleur exemple en est *L'Homme au casque d'or*, peinture que les experts n'ont que récemment démasquée comme étant l'œuvre d'un élève.

En 1630, Rembrandt se trouve au début de sa phase de plus intense création. Très consciemment, il allait augmenter sa production de gravures vendues en grands tirages, parvenant ainsi à une vaste diffusion de ses œuvres – et de son nom. Sa célébrité et sa richesse s'accrurent de plus en plus.

En 1631, il s'installa à Amsterdam, où il peignit son premier portrait de groupe pour l'influent corps des chirurgiens, *La Leçon d'anatomie du docteur Tulp*, auquel il conféra une vie jusqu'alors inconnue. La leçon d'anatomie n'était nullement prise comme prétexte superficiel pour représenter un corps de métier ; tout à l'inverse, en peignant les médecins au moment où leur attention est à son comble, Rembrandt donnait le premier rôle à la leçon en tant que telle, ce qui lui permettait de faire le portrait individuel des personnes dans leur environnement « naturel ». Par ailleurs, Rembrandt apparaissait une fois de plus comme un remarquable metteur en scène de la lumière : les visages des médecins sont plongés dans une clarté surprenante, et bien que chaque personne ait son identité propre, Rembrandt obtient ainsi qu'elles se détachent de l'obscurité environnante comme

La Leçon d'anatomie du docteur Tulp, 1632. Huile sur toile, 162,5 x 216,5 cm. Mauritshuis, La Haye

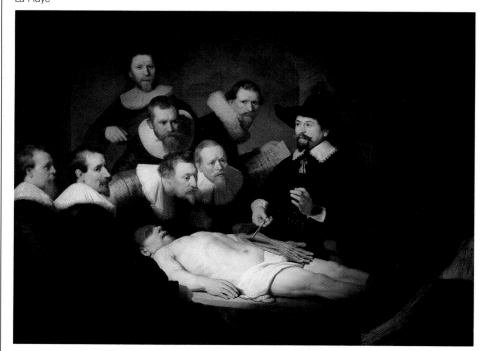

n tout cohérent que le spectateur ne peut
d'identifier comme un groupe homogène.
Cette œuvre achevée, Rembrandt devint une
célébrité en l'espace de quelques mois. Au
cours des années suivantes, un véritable déluge
e commandes de la bourgeoisie et même de
cour de La Haye s'abattit sur lui.
En 1634, son mariage avec Saskia Van Uylen-
burgh, fille d'une famille patricienne très en vue,
entrer Rembrandt dans les plus hautes cou-
hes de la société comme un membre de la no-
esse. Cette ascension sociale, la fortune de sa
mme Saskia, ses émoluments de professeur et
vente de ses tableaux firent de Rembrandt un
ourgeois prospère et arrivé. Mais il n'allait pas
ster riche. Ce qu'il gagnait, il le dépensait dans
es ventes aux enchères. Comme un possédé, il
ollectionnait habits, armes, livres, gravures et
utes sortes d'objets qu'il a peints dans les ri-
hes décors de ses tableaux. Ces achats allaient
rever ses biens au point qu'il se trouva même
capable de fournir un acompte lors de l'achat
une nouvelle maison dans la riche Breestraat.

e metteur en scène entêté et sa fin

u début de l'hiver 1639, le corps de garde
ourgeois du capitaine Franz Banningh Cocq
ommanda un portrait de groupe chez Rem-
randt. En 1642, lorsque l'œuvre destinée à la
rande salle du Clœveniersdœlen fut dévoilée et
résentée, l'enthousiasme des commanditaires
t pour le moins réservé : ils avaient moins at-
ndu une œuvre d'art qu'une illustration de leur
ignité, et chacun ne souhaitait qu'une chose, se
oir représenté d'une façon aussi avantageuse
ue possible. De l'avis général, le tableau de
embrandt ne présentait que fort peu de choses
yant trait à la dignité et la représentativité. Et de
it, la plupart des personnes représentées
aient à moitié cachées, elles étaient reléguées
l'arrière-plan, ou bien leurs visages étaient
ongés dans l'ombre. De plus, au lieu des dix-
uit personnes attendues, Rembrandt en avait
eprésenté trente et une. Il avait ajouté des « figu-
nts » à seule fin d'illustration et pour rendre la
cène plus vivante. Son tableau s'opposait ainsi
e façon flagrante au portrait de groupe conven-
onnel de l'époque, dont le propos invariable
tait de montrer les personnes dans une pose
érémonieuse. Les figures des portraits de genre
aditionnels apparaissent comme interchangea-
les, Rembrandt avait organisé son tableau
omme la mise en scène d'une peinture d'his-
oire supportée par son contenu : le capitaine
ve la main en signe de commandement, un
mbour joue de son instrument, on y charge un
ousquet, un autre personnage arme le chien
e son fusil. Rembrandt se faisait ainsi metteur
n scène, créant une profondeur spatiale par les
ux d'ombre et de lumière et arrangeant des
ouvements baroques devant un décor classi-
ue. Contrairement au catholique Rubens, Rem-
randt renonça aux allégories. Mais ses compo-
tions font preuve de beaucoup d'esprit et sont
oigneusement pesées ; derrière le contenu visi-
le du tableau, on trouve toujours un sens plus
rofond.

es peintures, dessins et gravures tardifs déno-
nt des traits communs manifestes : les traces
u processus créateur n'y sont pas effacées, le
métier » demeure visible. Les couleurs ne sont
as fondues pour faire disparaître les transitions

*a Compagnie du capitaine Frans Banningh
Cocq (La Ronde de nuit)*, 1642. Huile sur toile,
59 x 438 cm. Rijksmuseum, Amsterdam

Le Festin de Balthazar, 1630. Huile sur toile, 167,6 x 209,2 cm. National Gallery, Londres

(elles ne sont pas peintes de manière à se
mélanger sur la toile), et l'on voit apparaître des
superpositions de touches de couleur épaisses.
Dans les dessins, les hachures se font généreuses et audacieuses, sans aucune minutie pédan-
te. Les hasards des coulures et des mélanges
d'encre de chine, des formes des plumes employées, de la pointe à graver et du pinceau, etc.
jouent partout un rôle dans la facture.
Mais avec une assurance incomparable et apparemment infaillible, Rembrandt sut mettre ces
hasards au service de sa volonté formelle. Des
traits de pinceau ou de plume placés avec une
apparente désinvolture produisent des nuances

extrêmement subtiles, en particulier lorsqu'il
s'agit de caractériser les physionomies. Vers la
fin de sa vie, Rembrandt, qui quelques années
plus tôt était encore considéré comme un dé-
pensier bon vivant, devint une sorte d'original. Sa
réputation s'étiola, mais sa renommée ne cessa
de grandir. En 1647, lorsque le prince, premier
commanditaire de Rembrandt, mourut, l'inéluc-
table déclin s'amorça lentement. Le nouveau
gouverneur, le prince Guillaume II, privilégiait la
nouvelle peinture de tendance classique.
Le 4 octobre 1669, Rembrandt Harmenszoon
Van Rijn mourut dans le quartier des pauvres
d'Amsterdam à l'âge de 63 ans.

Jan Steen, *La Querelle au jeu***,** Huile sur toile, 90 x 119 cm. Staatliche Museen zu Berlin – Preußischer Kulturbesitz, Gemäldegalerie, Berlin

L'alcool a coulé à flots, le pot a roulé par terre, tout comme la tablette de jeu, motif évident de la dispute violente qui vient d'éclater entre les deux hommes. Exaspéré, l'un d'entre eux a déjà tiré son couteau, tandis que la femme et l'enfant tentent de contenir l'exaspération de l'autre. Comme au théâtre, Jan Steen met ici en scène sa leçon de morale, qui nous montre à quoi peuvent aboutir les jeux de hasard et la boisson.

tion pour le peintre qui les représentait de préférence absorbées dans une occupation silencieuse : écriture ou lecture d'une lettre, musique ou travail manuel. Le traitement grandiose de la lumière – éclairage latéral provenant d'une fenêtre entrouverte ou éclairage par le haut – ignoré pendant des siècles, sera porté aux nues par les impressionnistes. Lorsqu'au XIXe siècle est redécouverte la *peinture de genre* hollandaise, les théoriciens de l'art y voient un réalisme à caractère photographique. Ce n'était pourtant qu'un paralogisme, car la précision naturaliste des tableaux de Vermeer recouvre toujours un sens plus profond. Ses œuvres ne sont pas une simple chronique de la vie de l'époque, elles se veulent aussi « édifiantes ». Que ce soit la séduction d'une femme par le vin ou une scène chez l'entremetteuse, les sujets de ce genre se multiplient dans ses tableaux si paisibles en apparence.

La canaillerie est plus crue chez Jan Steen, la description de la vie du peuple y est plus théâtrale. Le peintre nous assène lui aussi des leçons de morale. Les rixes au cabaret, les beuveries, les demeures en désordre sont les thèmes récurrents de son œuvre. Aujourd'hui encore, un intérieur mal tenu est appelé « un intérieur à la Jan Steen ». Avec un humour moralisateur, le peintre met en scène le « purgatoire terrestre » – la ruine des moyens d'existence, donc la misère – comme un avertissement qu'il lancerait à l'observateur. Le baroque hollandais affectionnait particulièrement les scènes de taverne, de bordel, triviales et anecdotiques. Peut-être aussi parce que ces représentations

n'étaient pas entièrement dénuées de morale jésuitique, l'attrait des vices représentés contrebalançant la réprobation qu'ils inspiraient.

La beauté éphémère immortalisée ou la nature morte

Même la *nature morte,* qui en elle-même semble neutre, intrinséquement avait une connotation morale. Ce genre atteignit son apogée en Hollande au XVIIe siècle et connut par la suite un certain déclin. Certes, reproduire la matérialité des choses avec une précision presque microscopique n'était pas une approche inconnue de la Renaissance, que l'on se souvienne des trésors que le *Marchand Gisze* de Holbein a réunis autour de lui, mais qu'un groupe d'objets devienne le thème central d'un tableau est indubitablement une nouveauté du XVIIe siècle. Puis sous le baroque, la nature morte sera enfin reconnue comme un genre à part entière.

La nature morte hollandaise met très souvent en scène les objets emblématiques de la richesse : laiton brillant, verres finement taillés, perles chatoyantes, coquillages exotiques ou porcelaine précieuse. Les peintres ne rendaient pas seulement la beauté vivante des choses – bien que pour de nombreux acquéreurs ces richesses peintes fussent des succédanés –, ils se servaient de la substance matérielle des choses objet de fascination, pour symboliser le caractère éphémère de tout ce qui est sensuel et beau en ce bas monde. Ces tableaux sont souvent ponctués de crânes, de sabliers, de chandelles brûlées – les fameux motifs de la *vanité* – qui évoquent la finitude de l'existence. Rien n'empêchait de fêter la beauté intrinsèque de l'art, de la nature ou des objets de la vie quotidienne, mais il ne fallait pas la surévaluer. C'est justement ce dernier aspect que sous-entend la nature morte : le charme intrinsèque d'un citron épluché, d'une coupe rutilante ou d'un verre chatoyant peints à l'huile ne réside pas dans leur ressemblance parfaite avec leurs modèles, mais bien dans le fait de savoir qu'ils sont peints et que leur beauté est pure apparence.

Allégorie poétique ou la peinture de paysage

La peinture de *paysage* est elle aussi à double lecture. L'idée première des peintres paysagistes était, à n'en pas douter, de montrer leur pays, ce pays dont l'indépendance avait tant coûté aux Hollandais. Le paysage hollandais, plat, infini, avec son horizon bas et son ciel immense qui se reflète dans l'eau est peint généralement en petit format, à la mesure des pièces qui l'accueillaient, et conforme, sur ce point aussi, aux désirs de la bourgeoisie marchande. Le format des toiles offrait un contraste surprenant avec les vastes étendues de terre représentées. Les rivières, les canaux – voies commerciales – les polders gagnés sur la mer ou les vues urbaines sont les leitmotives de la peinture de *paysage* hollandaise.

Mais les tableaux ne sont pas toujours de simples reproductions de paysages réels. Il s'agit moins en effet de vues objectives (ainsi les topographies-souvenirs que les peintres *vedutistes* peignaient pour des touristes de plus en plus nombreux) que de représentations symboliques. Ces descriptions naturalistes et atmosphériques n'ont rien perdu de leur pouvoir suggestif : l'observateur croit toujours sentir le souffle du vent ou les rayons du soleil à travers les nuages chargés de pluie. Lorsqu'au XVIIe siècle les thèmes héroïques s'emparent de l'art, cette peinture sensible de la nature fut classée péjorativement dans la catégorie « peinture du quotidien ». Mais sa demi-éclipse devait prendre fin au XIXe siècle avec les peintres de *plein air* de *l'école de Barbizon* et les impressionnistes qui, en s'en inspirant, rendirent justice à la peinture de *paysage* hollandaise. En dépit de leurs analogies apparentes, la conception impressionniste

du paysage est d'une tout autre nature que celle des paysagistes hollandais. Il est vrai que les Hollandais réussirent à donner à leur paysages cette vivacité et cette vérité tant admirées par les impressionnistes, en allant dessiner « sur le motif » des esquisses et des études préparatoires qu'ils retravaillaient ensuite à la peinture à l'huile dans leurs ateliers : ils étaient d'ailleurs, comme tous leurs confrères, de Lorrain à Vélasquez, des peintres d'atelier. Mais la différence essentielle avec la peinture impressionniste, qui se propose de rendre l'impression fugitive du sentiment, réside dans la propension des Hollandais à élever leurs tableaux à un niveau sémantique dépassant la simple reproduction. Nombreux étaient les paysages compris comme des paraboles dont le sens était révélé par des signes iconographiques : un arbre solitaire au bord de l'eau, par exemple, symbolisait la force de la foi.

Jacob Van Ruysdael est un des maîtres du « paysage moralisé ». Il truffait ses tableaux de motifs de la *vanité*, tels des églises en ruines ou des arbres morts, symboles de l'éphémère. L'atmosphère lyrique du *Moulin de Wijk* tient aussi de l'allégorie : le moulin prend par sa monumentalité des allures de donjon. Il se dresse contre le ciel où les nuages s'amoncèlent menaçants. L'impression de calme et de tristesse qui se dégage du paysage a quelque chose de suspect – c'est le calme avant la tempête.

Willem Kalf, *Nature morte à la soupière de Chine*, 1662. 64 x 53 cm. Staatliche Museen zu Berlin – Preußischer Kulturbesitz, Gemäldegalerie, Berlin

Jacob Van Ruysdael, *Le Moulin de Wijk*, vers 1670. Huile sur toile, 83 x 101 cm. Rijksmuseum, Amsterdam

Ruysdael, qui avait parcouru la Hollande et les provinces frontalières de l'Allemagne au cours de sa jeunesse, vécut à Amsterdam de 1656 jusqu'à sa mort. Les paysages idéaux de son œuvre de jeunesse et leur atmosphère héroïco-romantique allaient alors évoluer. Ils sont caractérisés par une forte ouverture de l'espace pictural sur l'immensité du paysage et une prédilection pour les plaines mélancoliques surplombées de lourds nuages. *Le Moulin de Wijk* dépeint lui aussi ce type d'atmosphère. Des nuages lourds et lugubres se reflètent dans l'eau et semblent annoncer l'arrivée de l'orage, tout comme la voile de la barque. Derrière l'imposant moulin, un village recroquevillé dans la plaine côtière cherche un abri contre la tempête. Les poteaux de bois du bord de mer sont penchés, disposés à hauteur irrégulière et endommagés par endroits, comme s'ils n'offraient avec la rare végétation du rivage au premier plan qu'une très insuffisante et précaire protection contre le déchaînement menaçant des éléments.

La belle apparence

ROCOCO ET NÉO-CLASSICISME

1715-1830

Jean Antoine Watteau, *Gilles*,
1718-1719. Huile sur toile,
184 x 149 cm. Musée du Louvre, Paris

LA RÉGENCE ET LE ROCOCO 1715-1780

De coquets tableaux pour le salon – la Régence

Le XVIIIe siècle est le siècle des Lumières, marqué par l'humanisme, le pragmatisme et la science. Misant sur la prééminence de la raison humaine, seule capable de saisir et d'approfondir le comment des choses, et sur son corollaire, l'esprit critique, qui réfute les traditions et les autorités telles que l'Eglise et l'aristocratie, des philosophes, des réformateurs sociaux, des savants, des hommes de lettres et des artistes préparaient idéologiquement une évolution qui atteindrait son paroxysme avec la Révolution de 1789. Ce processus de transformation de la société qui allait mener à l'événement que l'on sait se traduisit dans l'art aussi de diverses manières.

A la mort de Louis XIV en 1715, son successeur Louis XV n'était qu'un enfant. Philippe d'Orléans, le neveu du roi défunt, assuma la Régence pendant sept ans. Sa manière de régner n'avait rien de commun avec l'absolutisme de Louis XIV. Une de ses premières décisions fut de transférer la résidence royale de Versailles à Paris. Ce transfert provoqua la dispersion de la Cour qui vivait en permanence à Versailles et se dépêcha de suivre le Régent. La vie dans la capitale était plus animée, les divertissements nombreux : théâtre, bals et soirées privées. Le centre de la vie culturelle et politique se trouva ainsi délocalisé de Versailles, situé en pleine campagne, à Paris. Après s'être scindée, la Cour se retrouva dans les salons et les hôtels particuliers. Parallèlement à l'évolution du climat intellectuel du pays et de l'image de soi des acteurs de la vie culturelle – outre la haute aristocratie, maintenant la bourgeoisie commerçante, les banquiers et les fermiers généraux dont les comptes en banque alimentaient largement l'Etat –, l'art entrait dans une période de réorientation stylistique et thématique : la peinture baroque, pathétique et solennelle, en laquelle l'absolutisme avait trouvé son expression la plus aboutie, faisait place à la grâce, à l'intime, au plaisant, au décoratif, au lyrisme et au sentiment. Cette première tendance du rococo fut appelée « style Régence ».

La peinture représentative du classicisme ba-

roque français ne répondait ni au goût ni à l'esprit d'une société qui se divertissait désor[mais] mais sans cérémonial de cour et s'autorisa[it] une certaine licence des mœurs. Les com[man]manditaires exigeaient maintenant des ta[b]bleaux s'harmonisant bien avec le caractère intime et l'élégance de leurs petites résidence[s] qu'ils se faisaient construire en ville. Cette situation nouvelle eut des conséquences no[ta]tables dans la peinture : le format des toile[s] diminua, le répertoire pictural et le vocabu[u]laire formel furent modifiés. Les peintres roco[co] co français n'appréciaient pas le classicism[e] de Poussin, la rationalité rigoureuse et linéair[e] de ses compositions. Ils préféraient de loin [la] peinture de Rubens. Elle manifestait cette joi[e] de vivre, cette sensualité, cette couleur bri[l]lante, cette matérialité et cette composition [où] la narration y est focalisée sur un élément qu'ils ne retrouvaient pas dans l'art représe[n]tatif de l'ère absolutiste, et ce, malgré toute [la] prestesse et la légèreté de son trait. Le répe[r]toire héroïque fut abandonné au profit d[u] plaisir raffiné des sens, du décoratif intimist[e]. Les tableaux de Watteau sont les première[s] manifestations du nouveau style.

Sous le signe du théâtre ou les jeux d[e] rôles

Sa célébrité, Watteau la dut aux « fêtes ga[l]lantes », tableaux représentant les divertisse[ments] ments raffinés de la haute société. Pour ad[mettre] mettre l'artiste dans ses rangs, l'Académi[e] royale créa même un titre et un genre nou[veau] veau, celui de peintre en « fêtes galantes [».] Avec ses représentations, Watteau toucha[it] aux fibres profondes de ses contemporain[s]. Ces fêtes pleines de fantaisie, enivrante[s] étaient pour la haute société une manière d[e] faire revivre les anciennes habitudes de la cour. Pour modèle, le peintre prenait souven[t] des fêtes données par des amis fortunés. Le[s] tableaux de Watteau constituent une obser[vation] vation de la vie de son époque, mais teinté[e] d'un détachement presque mélancolique. L[e] chromatisme subtil et l'atmosphère embué[e] à la manière de Lorrain, donnent une impres[sion] sion d'enchantement aux scènes ; celles-c[i] font penser à une pièce de théâtre qui serai[t] jouée devant un décor artificiel. *Gilles* est-i[l] vraiment un clown triste ou quelqu'un joue[t-il] t-il le clown triste ? Pièce de théâtre réelle o[u] fête costumée comme la haute société les

Jean-Honoré Fragonard, *Les Hasards heureux de l'escarpolette*, 1767. Huile sur toile, 81 x 65 cm. Wallace Collection, Londres

Fragonard est considéré comme le peintre de l'allégresse enjouée du rococo. Il savait transposer les gestes et les situations les plus simples en scènes esthétiques pleines de goût au service exclusif de l'amour. Sa prédilection pour les scènes érotiques sans vulgarité, le rythme rapide de ses tableaux et son accentuation des lois propres à l'œuvre d'art, dénuée de toute enjolivure faisant appel à la mythologie antique, en font un des premiers interprètes des mœurs de son époque. Coloriste virtuose, dont la facture enlevée confère surtout une vie particulièrement intense aux feuillages et aux nuages, ses couleurs ont cependant souvent un caractère quelque peu artificiel dû à l'usage fréquent du blanc. Curieusement, Fragonard fut rejeté par la cour de Louis XV en raison des libertés excessives qu'il prenait dans ses œuvres, mais il eut de nombreuses commandes venant de riches personnes privées.

Le tableau *Les Hasards heureux de l'escarpolette* était une commande du trésorier du clergé français. Le commanditaire avait exigé une scène où l'amant – qu'on aperçoit en bas à gauche allongé dans un buisson de roses – pourrait regarder sous les jupons de sa maîtresse ; à l'origine, la balançoire devait être poussée par un évêque. Bien que Fragonard eût reçu cette commande en raison de son caractère galant, il fut assez sage pour remplacer l'évêque par un jardinier.

Vêtue d'une robe rococo rose pastel, la dame coiffée d'un chapeau est éclairée par la chaleur du doux rayon de soleil qui s'insinue dans ce paysage sylvestre. Dans son élan, la jeune femme a perdu un de ses escarpins, la jambe est tendue vers l'avant, ouvrant ainsi à l'amant la vision attendue.

1717 Débuts de la Franc-maçonnerie avec la création d'une grande loge à Londres.

1720 Balthasar Neumann commence la construction de la résidence de Wurtzbourg.

1723 Jean-Sébastien Bach devient cantor de Saint-Thomas à Leipzig.

1735 Le naturaliste suédois Carl von Linné développe un nouveau système de classification des plantes.

1740 Frédéric II abolit la torture en Prusse et fonde l'ordre « Pour le mérite ».

1743 La Franc-maçonnerie est interdite en Autriche et au Portugal.

1745 La maîtresse de Louis XV, Madame de Pompadour, prend un ascendant sur le roi et influence la politique française.

1748 Fin des guerres de succession autrichiennes avec le traité d'Aix-la-Chapelle.

1751 Fondation du journal libéral *Vossische Zeitung* en Allemagne.

1755 Tremblement de terre de Lisbonne.

1756 Naissance de Wolfgang Amadeus Mozart.

1760 La tsarine Elisabeth confère le droit aux propriétaires terriens de déporter les paysans insoumis en Sibérie.

1765 James Watt invente la machine à vapeur.

1768 Naissance de l'encyclopédie *Britannica*

1773 Avec la « Boston tea party » (plusieurs chargements de thé furent coulés dans le port de Boston), les colons nord-américains se révoltent contre la politique coloniale de l'Angleterre.

1774 Les frontières septentrionales du Canada sont fixées.

1776 Les treize colonies américaines déclarent leur indépendance par rapport à l'Angleterre.

1781 Emmanuel Kant publie son traité philosophique *Critique de la raison pure* ; Johann Heinrich Voss traduit *L'Odyssée* d'Homère.

1788 Première colonie de bagnards en Australie. Freiherr von Knigge publie son code *Über den Umgang mit Menschen* (« Du commerce avec les hommes »).

1789 Révolution française. Washington devient le premier président des Etats-Unis d'Amérique.

1791 Wolfgang Amadeus Mozart compose *La Flûte enchantée* inspirée par des idées franc-maçonnes.

1792 Instauration du mariage civil en France.

1792 Proclamation de la République en France et instauration du suffrage universel.

1793 L'exécution de Louis XVI et de Marie-Antoinette annonce la Terreur sous Danton et Robespierre (jusqu'en 1794).

1796 Le médecin anglais Edward Jenner met au point le vaccin contre la variole.

1797 Alois Senefelder met au point la lithographie, procédé d'impression en à-plat.

1804 Napoléon Bonaparte se couronne lui-même empereur des Français. Rédaction du *Code Napoléon* (Code civil).

François Boucher, *Femme nue (Louison O'Murphy)*, 1752. Huile sur toile, 59 x 73 cm. Alte Pinakothek, Bayerische Staatsgemäldesammlungen, Munich

Dans la France de son époque, Boucher fut considéré comme le peintre à la mode. Outre de nombreuses peintures décoratives et la décoration d'innombrables résidences tout autour de Paris, son œuvre extrêmement diverse comprend aussi des dessins, des illustrations (par exemple de pièces de Molière) et des travaux plus artisanaux, en particulier dans le domaine de la délicate peinture sur porcelaine. Peintre du divertissement et d'une certaine complaisance gracieuse, il aimait les représentations de scènes pastorales, qu'il combinait souvent avec des arrangements extrêmement raffinés, comme des allégories des quatre saisons. Ses tableaux recherchent un effet d'ensemble frappant, qui avait plus d'importance pour le peintre que la caractérisation de personnes ou d'objets isolés. Il se servait de couleurs claires, lisses comme de la porcelaine et en fait plutôt froides, avec des nuances subtiles qui semblent rayonner une lumière propre. La peinture *Femme nue* est un portrait de la jeune amante du marquis de Marigny, frère de Madame de Pompadour.

Giovanni Battista Tiepolo, *Saint Clément adorant la Trinité*, 1739. Huile sur toile, 488 x 256 cm. Alte Pinakothek, Bayerische Staatsgemäldesammlungen, Munich

aimait ? Watteau ne prend pas la peine de dissiper l'ambiguïté, comme s'il voulait annuler la frontière entre théâtre et jeu de rôles distingué, et nous montrer que la vie n'est qu'une représentation de théâtre. Mais les peintres de la génération suivante n'auront plus ce détachement de Watteau par rapport à ce qu'il peint ni la profondeur de son œuvre. Il n'en restera que la seule auto-représentation de la Noblesse.

Pastorales et jeux amoureux

Le rococo connut son apogée pendant le règne de Louis XV, monté sur le trône en 1722. Les principaux représentants de ce style sont François Boucher et son élève, Jean-Honoré Fragonard. Marivaudage, badinage amoureux, intimité compromettante, moments lascifs constituaient les leitmotives de la peinture rococo. Boucher et Fragonard, fins interprètes du goût rococo et de la société qui l'avait créé, connurent un grand succès pendant les premières décennies du XVIIIe siècle. Outre de peintures décoratives et la décoration d'innombrables résidences, son œuvre comprend aussi des dessins, des illustrations et des travaux plus artisanaux

Vers le milieu du siècle, le style de vie français conquit les cours européennes, en particulier celle d'Espagne, et celles d'Allemagne, constituées en une mosaïques de royaumes et de principautés. Frédéric II se fit construire le château de « Sanssouci » sur le modèle français. Dans le sud de l'Allemagne, le peintre italien Giovanni Battista Tiepolo, célèbre pour ses superbes peintures murales, peignit les fresques de la Résidence de Würzburg. Son *illusionnisme* d'une perfection achevée révèle l'origine vénitienne du peintre, puisque les peintures murales impressionnantes et créatrices d'espace, étaient depuis Véronèse une spécialité de la Cité italienne.

Les peintres du rococo furent bientôt accusés par les rationalistes de frivolité, et plus grave de faire l'apologie de la prodigalité de la Noblesse, mais des œuvres comme *La Balançoire* de Fragonard ou les nus sensuels de Boucher représentaient déjà une forme d'opposition à la morale de l'Eglise et allaient donc dans le sens de l'esprit philosophique. Les philosophes du siècle des Lumières comme Rousseau et Voltaire – en accord avec Kant sur ce point – enjoignaient aux hommes d'« avoir le courage de faire usage de leur raison », de ne plus se fier aux dogmes ni aux schémas de pensée de l'Eglise et de la noblesse, mais de se servir des capacités que leur avait données la nature : pensée et intelligence. Rousseau prôna le « retour à la nature », ce qui, dans son esprit, ne signifiait aucunement un retour à la vie primitive, mais, vu les manières de la Cour, l'abandon du monde de l'apparence et la renaissance du naturel.

L'art sous le signe des Lumières

La simplicité et l'objectivité recherchées par l'esprit philosophique imprègnent les tableaux de Jean-Baptiste Siméon Chardin. Celui-ci différait complètement des autres peintres de son époque, qui préféraient montrer les divertissements de la haute société. Chardin, lui, a consacré son art à la description d'une vie qui est à l'opposé de l'insouciance aristocratique et du jeu frivole. Dans ses tableaux calmes, il fait revivre la *peinture de genre* hollandaise en représentant les aspects quotidiens de la réalité. Le rapport direct avec la vie du Tiers État, constituant la trame de ses tableaux au caractère intime, ordinaire – dans le bon sens du terme –, fait de Chardin l'un des protagonistes d'une esthétique bourgeoise telle qu'on la trouve dans les *tableaux de mœurs* du baroque hollandais. Sa facture brillante, caractérisée, en particulier, par un coup de pinceau dense et vibrant de lumière, fera l'admiration des impressionnistes. Mais c'est l'humanité, intérieure et modeste, de ses sujets que les rationalistes estimaient le plus.

La peinture en Angleterre

Le peintre anglais William Hogarth, esprit critique lui aussi, fustigeait l'immoralité de la société dans ses séries de gravures, les « Moral Pictures ». Pourtant, encore à l'époque, les tableaux qui traitaient de sujets « vulgaires »

étaient considérés eux-mêmes comme vulgaires, et leur thématique ne paraissait pas compatible avec un art magistral. Aussi des tableaux à l'huile à connotation satirique comme *Le Mariage à la mode* ne suscitaient-ils que peu d'intérêt auprès de la clientèle habituelle. En revanche, les gravures tirées de ces tableaux étaient plus appréciées. Hogarth – fin manœuvrier – sut avec ces gravures moins chères attirer un plus large public, moins titré, qui goûtait un plaisir évident à des thèmes populaires. C'est la *gravure* qui fit connaître le peintre en dehors de l'Angleterre. Ce pays était depuis longtemps une source d'inspiration pour les esprits éclairés français. Dès le XVIIᵉ siècle, le roi d'Angleterre avait dû remettre une partie de ses pouvoirs aux représentants du peuple qui siégeaient depuis au Parlement. L'affirmation de soi de la bourgeoisie anglaise avait stimulé une attitude nettement plus positive – comme en témoignent les recherches d'un Isaac Newton qui proclamait la soumission aux faits – et moins portée sur la légende et la mythologie. Les thèmes religieux n'avaient jamais été très appréciés dans un pays converti depuis longtemps au Protestantisme.

L'esprit des Lumières s'étendit aussi au domaine de l'art. La peinture baroque et les tendances décoratives de l'époque étaient perçues comme perverties et creuses. Les artistes cherchaient de nouvelles perspectives :

Sir Joshua Reynolds, *George Clive et sa famille*, 1766. Huile sur toile, 140 x 171 cm. Staatliche Museen zu Berlin – Preußischer Kulturbesitz, Gemäldegalerie, Berlin

un art qui exprimerait les sentiments sans tricher. Deux peintres poursuivaient cet objectif malgré une approche différente : Thomas Gainsborough et Sir Joshua Reynolds. Reynolds s'inspirait des idéaux classiques dans sa recherche de l'originel, de la beauté vraie. L'art antique était son modèle, il s'en inspirait pour redonner à ses propres œuvres cette grandeur et cette élévation que l'art décoratif de son époque avait perdues. Il devint par ailleurs le premier président de l'Académie royale des arts qu'il contribua à fonder et où il enseigna.

Thomas Gainsborough n'avait pas la culture antique de Reynolds, il cherchait à interpréter le sentiment dans une peinture intuitive tri-

butaire seulement de la perception visuelle du sentiment. Il prisait peu la peinture de po[r]trait, qui constituait pourtant son gagne-pa[in] principal, ainsi qu'à Reynolds : il la trouva[it] trop contraignante, en raison des exigence[s] des commanditaires. « Rien de pire que l[es] nobles », se plaignait-il. Sa préférence allait [à] la peinture de *paysage* : « Je peins des po[r]traits pour vivre et des paysages parce que [je] les aime. »

Gainsborough admirait profondément le ré[a]lisme de la peinture de paysage hollandais[e] – peu connue en son temps – attentive au[x] différents aspects de la nature. Dans son *Po[r]trait de M. et Mme Andrews*, Gainsboroug[h] peint la nature comme il l'a vue, et non com[me] un paysage arcadien dans le style acad[é]mique d'un Lorrain, ou comme un décor r[o]coco conventionnel, avec ses buissons lux[u]riants et contournés. Il a su peindre dans [le] même tableau le portrait du commanditai[re] et la représentation réaliste du paysage qu[i,] bien qu'imaginé par l'homme, fait l'eff[et] d'une nature intacte. Ce paysage réponda[it] parfaitement à l'idéal de l'époque : le « nat[u]rel » (agencé) qui caractérise aussi les par[cs] et les jardins à l'anglaise en vogue à partir d[u] milieu du siècle était regardé par les espri[ts] modernistes de l'époque – au contraire de [la] géométrie artificielle des jardins à la fra[n]çaise – comme le symbole de la beau[té] naturelle et de la liberté individuelle.

Reynolds et Gainsborough partageaient cet[te] conception du naturel. Bien que souvent pr[é]sentés comme de véritables concurrents, i[ls] cherchaient tous deux à libérer la peinture [de]

Thomas Gainsborough, *Portrait de M. et Mme Andrews*, vers 1749. Huile sur toile, 70 x 119 cm. National Gallery, Londres

Gainsborough fut le peintre anglais le plus important de son époque. Paysagiste par passion et portraitiste par nécessité (financière), il adopta certains éléments de la peinture de genre et du paysage néerlandais, pour les allier à une froideur désinvolte dans l'attitude des personnes représentées, qualité perçue comme spécifiquement anglaise. Une froide lumière blanche, qu'on pourrait qualifier de « sobre », tombe sur Robert Andrews et sa femme, et fait ressortir le couple devant un paysage traité dans des harmonies de couleurs vivantes, chaudes et terreuses – comme s'il s'en dissociait. A gauche et à droite, des axes visuels passent à côté de ce groupe de figures pour faire entrer dans la profondeur du tableau, instaurant ainsi un rapport dynamique entre premier et arrière-plan.

ut le style qui l'encombrait. Seule leur méthode différait : tandis que Reynolds, l'académicien, s'appuyait sur l'esthétique classique, Gainsborough, le quasi-autodidacte, se fiait à son intuition.

L'approche de Gainsborough qui privilégiait une appréhension empirique de la réalité, était très répandue en Angleterre au XVIIIᵉ siècle. Alors que le rationalisme français avait fait de la spéculation la base de toute connaissance, l'empirisme anglais soulignait que la connaissance de la réalité passait par la perception sensorielle et que l'on pouvait s'en tenir à l'observation, à l'expérience et aux conclusions tirées de cette expérience. Le tableau de Joseph Wright of Derby *L'expérience de la pompe à air* illustre bien la pensée anglaise et l'intérêt grandissant pour les sciences dans le climat de la révolution industrielle. Celle-ci avait commencé vers la fin du XVIIIᵉ siècle avec, au cœur de l'Angleterre où vivait Wright, l'apparition des premières fabriques. En 1765, James Watt avait mis au point la machine à vapeur qui remplacerait désormais la force de l'homme et la force du cheval et serait d'une importance capitale pour le développement industriel et le progrès en général. Cette découverte technique a certainement éveillé l'intérêt du peintre pour la physique, de même que la vulgarisation du savoir a joué un rôle dans le développement de la conscience bourgeoise au

cours de la seconde moitié du XVIIIᵉ siècle. Ce besoin de savoir, Wright l'a à la fois représenté et satisfait.

LE NÉO-CLASSICISME 1770-1830

« Une noble simplicité et la grandeur calme »

Suivant l'esprit philosophique qui accordait la primauté à la raison pour acquérir une connaissance naturelle et rationnelle des choses, les artistes aspiraient à un art basé sur la clarté et la rationalité. Ils se tournèrent une fois de plus vers l'Antiquité. Cette nouvelle conception de l'art, qui s'appuyait sur les exemples de la culture gréco-romaine, fut qualifiée de « néo-classicisme ».

L'exaltante découverte d'Herculanum et de Pompéi vers le milieu du XVIIIᵉ siècle eut un effet catalyseur sur les artistes qui trouvèrent un autre prétexte pour s'inspirer de l'art antique. Rome devint tout naturellement le centre spirituel et artistique du néo-classicisme. En 1764 fut publié l'ouvrage de Johann Winckelmann, *Histoire de l'art de l'Antiquité*, texte fondamental qui allait changer le cours de l'histoire de l'art. L'archéologue allemand, passionné de sculpture grecque, opposait à la « perversion du sens des formes et à la démesure dans l'expression » du baroque la « noble simplicité et la grandeur calme » telles qu'il trouvait réalisées dans l'art antique. Mais Winckelmann ne condamnait pas le

Jacques-Louis David, *Le Serment des Horaces*, 1784. Huile sur toile, 330 × 425 cm. Musée du Louvre, Paris

Comme aucun autre peintre, David fut un acteur engagé dans les événements politiques de la France, et son art ne peut être compris en dehors de l'atmosphère de renouveau de la Révolution et de l'ère napoléonienne. Le mélange d'inspiration artistique et politique fut à l'origine d'un nouveau style, mis au service du message politique et qui faisait ses adieux à la gratuité d'un art pur. En 1784, le tableau de David *Le Serment des Horaces* hissa d'un coup le peintre au rang de représentant principal d'un « classicisme révolutionnaire ». Avec sa tendance à la monumentalité, cette représentation équilibrée s'appuie sur la clarté et la sobriété de l'iconologie romaine.

Dans ce tableau, nous voyons les trois Horaces, qui avaient été choisis comme champions de l'armée romaine, faisant serment de se battre jusqu'à la mort contre les trois guerriers d'Albe pour la domination de Rome.

Le tableau est l'expression des exigences morales de la révolution : l'engagement personnel, le devoir du citoyen et l'enthousiasme patriotique.

classicisme baroque de Poussin. Le peintre qui, une centaine d'années auparavant, avait pris pour modèle les formes claires de l'art grec était « redécouvert » à son tour par les néo-classiques, après une période « rubiniste ». Son dessin très linéaire et précis était un vivant reproche pour la peinture rococo inspirée du style de Rubens, et correspondait à la « pureté » recherchée par le néo-classicisme, « le bon et le vrai », l'irréprochable moralement s'y trouvaient réalisés.

Même si aujourd'hui l'historicisme de la peinture néo-classique, souvent froid, net et imitateur, ne paraît pas moins superficiel et complaisant que le rococo qu'il se proposait justement de contrecarrer, un phénomène inédit se produisait toutefois dans l'art à la veille de la Révolution : à l'instar des artistes de la Renaissance qui créèrent une nouvelle manière de penser et une nouvelle vision de l'homme en se référant directement aux modèles antiques, les peintres néo-classiques préparaient eux aussi l'avènement d'une nouvelle époque. Pourtant ces peintres « anti-rococo » n'avaient pas la même perception de l'Antiquité que leurs devanciers de la Renaissance, ils ne s'en servaient que comme d'un modèle esthétique pour imposer une pensée et une vision du monde contemporaines. Le néo-classicisme marque, même si c'est à peine perceptible au début, une

coupure dans l'histoire des idées. Sa visio du monde n'a plus grand-chose à voir ave les valeurs transmises par la Renaissance qui avaient constitué jusque-là la base d notre éthique. La vision que l'homme ava de son milieu s'était radicalement trans formée au cours des siècles. La philosophi des Lumières, la révolution industrielle et chute de l'Ancien Régime, absolutiste e féodal, avaient conduit à reconsidérer notion de Dieu, du monde et de l'homme, foi chrétienne avait perdu sa force social centrale. Ce renouvellement des valeurs s reflétait aussi dans l'art : les motifs religieu pourtant prédominants jusqu'au baroqu avaient presque totalement disparu de peinture ; la mythologie fut remplacé presqu'entièrement par les thèmes histor ques et bourgeois.

La place de l'art dans la société se modifi également : l'art fut de plus en plus cons déré, surtout après la Révolution, comm une affaire publique, étatique. Les collection royales qui se trouvaient au Louvre furent ou vertes au public après 1789, faisant d Louvre l'un des premiers musées européens

**Pathétisme épique
sous une forme dépouillée**

De même que le secteur de l'art traditionne s'ouvrait sur de nouvelles perspectives, ble de l'artiste se transformait radicalement : celui-ci ne recourait plus à une thématique et un répertoire iconographique immuables, choisissait lui-même ses sujets, exprimait a vision personnelle des choses sous la forme qui lui convenait.

e tableau de Jacques-Louis David, *Le Serment des Horaces*, qui fit fureur à l'époque apparaît comme l'illustration parfaite de cette nouvelle conception de l'œuvre d'art. e tableau représente un épisode de histoire romaine : des citoyens, des hommes libres, recourent aux armes pour défendre la République. Ici, les décideurs ne ont pas des rois ou des princes, ce sont des citoyens libres, responsables, qui prennent n main le destin de la nation. Un tableau e ce genre peint à la veille de la Révolution evait faire l'effet d'un manifeste. Les contemporains de David ne s'y sont pas trompés et l'ont considéré comme « le plus eau tableau du siècle ».

es citations sans façon d'épisodes de l'histoire ancienne peuvent sembler déconcertantes et à l'heure de la découverte de la machine à vapeur et de l'apparition des premières fabriques. Mais c'est précisément ans cet anachronisme que réside le potentiel suggestif des tableaux : les artistes ne herchaient pas en effet à s'approprier l'univers de la perception, en l'imitant ou en déalisant, mais à opposer la réalité de l'art la réalité de la vie. L'atmosphère théâtrale un tableau néo-classique est étouffante.

Malgré son réalisme presque photographique, le langage formel de la peinture lassicisante ne donne aucune impression de ittoresque : couleurs froides et contenues, essin rigoureux, compositions statiques, bandon des effets illusionnistes de la profondeur, de la charge atmosphérique et absence d'intenses modelés d'ombre et de lumière. Les tableaux sont objectifs et tiennent es observateurs à distance. En inventant sur es modèles antiques un langage formel qui e fait pas naturel, les artistes exprimaient lairement leur intention : ne pas reproduire a réalité, mais démontrer une idée. La évérité et la dureté de leurs formes sont expression d'une idée ardente d'ascèse et e pathétisme.

ille de l'esprit rationaliste des Lumières, œuvre d'art néo-classique était conçue comme la forme artistique d'une pensée, politique par exemple comme chez David. Les tableaux néo-classiques sont en ce sens des « tableaux d'idées ».

L'élève le plus marquant de David, Jean Auguste Dominique Ingres, est un peintre de « tableaux d'idée », bien que n'ayant pas l'engagement politique de son maître devenu plus tard peintre officiel de Napoléon. Son « idée » était celle de la Beauté. La forme classique simple lui permettait de trouver l'harmonie et l'équilibre absolus dans la composition. Ingres, qui se considérait lui-même avant tout comme un dessinateur, respectait d'abord la vérité de ses modèles avant de les idéaliser par une stylisation du dessin. Le vocabulaire formel néo-classique, qui était chez David le moyen et l'expression de la vertu révolutionnaire et de l'idée, se présentait chez Ingres comme l'expression de la beauté, gratuite, de la forme pure.

Les expressions de la peinture classique sont si variées que le néo-classicisme ne peut être considéré comme un style homogène ni comme une époque aux limites bien définies. La peinture à tendance classique n'est donc que l'une des possibilités ouvertes en réaction au baroque et au rococo. La peinture d'Ingres incarnera du reste un peu plus tard l'antinomie du romantisme néo-baroque de Géricault et de Delacroix.

L'unité de l'art s'était définitivement brisée vers la fin du XVIIIᵉ siècle. Les courants stylistiques allaient se développer désormais parallèlement. Presqu'en même temps que le néo-classicisme naissait un autre courant qui donnait la primauté au sentiment sur le rationnel : le romantisme. Bien que paraissant antithétiques, ils étaient de la même eau : un art libéré, prônant l'expression du sentiment et la pensée individuelle.

L'œuvre de Francisco de Goya se situe au carrefour de différentes tendances et apparaît encore difficilement classable. Le peintre suivit sa propre voie, peu touché par le néo-classicisme, détaché déjà de l'*illusionnisme* baroque. Sa peinture a cette atmosphère lumineuse et cette palette éclatante des peintres du baroque, certes, mais ses sujets, peints d'un trait incisif malgré une facture libre et désinvolte, sont bien de ce monde, témoins bouleversants des événements de son époque et de la situation sociale de son pays.

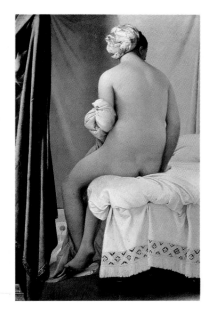

Jean Auguste Dominique Ingres, *La Baigneuse de Valpinçon*, 1808.
Huile sur toile, 146 x 98 cm. Musée du Louvre, Paris

Ingres fut un dessinateur de premier ordre ; pour lui, toute peinture devait reposer sur l'observation et le dessin exacts de la nature. Ainsi accordait-il la plus haute importance au contour de toutes les formes, car toute pureté, toute beauté et toute grandeur ne lui semblaient pouvoir venir que de là. Il négligeait le dessin intérieur des formes et emplissait les surfaces d'un tendre glacis de couleurs proche de l'émail. Cette conception conduira par la suite à des querelles ouvertes avec les romantiques français, et en premier Delacroix, qui défendait une peinture guidée par les sentiments.

Le peintre de cour rebelle

FRANCISCO DE GOYA

1746-1828

Né le 30 mars 1746 à Fuendetodos (Saragosse), le peintre et graveur Francisco José de Goya est une des personnalités artistiques les plus ambiguës et fascinantes autour de 1800. D'un côté, il fit carrière comme peintre de la cour d'Espagne et comme portraitiste de la noblesse et de la haute-bourgeoisie, d'un autre côté, et avant tout dans son œuvre gravé, il apparaît comme un critique acerbe des injustices sociales et comme un dénonciateur des faiblesses humaines.

Autoportrait, 1783. Huile sur toile, 80 x 54 cm Musée des Beaux-Arts, Agen

L'époque à laquelle vécut Goya était marquée par les idées des Lumières, par la Révolution française et les Guerres napoléoniennes. Il s'agit donc d'une époque où les valeurs traditionnelles étaient remises en cause. L'Espagne avait perdu sa position maritime prédominante au profit de l'Angleterre, la population s'appauvrissait de plus en plus et les horreurs de la guerre prenaient des proportions jusqu'alors inconnues. Comme aucun autre, Goya a rendu compte dans son œuvre de ces déchirements.

Goya peintre politique

En 1799, dans le journal de Madrid, Goya annonçait la parution d'une série de 80 gravures dans lesquelles il s'adressait pour la première fois à un large public en tant que critique de la société.

Au départ, le titre de ce cycle, *Caprichos* (en espagnol : « caprices, humeurs ») permettait de conclure à des sujets divertissants présentés sous forme de satire imagée ou de caricature. Au cours du XVIIIᵉ siècle, ce genre s'était fait connaître et apprécier dans toute l'Europe grâce à des artistes comme Hogarth ou Gillray. Comme il l'expliquait, Goya voulait lui aussi donner des images démasquant les « extravagances, folies, tromperies et vices » de la so-

ciété, mettre en lumière l'ignorance et la bêtise des individus, en bref, se servir des effets pédagogiques de la caricature. Il est vrai, ajoute-t-il, qu'il ne souhaite attaquer personne en particulier. Il s'agit donc bien plutôt de sujets idéaux empruntés non pas à la nature, mais à l'imaginaire. Pour ces œuvres politiques extrêmement critiques, le peintre revendiquait et se donnait ainsi l'espace protégé de la liberté artistique.

A l'origine, la célèbre feuille n°43 – *Le Songe de la raison engendre des monstres* – devait servir de page de titre à l'ensemble des *Caprices*. Cette gravure montre l'artiste dormant, ou encore rêvant (en espagnol, « sueño » désigne à la foi le sommeil et le rêve), assailli par des chauve-souris, des chouettes et des félidés.

Au premier regard, il s'agit de la représentation angoissante d'un cauchemar fantastique, thème qui allait être repris au XXᵉ siècle par les surréalistes, et sur lequel Goya travaillera jusqu'à la fin de sa vie – ainsi que sur l'image cruelle et sanguinaire symbolisant la destruction et la mort : *Saturne dévorant un de ses enfants*. Le commentaire du *Songe de la raison* renvoie cependant le spectateur à un autre niveau sémantique : si la raison dort (ou rêve), les monstres, les puissances effrayantes de la nuit – à savoir l'ignorance, l'arbitraire, la déraison et la violence – règneront.

Dans les *Caprices*, Goya apparaît comme un partisan des idées des Lumières, auxquelles il avait eu accès par ses amis, des intellectuels madrilènes appartenant au camp libéral. Dans le sillage de la Révolution française, ces idées s'opposaient à la souveraineté arbitraire de la monarchie, de l'Eglise, de la Noblesse, de la Justice, et se dressaient ouvertement contre la répression d'un peuple espagnol sombrant de plus en plus dans la misère. Goya sympathisait avec ces idées, elles étaient importantes pour lui – mais en définitive, son statut de peintre de la Cour allait l'emporter. Peu de temps après leur publication, Goya retira les *Caprices* de la vente.

Ce retrait est un acte symptomatique pour Goya. Toute sa vie et toute son œuvre furent placées sous le signe du déchirement entre une volonté d'expression individuelle et rebelle, et une adaptation carriériste aux cadres traditionnels – et c'est précisément ce qui rend cet artiste si difficile à comprendre aujourd'hui.

Le Songe de la raison engendre des monstres, (feuillet de la série *Caprichos*), vers 1797. Eau-forte et aquatinte, 21,6 x 15,2 cm. Collection particulière

Saturne dévorant un de ses enfants, 1821. Huile sur enduit, reporté sur toile, 146 x 83 cm. Museo del Prado, Madrid

Goya peintre de cour

Le tableau *La Famille du duc d'Osuna* (1789) représente une des familles les plus influentes de la noblesse madrilène. Goya devait bien des choses aux Osuna. Depuis le milieu des années 1780, ils le soutenaient par de nombreuses commandes et l'introduisirent dans les cercles aristocratiques, ce qui allait favoriser d'une façon décisive avant tout sa carrière de portraitiste.

Goya s'est efforcé de représenter le libéralisme éclairé du couple ducal en renonçant aux schémas traditionnels, toujours un peu rigides dans leur caractère cérémonieux. Au lieu de

ela, il souligne la cordiale indolence des liens familiaux en s'appuyant sur des modèles anglais comme Gainsborough.

Peintre de la beauté

Entre 1798 et 1805, Goya peindra plus ou moins simultanément *La Maja vêtue* et *La Maja nue*, deux représentations d'une seule et même femme dans la même pose, vêtue dans un cas, nue dans l'autre. On ignore qui fut le commanditaire de l'œuvre, mais les deux tableaux entrèrent en possession du premier ministre Godoy, amateur de jupons notoire qui – selon ce qu'on rapporte – les accrocha de sorte que la *Maja vêtue* cachait la *Maja nue*, un dispositif ingénieux de poulies permettant passer de une à l'autre à tout moment. Le caractère iné-

Commande d'un coureur de jupons : *La Maja nue*, vers 1798-1805. Huile sur toile, 97 x 190 cm. Museo del Prado, Madrid

sait contre toute croyance en l'autorité des institutions étatiques et contre toute dépendance de l'individu à leur égard. Goya était lui-même issu de cette couche populaire et se sentira lié à elle pendant toute sa vie.

Goya peintre moderne

Le tableau de 1814 *La Fusillade du 3 mai 1808* est une des œuvres les plus célèbres de Goya. L'arrière-plan historique de cette représentation fut donné par le soulèvement du peuple de Madrid contre l'entrée des troupes napoléoniennes. Beaucoup connaissent ce tableau comme étant l'un des premiers à dénoncer l'effroyable brutalité de la guerre moderne en se plaçant du point de vue des victimes. La scène communique le sentiment d'un désespoir impuissant face à une puissance meurtrière implacable et sans dieu. Pour parvenir à une expressivité aussi dramatique, Goya s'est servi de moyens formels bien précis : lumière concentrée sur la victime en blanc en centre du tableau, facture grossière, souvent esquissée et d'un effet brutal, représentation vague de

l'espace et une position des corps ne se conformant pas toujours à la justesse anatomique, mais visant à un effet très spécifique. Par ce mode de représentation et cette conception nouvelle du sens de l'événement historique, Goya prenait une voie qui n'avait plus rien à voir avec la peinture d'histoire traditionnelle. Se débarrassant de tout académisme, Goya ne mettait plus au centre de sa représentation la figure idéalisée d'un héros drapé dans un costume antique, pas plus qu'un martyr se sacrifiant à une idée dans l'attente de la rédemption, mais un homme qu'aucune foi ne peut plus secourir, un homme dépossédé de sa dignité humaine, inéluctablement exposé à une puissance et à une brutalité dénuée de sens. Il ne s'agit ici que d'une vie qu'on efface et rien, même un dieu, ne peut plus la sauver. La scène n'est pas davantage au service d'une morale de rechange, elle représente une réalité où les lois morales ont perdu toute validité.

La Fusillade du 3 mai 1808, 1814. Huile sur toile, 266 x 345 cm. Museo del Prado. Madrid

La Famille du duc d'Osuna, 1788. Huile sur toile, 225 x 174 cm. Museo del Prado, Madrid

dit et audacieux de la *Maja nue* résidait en ceci que, rompant avec la peinture de nu traditionnelle de l'époque, dont les racines plongeaient dans la Renaissance, Goya représentait le corps nu sans aucune sublimation allégorique, mythologique ou religieuse. Dans son tableau, rien ne vient détourner le regard de la sensualité et de l'érotisme affichés de la personne représentée : aucune enjolivure, pas d'accessoires dans la chambre, pas de draperies généreuses servant de décor. Calme et fière, la jeune femme regarde le spectateur d'un air engageant, laissant libre champ à tous les fantasmes.

Ce mode de représentation provoqua un tel scandale et fut reçu comme une œuvre si dépravée qu'en 1814, Goya fut contraint de se justifier devant l'Inquisition.

Mais un autre point caractérisait encore la spécificité de ces tableaux : la femme représentée, que la version « habillée » désignait comme une « Maja », appartenait à une couche sociale dont toute la fierté reposait sur un patriotisme castillan désigné sous le nom de « majoïsme ». Le « majoïsme » définit une mentalité très particulière et un mode de vie « altier » qui se dres-

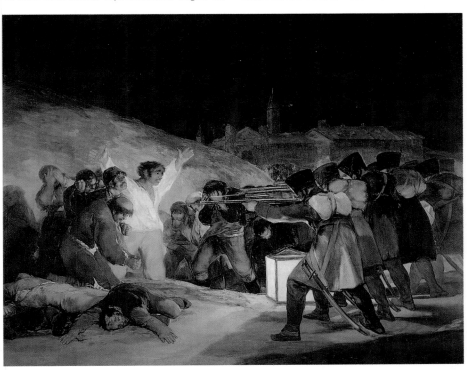

Une vision subjective du monde

DU ROMANTISME À L'IDÉALISME

1800-1890

LE ROMANTISME EN ALLEMAGNE 1800-1830

Vague à l'âme et désir

Après la Révolution française, l'Europe entra dans une ère de mutations sociales profondes, qui allait durer une génération. Crises, révolutions et guerres secouèrent l'ensemble du Vieux Continent. Lorsqu'en 1815, après les guerres napoléoniennes, le Congrès de Vienne refit la carte politique de l'Europe, il était clair que l'espoir qu'avaient engendré les idéaux révolutionnaires, « liberté, égalité, fraternité », avait été déçu. Pourtant au cours de ces vingt-cinq années, les hommes avaient gagné de nouvelles idées et une nouvelle mentalité. La valorisation de l'individu, de l'homme pensant, responsable, qui était devenue depuis le siècle des Lumières un idéal et que l'on retrouve aussi dans l'art néoclassique, était portée à un degré plus élevé encore : le Moi, la perception subjective, constituait le nouveau leitmotiv de l'art. A la vision froide, rationnelle avec laquelle les néo-classiques essayaient de comprendre le monde s'opposaient maintenant le sentiment et l'imagination innée de l'Individu. On rejetait le formalisme, la maîtrise, la discipline intellectuelle du néo-classicisme : on avait trouvé dans le sentiment et l'intuition de nouvelles sou[r]ces d'inspiration. L'Individualisme étant [le] principe même de la révolution romantiqu[e], le mouvement revêt les visages les plus [di]vers, aussi le début du XIXe siècle connaît [-il] une floraison de styles – variant en foncti[on] des pays – que l'on a regroupés sous le v[o]cable de « romantisme ». Les romantiques a[l]lemands ouvrirent le ban en évoquant [la] vague à l'âme, la solitude et la nature. L[a] peinture anglaise et française les suivit u[n] peu plus tard dans leur démarche.

Le regard tourné vers l'infini

En Allemagne, la jeune génération d'artiste[s] réagit au rythme heurté et rapide des évén[e]ments politiques en se réfugiant en eu[x]-mêmes, dans le monde des sentiments. I[ls] fuyaient la réalité en rêvant à une époqu[e] révolue et lointaine, le Moyen Âge, où le[s] hommes, disait-on en idéalisant, vivaient e[n] harmonie avec la nature et avec eux-même[s]. *La Cathédrale*, un tableau de Karl Friedric[h] Schinkel, dont l'activité principale était l'arch[i]tecture, est une idéalisation historique a[u] même titre que les œuvres des nazaréen[s]. Ceux-ci – Friedrich Overbeck, Julius Schno[rr] von Carolsfeld et Franz Pforr – s'inspiraie[nt] des moyens utilisés par les maîtres de la R[e]

1806 François II abdique la couronne du saint Empire germanique. Création de la Confédération du Rhin sous protectorat français.

1807 Le baron von Stein décrète une série de réformes en Prusse (abolissant entre autres le servage). Premier bateau à vapeur.

1808 Goethe écrit *Faust*, parution de la « Première partie ». Achim von Arnim et Clemens Brentano publient le recueil de contes *Le Cor enchanté de l'enfant*.

1810 Friedrich König invente la machine à imprimer.

1813 Début des guerres de libération allemandes contre Napoléon. Bataille près de Leipzig avec une défaite décisive de l'armée française.

1814 Napoléon est renversé et banni à l'île d'Elbe.

1815 Napoléon revient à Paris, est battu à Waterloo et définitivement banni à Sainte-Hélène. Sous la conduite de Metternich, le congrès de Vienne restaure l'ordre politique en Europe. Fondation de la

Une des premières photographies : *Le Boulevard du Temple à Paris*, vers 1838 par Jacques Mandé Daguerre

Confédération germanique avec un Bundestag à Francfort.

1817 Les festivités de Wartburg des jeunesses allemandes sous les couleurs noir-rouge-or démontre la force des ambitions libérales et nationales.

1824 Ludwig Van Beethoven achève sa 9e Symphonie.

1825 Apogée du système de répression réactionnaire de Metternich en Autriche. A Saint-Pétersbourg, l'insurrection des Décabristes en faveur d'une Con[-]stitution est réprimée dans le sang.

1830 En France, la Révolution de juillet conduit à la chute définitive des Bourbons. Révolutions dans quelques États allemands. Ouverture de la ligne de chemins de fer Liverpool-Manchester avec une locomotive de George Stephenson.

1831 La Belgique se proclame indépendante des Pays-Bas.

1834 Invention du moteur électrique par Moritz Hermann Jacobi.

1835 Les œuvres de la « Jeune Allemagne » sont interdites (entre autres Heine, Börne, Laube). Beaucoup d'auteurs concernés émigrent.

1837 Victoria devient reine d'Angleterre et d'Irlande. Elle règnera jusqu'en 1901.

1848 Révolutions en Allemagne, en Autriche et en France. Karl Marx publie le *Manifeste communiste*.

1850 L'émigration massive vers les Etats-Unis atteint son apogée.

naissance et de l'art allemand de l'époque de Dürer. En prônant le retour à l'Antiquité et à la culture du Moyen Âge, ils se montraient très proches en fait des néo-classiques, bien que derrière leur historicisme se cachât une critique envers leur esprit rationaliste.

Les premiers romantiques furent les écrivains et les philosophes qui considéraient l'imagination créatrice comme la base de tout art. Rien de plus naturel que les peintres aient été rapidement touchés par les idées de Schelling, de Ficht, de Tieck et de Schlegel, critiquant le rationalisme du siècle des Lumières, car l'abolition de la barrière artificielle entre les genres artistiques traditionnels et la création d'une œuvre d'art totale étaient l'apanage du mouvement romantique dont l'ambition était de saisir le monde dans sa globalité. L'univers, disait Schlegel, n'est pas une « question arithmétique » mais une somme de mystères qui échappent à toute explication rationnelle. Il ne peut être appréhendé que comme un ensemble d'expériences que le sentiment seul, qui embrasse tout, est en mesure de comprendre. La force motrice de la création se trouvait donc dans la sensibilité, l'imagination – dans le sens positif du terme – et le don d'invention. L'œuvre d'art était l'expression d'une « voix intérieure », selon les mots du plus grand peintre de la peinture romantique allemande, Caspar David Friedrich. Cette ambition nouvelle ne signifiait nullement l'abandon de l'étude de la nature, au contraire : les romantiques la conservèrent conformément à la tradition académique. Leur virtuosité picturale représente jusqu'à nos jours l'apogée de l'art européen.

Suivant la philosophie de Schelling – l'homme peut percevoir la présence divine dans la nature parce qu'elle réside dans son esprit – les peintres cherchaient à percer les secrets de l'univers en se fiant à leur intuition profonde. Eux, artistes, se sentaient « les éléments de l'âme universelle ». Leur genre préféré était la peinture de *paysage*. La nature représentait pour eux le miroir de l'âme, mais aussi le symbole de la liberté et de l'infini (surtout dans une Allemagne au climat politique oppressant) qu'ils opposaient au destin mortel de l'homme. Des êtres solitaires, livrés aux forces de la nature, regardent au loin d'un air languide. Ils relèvent du *répertoire iconographique* comme les motifs de la va-

nité : arbres morts, ruines envahies par la végétation, symboles du fini de la vie et du cycle des changements perpétuels.

L'utilisation de métaphores n'est pas un phénomène nouveau puisqu'à l'époque du baroque, la peinture de paysage était déjà pleine de motifs de la *vanité* analogues. Les peintres romantiques empruntaient aussi aux maîtres du baroque leur traitement subtil et pittoresque de la lumière, avec ses intenses effets de clair-obscur, ainsi que leur prédilection pour les tableaux nocturnes dramatiques. Dans le baroque, ces symboles avaient un sens *emblématique*, en tant que notions exprimées directement dans la peinture alors que dans le romantisme, c'était par le sentiment qu'il fallait raviver et percevoir sous un autre jour le contenu sémantique. Une lune cachée derrière des nuages, des rayons de soleil passant à travers une couche nuageuse et une lumière aurorale sont des représentations objectivées de la manifestation divine, rappelant à l'être mortel l'infini de l'univers.

La peinture romantique visait aussi, comme la peinture baroque, à impliquer l'observateur dans le tableau. Plus d'effets de trompe-l'œil irritants pour effacer les limites entre apparence et réalité, le spectateur regarde maintenant, avec les personnages, qui lui tournent le dos le plus souvent, de vastes paysages devant lesquels il a l'impression de se trouver lui aussi.

Cette manière de voir identificatoire assignait à l'observateur un nouveau rôle : l'image

Karl Friedrich Schinkel, *La Cathédrale au bord de l'eau*, 1813 (Copie de Wilhelm Ahlborn, 1823). Huile sur toile, 80 x 106,5 cm. Staatliche Museen zu Berlin – Preußischer Kulturbesitz, Gemäldegalerie, Berlin

Dans les tableaux de Karl Friedrich Schinkel, la nostalgie romantique et la pureté classique entretiennent un rapport très singulier. L'architecte et peintre s'est appuyé à la fois sur la culture du Moyen Âge et sur l'Antiquité classique pour donner une image du renouveau national qui devait être réalisé grâce aux idées des lumières et aux guerres de libération contre l'invasion napoléonienne. La silhouette de sa *Cathédrale* se détache puissamment sur un ciel éclatant dont la lumière irréelle élève l'architecture au rang de vision.

Friedrich Overbeck, *Portrait du peintre Franz Pforr*, vers 1810. 62 x 47 cm. Staatliche Museen zu Berlin – Preußischer Kulturbesitz, Gemäldegalerie, Berlin

CASPAR DAVID FRIEDRICH

« La représentation fidèle de l'air, de l'eau, des rochers et des arbres ne constitue pas seule le travail du peintre », déclarait Caspar David Friedrich « son âme, ses sentiments doivent s'y refléter. » Dans le tableau *Falaises calcaires à Rügen*, il ouvre aux sentiments un vaste espace de projection plein de tensions. L'attitude des deux hommes, dont l'un, s'accrochant à la végétation, reste prudemment en retrait, tandis que l'esprit de l'autre est déjà plongé dans l'immensité, révèle à elle seule l'opposition entre crainte et nostalgie. Un abîme infranchissable sépare les observateurs de la nature de l'aube porteuse d'espérance se reflétant sur la mer. C'est précisément cette menace effrayante qui élève la beauté au sublime. Les roches dangereusement effilées enserrent le regard sur le paysage, générant en même temps le besoin d'immensité. Mais la délivrance et la liberté que ce romantique déçu par les événements politiques contemporains qui suivirent le Congrès de Vienne recherchait dans la nature, ne pourra trouver son accomplissement que dans un regard empli de nostalgie.

Dans le tableau *Un Homme et une femme contemplant la lune*, nous sommes de nouveau en présence de citadins solitaires. Ces derniers contemplent ici le crépuscule entre le jour et la

Rêverie sur un arrière-plan philosophique et politique : *Un Homme et une femme contemplant la lune*, 1822. Huile sur toile, 55 x 71 cm. Staatliche Museen zu Berlin – Preußischer Kulturbesitz, Nationalgalerie, Berlin

nuit. Une fois de plus, l'espace où ils se trouvent est aussi infini qu'inaccessible. Comme beaucoup de promeneurs des tableaux de Friedrich, l'homme est vêtu à la mode de « l'ancienne Allemagne ». Cet habit, citation du Moyen Âge, était considéré comme l'indice d'une invocation patriotique du passé, d'où devait venir la force nécessaire pour surmonter le morcellement des petits Etats allemands.

Dans les tableaux de Friedrich, la nature joue un rôle important pour créer cet état d'attente entre le déclin de l'ancien et le renouveau à venir. Le chêne à demi déraciné qui s'accroche à la pente à côté des promeneurs, est ici symbole du cycle naturel du déclin et de la croissance au même titre que l'atmosphère crépusculaire éclairée par la lune. Dans d'autres tableaux de Friedrich, ces métaphores naturelles sont doublées des signes chrétiens de la mort et de la rédemption.

Friedrich, qui s'installa à Dresde en 1798 après ses études à Copenhague, restera toute sa vie fidèle aux paysages de sa terre natale. Au cours de ses voyages en Allemagne du nord ou dans les monts des Géants, il collectionnait des croquis pris dans la nature, et c'est dans son atelier qu'il réalisait ensuite les mises en scène dramatiques qui donnèrent un sens nouveau à la peinture de paysage.

Caspar David Friedrich, qui ne pouvait vivre qu'à grand peine de la vente de ses tableaux et des cours qu'il dispensait, sombra dans l'oubli bientôt après sa mort en 1840. Son œuvre ne fut redécouverte qu'au cours du XXe siècle, déclenchant parmi les exégètes de constantes polémiques autour de la question de savoir si les promesses de Friedrich concernaient l'histoire terrestre ou l'au-delà de la foi. Mais cette possibilité de refléter un plan sémantique dans l'autre n'est-elle pas précisément ce qui caractérise la réflexion romantique ?

Falaises calcaires à Rügen, vers 1818. Huile sur toile, 90,5 x 71 cm. Collection Oskar Reinhart, Winterthur

requérait un récepteur compréhensif et sensible à mesure qu'elle s'individualisait. De la même façon que le peintre a tourné l'intérieur vers l'extérieur, le tableau est devenu miroir et écran pour l'observateur. S'il désire voir dans une peinture romantique plus qu'un simple paysage, libre à l'observateur de lui donner par sa sensibilité un sens plus profond.

La vision créatrice de sens, telle qu'elle se manifeste avec éclat dans le romantisme d'intention, est la condition première pour comprendre l'art moderne, en particulier l'abstraction. Un tableau abstrait ne prend son sens qu'avec une perception visuelle génératrice de signification. L'œuvre d'art devient « interlocutrice », vis-à-vis. Pour la première fois aussi, se produit dans l'art la dissociation entre le moi du peintre et son milieu : l'artiste porte un regard subjectif sur le monde objectif et nous en montre une image filtrée par son sentiment. Le peintre se fait l'interprète du monde. Cette conception ne cessera jamais d'influer sur l'art, de nos jours encore.

L'exaltation du moi et la singularité de l'individu ont donné naissance, à l'intérieur du mouvement romantique, à divers courants, mais chacun d'eux correspond, d'une façon beaucoup plus large, à la même vision de l'homme et du monde. Les tableaux de Caspar David Friedrich sont les plus représentatifs de la peinture romantique allemande.

Retour au salon – le style Biedermeier

Lorsqu'en 1819, le congrès de Karlsbad amorce la Restauration en Europe et décide de réprimer le mouvement des Démagogues, l'élan du mouvement romantique allemand est déjà retombé, l'atmosphère de renouveau spirituel si intense au tournant du siècle fait place maintenant à la résignation et la déception. Les idées émancipatrices du romantisme allemand ont été étouffées. A défaut de pouvoir participer à la vie politique du pays, beaucoup de gens se réfugient dans leur sphère privée. L'époque « Biedermeier » (1815-1848) a commencé. Les peintres les plus marquants de ce courant sont Moritz von Schwind, Ludwig Richter, et surtout Carl Spitzweg.

Les sujets de genre montrant l'intimité familiale sont sa spécialité. De même que la révolution de mars 1848 révéla que la résistance politique et spirituelle à l'absolutisme réactionnaire existait toujours derrière une paix et un ordre de façade, les tableaux de Carl Spitzweg, si sereins, quiets et anodins en apparence, ont un niveau sémantique plus profond.

Ses gentillesses candides cachent en fait des critiques à l'égard de ses contemporains. Les scènes idylliques ont une connotation satirique, souvent sarcastique dans le titre même des tableaux, comme en témoigne l'*Ermite rôtissant un poulet*.

Carl Spitzweg, *Le Pauvre Poète*, 1839. Huile sur toile, 36,3 x 44,7 cm. Staatliche Museen zu Berlin – Preußischer Kulturbesitz, Nationalgalerie Berlin , (perdu)

Dans *Le Pauvre Poète*, Spitzweg critique l'image de l'intellectuel. Le poète et penseur y apparaît comme un original vivant à l'écart du monde, réfugié dans son lit par un jour de soleil radieux. Comme le montre une grande liasse de papiers posée au pied du poêle, les productions du poète sont tout juste assez bonnes pour alimenter le feu. Visiblement, ce grenier n'est pas à l'abri de la pluie – comme le montre le parapluie ouvert – ni très bien chauffé : le poète couché dans son lit est vêtu d'une veste épaisse. La comparaison entre l'univers pictural de Spitzweg et celui du romantisme montre clairement les distances qu'il a prises à l'égard des romantiques : chez ces derniers, nous avons l'homme conscient de sa finitude méditant sur l'infini, chez Spitzweg, un poète dont l'attention est concentrée toute entière sur le pou qu'il est en train d'écraser entre ses doigts. La même chose vaut pour le contenu symbolique des regards romantiques dans la profondeur du tableau, que Spitzweg transforme lapidairement en une pauvre lucarne donnant sur les maisons d'en face.

Théodore Géricault, *Le Radeau de la Méduse*, 1819. Huile sur toile, 491 x 716 cm. Musée du Louvre, Paris

Le Radeau de la Méduse représente une catastrophe réelle. En 1816, « La Méduse », une frégate française surchargée, s'était échouée près des côtes marocaines. Comme les canots de sauvetage étaient en nombre insuffisant, on construisit un radeau où prirent place 149 personnes ; mais la tempête le détacha des autres canots et il erra en mer pendant 27 jours.

Pour son tableau, Géricault devait réaliser un grand nombre d'études préparatoires, interrogeant les survivants, dessinant des malades, voire des cadavres et faisant des croquis terrifiants de têtes et de membres de condamnés à mort. Cette œuvre est composée jusqu'en ses moindres parties, jusqu'aux moindres torsions des corps. C'est sur les mouvements dramatiques des corps entrelacés les uns dans les autres que porte l'intérêt principal du peintre. Les figures généralement nues font l'effet de sculptures. La couleur de peau livide de ces hommes voués à la mort forme un contraste frappant avec la teinte lugubre de la mer, effet de clair-obscur qui confère au tableau son mouvement dramatique.

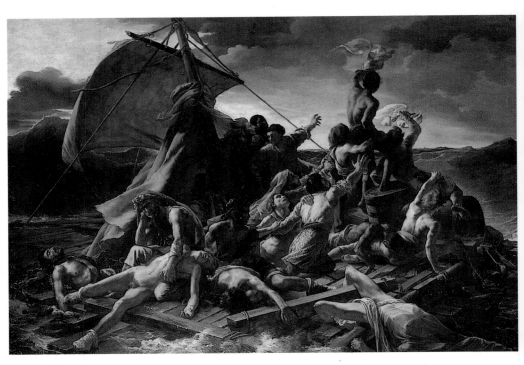

LE ROMANTISME EN FRANCE 1815-1850

Des tableaux bouleversants d'un faste néo-baroque

A l'instar de ce qui se passait en Allemagne, la France entra dans une période de Restauration après les Guerres napoléoniennes. La grandeur et la gloire de Napoléon s'étaient éteintes. Après la défaite de Waterloo, l'empereur, privé de son pouvoir, fut envoyé en exil à Sainte-Hélène, une île appartenant aux Anglais. Le frère de Louis XVI, Louis XVIII, revint sur le trône, la monarchie fut rétablie. Maintes innovations furent abandonnées à ce moment-là, l'ancienne aristocratie retrouva ses droits, dont elle avait été spoliée à la Révolution, les partisans de Napoléon furent chassés.

Après cette longue période d'instabilité, le romantisme pouvait enfin fleurir au pays de la Révolution. Jacques-Louis David et l'Académie avaient perdu leur autorité après la chute de Napoléon. La tendance romantique se manifestait, en France, surtout par le choix des thèmes. Les jeunes artistes fuyaient les « esprits mercantiles » qui dominaient désormais le pays par de folles et flamboyantes aventures ou en des pays lointains.

Outre Eugène Delacroix, un des pionniers de la peinture romantique fut Théodore Géricault. Son dramatique *Radeau de la Méduse* fit scandale au Salon de 1820. Jusqu'alors personne n'avait osé représenter l'horreur de si près et avec autant de force. Le tableau paraissait d'autant plus macabre que l'histoire se basait sur un événement contemporain. Géricault réussit à faire passer dans sa composition monumentale une émotion intense : le spectateur est témoin, il est même participant au drame horrible. Sa mise en scène véhémente, violente, s'opposait sciemment à la peinture intellectuelle lourdement conventionnelle du néo-classicisme académique. La composition statique et théâtrale des peintres néo-classiques était étrangère au fougueux Géricault. Il était le peintre du mouvement et de l'émouvant. Il n'y arrivait pas seulement par la plasticité des figures et les solutions adoptées pour l'agencement de l'espace pictural, qui rappellent Michel-Ange, un modèle pour Géricault, mais aussi par le caractère de symbole que prend le radeau.

Le romantisme de l'œuvre réside dans le potentiel symbolique du naufrage et de l'espoir ainsi que dans la corrélation entre réalisme violent et idéalité allégorique. Une telle corrélation confère au tableau ce pathétisme que l'on trouve dans les œuvres de Rubens et de Vélasquez, peintres du baroque, tant copiés par Géricault.

Delacroix, de quelques années aîné de Géricault, continue l'œuvre de ce dernier, mort prématurément. Sous l'influence de ses œuvres, en particulier du *Radeau de la Méduse*, Delacroix peint des tableaux au coloris vibrant, des compositions tragiques

La peinture comme pamphlet politique : *La Liberté guidant le peuple*, 1830. Huile sur toile, 260 x 325 cm. Musée du Louvre, Paris

EUGÈNE DELACROIX

Le 27 juillet 1830, le peuple de Paris montait sur les barricades. Charles X venait de décréter la dissolution de la Chambre et projetait de restreindre la liberté de la presse. Les échauffourées du début tournèrent à l'insurrection, à une véritable révolution déclenchée par des citoyens exaspérés issus de toutes les couches sociales – et pour la première fois aussi d'ouvriers. Il n'y avait pas réellement de meneur. Dans le tableau de Delacroix, c'est donc la « liberté » qui guide le peuple. Il est vrai qu'elle n'a rien d'une représentation abstraite (au sens des « tableaux d'idées » classiques peints par exemple par Le Lorrain), au contraire, la figure allégorique qui nous apparaît ici est très sensuelle et concrète. Pendant cette révolution, Delacroix avait lui-même pris parti pour les insurgés. A son frère, il écrira que puisqu'il ne pouvait combattre pour sa patrie, il voulait au moins peindre pour elle. Dans son tableau, il s'est représenté lui-même en première ligne coiffé d'un haut de forme noir. La vie intense des tableaux de Delacroix est due à la légèreté de la facture et à l'intense luminosité des couleurs. Pour accroître les tensions et le mouvement dans

ses œuvres, à côté des oppositions du clair-obscur, il introduisit très consciemment des contrastes de couleurs complémentaires. Chez Delacroix, la couleur n'a pas une valeur exclusivement représentative, elle a avant tout une signification émotionnelle propre, par laquelle le peintre s'efforce de représenter les atmosphères et les tempéraments humains.

Avec plus de 800 tableaux et grandes peintures murales et plus de 6000 dessins, Delacroix est un des peintres les plus productifs et les plus influents du XIXᵉ siècle. Dans plusieurs écrits théoriques comme dans son journal artistique, il exigeait un art se définissant d'après « l'éternel idéal de beauté », désignant la passion et l'imagination comme les deux expériences fondamentales de l'artiste. Il porta jusque dans ses œuvres la conscience de la contradiction existant entre idéal de la perfection classique et idéal romantique de l'infini. Contre sa volonté, il fut célébré comme le chef de file de l'école romantique française, ses peintures étant perçues comme l'antithèse la plus parfaite de la manière picturale froide, distante et « léchée » d'Ingres.

qui galvanisent les sentiments et échauffent les esprits. Avec son tableau *Dante et Virgile aux Enfers* qui rappelle beaucoup le *Radeau de la Méduse*, il cherchait à scandaliser le public. Pour lui, ce n'était pas le genre de sentiment qui importait, mais son exaltation. Une telle déclaration était un sérieux coup porté aux néo-classiques représentés par Jean Auguste Dominique Ingres, un des

ennemis jurés de Delacroix dans le domaine de l'art. Delacroix se moque de lui avec cette phrase allusive assez claire : « Cette beauté dont on parle tant, l'un la voit dans la ligne sinueuse, l'autre dans la droite – ils ne voient que par les lignes. Je suis devant ma fenêtre et regarde un merveilleux paysage, aucune idée de ligne ne me passe par l'esprit ! » La sempiternelle querelle entre les tenants du coloris et les tenants du dessin s'enflammait derechef. Delacroix répondait à la « fadeur classique » par un dynamisme des lignes de force, par une composition tourmentée basée sur la violente utilisation des couleurs, comme il les aimait chez Titien ou Rubens. Le public habitué au classicisme se montra d'abord réticent et qualifia sa peinture de barbouillage. On reprocha au peintre la confusion de ses contours et de ses couleurs que l'œil ne pouvait démêler. Mais le peintre finit par s'imposer. Il fut même décoré par le roi pour son tableau monumental, *La Liberté guidant le peuple*, commandé pour la commémoration des journées révolutionnaires de juillet 1830. Mais Louis-Philippe, le nouveau « Roi-Citoyen », dut trouver que l'œuvre allait tout de même trop loin puisque peu de temps après son intronisation il pria Delacroix de la reprendre.

Delacroix avait observé les couleurs de la nature avec la plus grande minutie. Le peintre revint singulièrement enrichi de son voyage au Maroc en 1832 : la lumière crue de l'Orient qui l'avait tant fasciné lui offrit de nouvelles perspectives concernant l'action combinée de la lumière et de la couleur. Il constata que « la chair ne prend sa véritable couleur qu'à l'air libre et particulièrement au soleil. Un homme paraît différent lorsqu'il tient son visage à travers une fenêtre qu'à l'intérieur d'une pièce. La bêtise des études en atelier réside dans le fait de vouloir rendre la mauvaise couleur. »

La *peinture de plein air* tirera quelques années plus tard sa justification de cette découverte. Celle-ci devait par ailleurs conduire Delacroix à élaborer sa propre théorie de la couleur. Il avait constaté en effet, au cours de ses recherches, que le mélange des couleurs primaires complémentaires, produit des demi-teintes nuancées : « Ajouter du noir ne fait pas gagner un demi-teinte, mais salit la couleur. Le rouge contient plus d'ombres vertes, le jaune des ombres violettes, etc. ». Une découverte qui intéressera au plus haut point les impressionnistes. Delacroix est le premier à avoir reconnu la valeur propre de la couleur. Il réussit à suggérer dynamique et mouvement avec des moyens purement picturaux en plaçant côte à côte des teintes de la même couleur, et des contrastes complémentaires qui amplifient réciproquement leur intensité lumineuse. Sa peinture et ses recherches chromatiques conférant à la couleur une valeur en soi allaient jouer un rôle capital dans la peinture non-figurative du XXe siècle.

La peinture de John Constable produit un effet extraordinaire sur Delacroix. Représentant du mouvement romantique anglais, il avait exposé ses œuvres au Salon de 1824 avec un succès retentissant. Delacroix ne fut pas le seul peintre français à apprendre beaucoup de Constable, tous les peintres de l'école de Barbizon qui s'adonnèrent dans les années trente à la *peinture de plein air* se réclamèrent de lui.

John Constable, *La Charrette de foin*, 1821. Huile sur toile, 130 x 185 cm. National Gallery, Londres

La charrette de foin qui traverse la rivière semble avoir perdu tout appui solide sous ses roues – tant les arbres, les prairies et le cours d'eau sont dissous en une mouvante surface. John Constable aimait les brusques changements provoqués dans le paysage par le vent et l'instabilité du temps. Pendant trois mois, avant d'achever *La Charrette de foin* en 1821, il réalisa des croquis d'un même paysage à différentes heures de la journée, car dans la nature, « même deux heures ne se ressemblent pas ». Très vite après le début de ses études à la Royal Academy de Londres, ce fils de meunier remplaça la copie académique des maîtres anciens par une étude approfondie de la nature. C'est seulement un demi-siècle après sa mort en 1837 qu'on commença à apprécier ses croquis lumineux de formations nuageuses ballonnantes, qu'on préfère aujourd'hui le plus souvent à ses compositions plus élaborées.

William Turner, _Tourmente de neige en mer_, 1844. Huile sur toile, 91 x 122 cm. Tate Gallery, Londres

William Turner a peint sa _Tourmente de neige en mer_ comme s'il s'agissait de traduire sur la toile la lutte des éléments. La matière saisie dans un mouvement rotatif spiralé, semble projetée vers les bords à partir d'un centre d'énergie concentrée.

Le contenu du tableau – un vapeur pris dans une tourmente de neige tangue et roule sur la mer déchaînée – ne se communique pas seulement au spectateur par son sujet, mais aussi par la facture : malgré la violence de la scène, le peintre anglais est parvenu à donner à son tableau à l'huile cette transparence qu'on ne concède ordinairement qu'à l'aquarelle. La lumière et le mouvement libèrent le sujet de toute matérialité. Ceci annonce un changement du mode de perception dans les œuvres tardives de Turner, changement qui préoccupera les peintres impressionnistes autant que les scientifiques : dans ce nouveau mode de perception, la réalité ne prend en effet ses contours que par la seule réflexion de la lumière.

LE ROMANTISME EN ANGLETERRE 1820-1850

« Peindre c'est sentir »

John Constable – pour lui « peindre était synonyme de sentir » – rompit avec l'idéalisation de la nature de la peinture paysagiste traditionnelle. Si Rubens était un modèle pour les peintres français, les peintres anglais, eux, se référaient au baroque hollandais : ils y retrouvaient le même sentiment intense de la nature. Ils avaient toutefois un second point de référence : Claude Lorrain et ses paysages « imaginés » où l'atmosphère est en harmonie avec le caractère des scènes. L'œuvre de Constable se caractérise ainsi par un équilibre entre, d'une part, l'exaltation du sentiment et le sens profond de la nature et, d'autre part, les tendances scientifiques que révéleront dans les années vingt ses études systématiques sur le ciel et les nuages. A la suite de ses observations méticuleuses de la nature, le peintre s'éloigne peu à peu de la ligne et se met à construire des images à partir de taches colorées et libres qui modèlent les objets en s'harmonisant. Il visait à « un rendu attentif, sans artifices de la nature, sans autre effet que celui de la couleur ».

La liberté d'écriture est également une caractéristique de la peinture de William Turner. L'observation minutieuse de la nature n'était pour lui, second grand peintre de paysages anglais, qu'un moyen de concrétiser ses propres mondes picturaux. Il ne recherchait pas une reproduction mimétique de la nature, mais une équivalence picturale. Il essayait de traduire la nature avec les moyens de son art. L'atmosphère de ses tableaux résulte moins du sujet lui-même que de sa façon de le traiter. Il travaillait avec la couleur plus encore que Delacroix. Dans de nombreux tableaux, elle est passée avec de rapides coups de pinceau. Des zones empâtées et croûteuses alternent avec une _peinture alla prima_ d'une grande finesse, une couleur éclatante avec d'intenses contrastes de clair-obscur. L'observateur ne reconnaît le sujet à travers ce tourbillon de couleur et de matière qu'au bout d'un moment. Dans son tableau _Tempête de neige sur la mer_, Turner ne s'applique pas à représenter de façon narrative les rafales de neige et de vent, mais à les traduire dans le langage de la peinture. Il se permettait de négliger en partie la lisibilité du sujet puisque pour lui, le plus important n'était pas de reproduire, mais de rendre sensible, de visualiser une sensation, un sentiment. Turner est sur ce point un précurseur de la peinture abstraite. Mais la « couleur musicale » avait produit auparavant un fort effet sur les impressionnistes, et non une influence comme on pourrait l'imaginer en comparant leur facture. A la différence des romantiques qui cherchaient à montrer une réalité accessible

Jean-Baptiste Camille Corot,
Souvenir de Mortefontaine, 1864.
Huile sur toile, 65 x 89 cm. Musée du
Louvre, Paris

Tout au long de sa vie, Corot parcourut
inlassablement la France et l'Italie,
peignant au printemps et en été. Bien
qu'il ait depuis toujours réalisé ses
études en pleine nature, il ne les expo-
sera qu'à partir de 1849. Jusqu'à cette
date, la nature lui avait seulement servi
d'arrière-plan pour la représentation de
scènes bibliques ou mythologiques.
Lorsqu'il peignit son *Souvenir de Morte-*
fontaine en 1864, le peintre avait déjà
été couronné de nombreuses récom-
penses.
Les couches brumeuses qui unissent le
lointain rivage aux arbres du premier
plan sont imprégnées de sentiments
mélancoliques. Corot filtre le regard à
travers le prisme de ses souvenirs personnels et approfondit ainsi le caractère
intime de ce havre de paix. Son succès
sur le marché de l'art ne fut pas seulement illustré par le fait qu'il employa de
nombreux assistants, mais aussi par de
nombreuses contrefaçons.

seulement au sentiment, les impressionnistes
se considéraient comme des réalistes. Ils ne
s'intéressaient pas aux visions intensifiant
l'expression de la lumière, mais aux effets
réels de la lumière naturelle. Le retour au réel
est nettement perceptible vers le milieu du
XIXᵉ siècle. Les différentes tendances artistiques qui avaient vécu en bonne entente
jusque-là commencent à trahir leur profonde
discordance. Le fossé grandissant entre la
réalité et le monde du sentiment finit par divi-
ser les artistes en deux camps. L'un continua
à se consacrer à l'imagination et à l'expression de mondes fabriqués, l'autre était poussé
vers la réalité, vers le « réalisme ».

NATURALISME ET RÉALISME 1840-1880

La beauté du quotidien

Le tableau de Constable *La Charrette de foin*,
exposé au Salon de 1824, fit une impression
extraordinaire sur le public. Le paysage ne fi-
gurait pas seulement une atmosphère, un
sentiment, le peintre s'était attaché à représenter fidèlement la nature. Cette approche
inédite, Constable la partageait avec un groupe
de jeunes peintres français. Ceux-ci cherchaient une manière de représenter la nature
qui ne se nourrisse ni des idéaux classiques
ni du sentiment romantique. Elle devait se ba-
ser sur le sentiment que suscitait l'observa-

tion directe de la nature. Camille Corot était
un de ces « naturalistes ». « Se plonger avec
amour dans les phénomènes objectifs de la
nature » fut à l'origine d'un nouvelle peinture
de paysages, les *paysages intimes*.
Vers le milieu des années quarante, Corot
était parti s'installer à Barbizon, un village
près de Fontainebleau, avec Théodore
Rousseau et Charles-François Daubigny. Les
naturalistes y peignaient leurs tableaux en
plein air pour respecter les phénomènes
naturels. La *peinture de plein air*, tellement
importante plus tard pour les impressionnistes, était née. Une nouveauté, les petits
tubes de peinture que les peintres pouvaient
facilement emporter avec eux, favorisa la
nouvelle démarche. Sans ces tubes que Corot
appelait « l'atelier transportable », la peinture
« plein-airiste » telle que la pratiquait les
peintres de Barbizon, ou plus tard les impressionnistes, n'aurait pu se développer.
Comme dans l'impressionnisme, la lumière et
l'atmosphère créée par les effets lumineux
jouèrent un rôle essentiel dans les tableaux
de *l'école de Barbizon*. Les peintres essayèrent de traduire en image l'effet plastique
de la lumière. Ils parvinrent à des formes
d'expression hautement sensibles grâce à
une observation sincère et scrupuleuse que
Delacroix avait déjà révélée. L'air de leurs tableaux est un voile doux, la lumière une
substance atmosphérique qui occupe tout

l'espace pictural. Elle ne se présente jamais sous la forme de points de lumière clairs ni de sources lumineuses métaphoriques comme chez les romantiques. La facture légère des naturalistes rompt avec le style simple et lourd, né du néo-classicisme, que les académies prônaient toujours comme un idéal à imiter. La manière de peindre de l'école de Barbizon allait jouer un rôle important dans la genèse de l'impressionnisme.

Un autre peintre avait bientôt rejoint le groupe : Jean-François Millet. Avec lui commençait une nouvelle époque de la peinture française. Au naturalisme, à l'intérêt pour une représentation sincère et scrupuleuse de la nature s'associa désormais une autre peinture qui par la description fidèle et crue de la réalité matérielle visait à « ouvrir les yeux » sur cette même réalité. On donnera plus tard à ce naturalisme engagé le nom de « réalisme » afin de le différencier de sa forme originale. Le naturalisme et le réalisme sont souvent difficiles à distinguer, la frontière qui les sépare étant fluctuante, comme c'est le cas dans l'œuvre de Millet. La distinction nominale de ces deux tendances artistiques apparues au milieu du siècle est irritante aussi du fait que la recherche de la plus grande similitude avec la nature, ainsi qu'une reproduction réaliste, n'avaient rien de nouveau, au contraire : cette recherche est une constante de l'histoire de la peinture depuis la Renaissance.

Au XIXᵉ siècle cependant, s'ajoute au naturalisme/réalisme une nouvelle conception de la perception de la réalité. Mis à part le fait que pour les peintres il devenait difficile – surtout après la peinture aboutie des romantiques – d'inventer d'autres finesses techniques pour arriver à une imitation parfaite de la réalité, on avait au XIXᵉ siècle un tout autre savoir, une tout autre image et compréhension de la réalité, réalité qui changeait d'ailleurs avec une rapidité croissante depuis l'industrialisation. C'est pourquoi dans la seconde moitié du siècle on essaya, en représentant la réalité la plus précise qui soit, de montrer en même temps son contexte social. La vie traditionnelle, révolutionnée par l'industrialisation, avec ses machines à vapeur, ses chemins de fer, ses fabriques, apparaissait à certains artistes – une poignée au début – beaucoup plus passionnante que les visions romantiques. Ils cherchaient leurs motifs dans la vie quotidienne. Millet fut le premier après les peintres de genre hollandais à reprendre le thème du travail dans ses tableaux.

Les naturalistes se différenciaient surtout des romantiques par le choix « idéologique » des motifs ; leur technique picturale, en revanche, restait conventionnelle et apparentée à celle des peintres romantiques : netteté des formes, division de l'espace pictural en plans successifs et composition fermée. Dans *Les Glaneuses*, Millet utilisa déjà les inventions de

Jean-François Millet, *Les Glaneuses*, 1857. Huile sur toile, 83,5 x 111 cm. Musée d'Orsay, Paris

La lumière rougeoyante du crépuscule plonge *Les Glaneuses* de Millet dans une atmosphère solennelle. Les couleurs de leurs jupes se fondent au brun saturé du champs pour former une harmonie de fin d'été. Le rythme auquel les femmes se penchent à terre et avancent pas à pas ritualise leur travail.
Par la simplicité de sa composition, l'artiste a su conférer une grande dignité à ses figures. On disait à propos de Millet qu'il s'était mis « en sabots sur les traces de Michel-Ange ». Par sa manière inédite d'exalter l'homme de peine, il fut le précurseur du réalisme das la peinture. Si son regard sur les paysans restait empreint d'une certaine transfiguration romantique idéalisant ces héros de la vie rurale sur l'arrière-plan obscur de la misère prolétarienne, Millet, qui dut longtemps gagner son pain comme peintre de scènes galantes et idylliques, sut néanmoins élaborer un style personnel de la beauté et de la dureté dans ses tableaux du labeur agricole.

Ilia Répine, *Les Haleurs de la Volga*, 1872. Huile sur toile, 131 x 281 cm. Musée National Russe, St. Pétersbourg

Dans ce tableau, Répine a renoncé à tout décor anecdotique. Son intérêt porte exclusivement sur le groupe des travailleurs. Concentrant toutes leurs forces avec une énergie débordant le cadre du tableau, ceux-ci remontent le fleuve en tirant un bateau et passent devant le spectateur. Le groupe compact des haleurs forme un contraste de tension avec le fond baigné de lumière. La diagonale ascendante formée par les haleurs dans ce format extrêmement longitudinal, souligne sur le plan de la composition le pénible travail de traction de ces hommes.

l'école de Barbizon. Un groupe de femmes plongées dans une douce lumière sont penchées sur la terre. Elles semblent être un élément naturel de la campagne environnante. L'horizon placé haut attache ces femmes à la terre. Elles sont classées, tant au point de vue formel que conceptuel, dans la même catégorie que le champ où elles travaillent. La dureté de leur travail n'est pas perceptible immédiatement – au contraire du tableau de Ilja Répine, *Les Haleurs de la Volga* –, mais de manière parabolique seulement. Pourtant chaque figure, dans un tableau comme dans l'autre, a quelque chose d'atemporel et d'universel, et ce malgré leur caractère très typé.

L'industrialisation, la croissance des villes et l'apparition de la culture de masse ne viennent pas à l'esprit en voyant ces scènes campagnardes. Et pourtant, les répercussions de la révolution industrielle, qui avait touché tous les pays européens vers le milieu du

siècle, ne pouvaient plus être ignorées l'homme était désormais dépendant de la machine, il était devenu un maillon de la chaîne de l'activité productive orientée vers le profit. Les transformations sociales parallèles à la progression du capitalisme connurent leur premier échec lors la révolution de 1848 à laquelle la classe ouvrière participa en présentant pour la première fois des revendications politiques. Dans la même année était publié le *Manifeste communiste* de Karl Marx. L'art réagissait à cette époque troublée de manière extrêmement variée. L'évolution parallèle des tendances stylistiques s'accentuait, un phénomène qui était apparu vers la fin du XVIII siècle avec les styles historisants et si typique de l'époque contemporaine. Depuis le milieu du siècle, parallèlement à l'art naturaliste qui présentait une certaine inclination pour les visions idylliques, se manifestait une forte tendance pour le réalisme, un réalisme qui ne cherchait pas à embellir ni à transfigurer.

Gustave Courbet, *Les Casseurs de pierres*, 1851. Huile sur toile, 159 x 259 cm. Anciennement Gemäldegalerie, Dresde (perte de guerre)

Parmi les premiers spectateurs qui purent voir le tableau de Courbet *Les Casseurs de pierres*, qui fut plus tard idéalisé en manifeste du réalisme, il y eut la population rurale d'Ornans, le village natal du peintre. Ils comprenaient l'émotion de l'artiste confronté au dur labeur des journaliers sous la chaleur accablante du soleil. Entre le jeune homme à la chemise déchirée et le vieillard aux habits rapiécés se tisse une vie harassante, meurtrie par les cailloux. Les larges coups de pinceaux qui caractérisent la manière de Courbet semblaient se confondre à la poussière des chemins et établir une correspondance esthétique avec le travail forcé des prolétariens – l'art lui-même devenait un travail. En même temps, avec son regard compatissant sur la vie quotidienne, le peintre redéfinissait le rôle de l'artiste.

Regard critique posé sur la réalité

À l'instar de Balzac et de Zola qui donnaient dans leurs romans une image authentique de la réalité, des peintres essayaient eux aussi de pénétrer la réalité quotidienne. La peinture réaliste française atteignit son apogée avec l'œuvre de Gustave Courbet. C'est d'ailleurs à lui qu'on doit le terme de « réalisme » : en 1855, ses envois ayant été refusés à l'Exposition universelle de Paris, Gustave Courbet construisit aussitôt son propre pavillon d'exposition non loin de l'entrée de la foire et cloua au-dessus de la porte un panneau portant la mention « Le réalisme – G. Courbet ». Courbet aimait traiter des sujets de la vie quotidienne. Autodidacte et socialiste convaincu, le peintre résumait ainsi ses idées : « Le point essentiel du réalisme est la négation de l'idéal. En rejetant l'idéal et tout ce qui s'ensuit, je parviens à la libération complète de l'individu et même à la réalisation de la démocratie. Le réalisme est de par sa nature un art démocratique. » Il justifiait le choix de ses motifs en argumentant d'une façon aussi évidente que simple : « Je ne peins que ce que je vois. Je ne peins pas d'ange parce que je n'en ai jamais vu. » Il peignit au lieu d'anges les *Casseurs de pierre* en plein travail. Le jeune homme qui porte un lourd panier de pierres cassées en le soutenant avec son genou tourne le dos au spectateur. Le visage de l'autre casseur de pierre plus âgé n'est pas visible non plus, il est caché sous le chapeau à large bord. Ce sont des figures anonymes, les représentants de toute une classe sociale. Il n'y a pas de destins individuels dans le tableau, mais la misère des classes sociales subordonnées.

Les thèmes de la vie quotidienne n'étaient représentés jusqu'alors que sous la forme de petits tableaux de genre au caractère anecdotique. Courbet leur donna une dimension noble et monumentale d'études sociales. Ses œuvres furent mal accueillies, surtout par le public conservateur et la critique. Pour la bourgeoisie qui n'acceptait en général qu'un style léché, académique, s'occuper de choses « vulgaires », sans pittoresque et sans prétention équivalait à avilir l'art. Mais c'est surtout l'indécence de ses nus aux chairs trop sensuelles qui faisait scandale. Manet fera la même expérience des années plus tard avec son tableau *Déjeuner sur l'herbe*. Le nu féminin n'était représenté que dans un contexte mythologique ou allégorique, suivant les conventions idéalistes de l'époque : Courbet, non sans humour, présenta son nu – dans *L'Atelier du peintre*, la belle, dévêtue, regarde par dessus l'épaule du peintre appliqué à faire son autoportrait – au public comme une allégorie de la « vérité nue ». Mais ce n'était pas seulement les entorses données aux bienséances qui choquaient la critique. Ses prises de position politiques exposées clairement dans ses tableaux n'étaient pas du tout du goût du public bourgeois. Mais dans sa peinture monumentale et inhabituelle des faits quotidiens Courbet exprimait aussi une autre préoccupation : il concevait l'art comme un moyen d'expression public et populaire, non comme un produit de luxe ou un plaisir particulier.

Si le réalisme à la Courbet, de nature politique, ou à la Corot, à caractère naturaliste, devient en France un vrai courant pictural, en Allemagne, par contre, la peinture reste longtemps romantique et idéalisante. Très peu d'artistes comme Adolph von Menzel et Wilhelm Leibl portent un regard sur la réalité différent de celui des peintres de la Restauration, mélancolique et attendri devant la nature et les scènes intimes. Menzel, artiste reconnu et fêté, est le peintre de la société wilhelmienne, de la fabuleuse Cour impériale, de la gigantesque fabrique comme de l'intérieur bourgeois. Avec ses *tableaux historiques*, il satisfait le goût du public pour la splendeur du passé tandis qu'il cherche de nouvelles impulsions dans la vie prosaïque de tous les jours, les arrière-cours, les travaux de construction ou la

Adolph von Menzel, *Le Laminoir,*
1872-1875. Huile sur toile,
158 x 254 cm. Staatliche Museen zu
Berlin – Preußischer Kulturbesitz,
Nationalgalerie, Berlin

Eclairé par le métal en fusion et plongé dans une âcre fumée, on voit se dessiner dans ce grand *Laminoir* d'Adolph Menzel une vision différente de la réalité née de la révolution industrielle.
Dans la peinture de l'époque, ce sujet était si inhabituel et sa modernité telle qu'on tenta de le faire recevoir par le public sous le titre plus mythologique de « Cyclopes modernes ».

Arnold Böcklin, *L'Ile des morts*, 1886.
Détrempe sur bois d'acajou,
80 x 150 cm. Museum der Bildenden
Künste, Leipzig

« Comme vous l'avez souhaité, voici un tableau pour rêver. L'effet de silence doit en être tel qu'on sursaute si quelqu'un frappe à la porte. » C'est ce qu'écrivait Böcklin à propos de la première version du tableau, que le marchand Gurlitt appela alors *L'Ile des morts*. Dans la cinquième version reproduite ici, la scène est éclaircie et dramatisée par une chape de nuages orageux. Mais le lugubre débarcadère de l'île apparaît encore comme le point final de tout événement et il en émane la même étrange et familière tranquillité. S'agit-il d'un lieu de culte et d'inhumation ? Le personnage debout dans la barque est-il un prêtre ou symbolise-t-il le voyage de l'âme ? Tout est délibérément laissé dans l'indécision. Les questions concrètes se résolvent dans l'atmosphère générale du tableau. Les éléments anecdotiques ne visent eux aussi qu'à stimuler l'imaginaire et la contemplation d'une paix solennelle, d'une atmosphère d'adieu et de nostalgie.
La fusion entre une représentation extrêmement crédible de la nature et un idéalisme appartenant à un autre monde est très caractéristique de la peinture de Böcklin. Certains suiveurs de l'impressionnisme plutôt que du symbolisme l'ont violemment attaqué pour cette raison, tandis que nombre d'esprits post-romantiques lui voueront une admiration sans bornes.

toute nouvelle voie ferrée. Cette pluralité thématique et stylistique forge un réalisme attaché à décrire les bouleversements sociaux et économiques de l'époque.

Il n'était pourtant pas dans l'intention de Menzel d'être réaliste à la manière de la photographie, et ce, malgré la richesse des détails de sa peinture. Au contraire, il recourait systématiquement aux moyens de l'art pour dépeindre les réalités avec le plus grand effet possible. La peinture était à la fois le support de la représentation réaliste et le moyen de conférer à l'image une force d'expression dépassant le motif. La lumière, en particulier, joue un rôle décisif dans la peinture de Menzel. Le vibrant contraste du clair-obscur dans son tableau *Fonderie* évoque de manière puissante l'atmosphère surchauffée, étouffante, assourdissante de l'atelier. La composition très serrée nous fait sentir le dur travail des fondeurs. Cette œuvre est un *tableau historique* du début de l'ère industrielle, loin de toute idéalisation, posant un regard objectif sur la réalité.

Mais qu'est-ce la réalité ? Est-elle réellement visible comme le pensaient les réalistes et les naturalistes ? Une observation attentive suffit-elle pour l'éclairer ? Tous les peintres pour qui l'idée et le sentiment, base de l'image, étaient plus importants que le phénomène lui-même se sont posé la question.

Ils voyaient dans un art idéaliste un moyen de

servir des idées, la seule tâche valable de l'ar selon eux – une conception d'autant plus im portante que l'invention de la photographie dans les années trente semblait rendre inutile désormais toute transcription picturale de la réalité visible.

LES PRÉRAPHAÉLITES ET LES IDÉALISTES ALLE-MANDS 1840-1890

Contre-réalités idéalistes

A la suite de Johann Gottlieb Fichte et de Friedrich Wilhelm von Schelling, philosophe idéalistes qui stimulèrent fortement le roman tisme allemand, les peintres allemands Arnol Böcklin, Anselm Feuerbach et Hans von Marées, le Français Puvis de Chavannes e l'Anglais Dante Gabriel Rossetti basent auss leurs recherches sur le pouvoir d'imagination du sujet. Ils sont convaincus que « l'entière réalité » ne se révèle que lorsqu'un artiste sensible établit une correspondance entre le monde extérieur et le sentiment intérieur, et la rend sensible à un observateur réceptif égale ment. Héritier du romantisme, ce courant fu désigné sous le terme d'« idéalisme » dans la seconde moitié du siècle.

Si l'idéalisme était dans un certain sens la continuation des idées romantiques, les nou velles conditions sociales et politiques exi geaient maintenant de sous-tendre la

inture d'un concept de pensées élargi. Un
bleau romantique était avant tout une allé-
rie, ou plutôt la concrétisation d'une idée
appelant au sentiment, mais dans la se-
nde moitié du siècle les artistes découvri-
t une nouvelle dimension : « l'image pour
nage » qui ouvrait la voie à la peinture auto-
me. Avec une peinture respectueuse de la
lité, mais utilisant les moyens – trait, appli-
ion de la couleur – et le choix thématique
s idéaux classiques, les peintres créèrent
s mondes picturaux que l'imagination seu-
est capable d'inventer. Cette peinture s'éle-
t ainsi bien au-dessus de la peinture légère
observatrice du naturalisme, et de la pein-
e contemplative du réalisme.

tableau de Böcklin, *l'Île des morts*, est un
onde d'idées irréel malgré son réalisme
parent. Tout y est « faux » et mis en scène :
calme presque menaçant, le silence de
ort, la composition entière, la lumière dra-
atique et irréelle qui jaillit comme un coup
clat derrière l'île dont le cœur est plongé
ns l'obscurité, l'effet d'aspiration sinistre de
forêt de cèdres noirs – dans la réalité, ils ne
urraient jamais croître sur un sol aussi
cheux – le souffle à peine perceptible qui
resse la cime des arbres, et enfin la barque
ns laquelle se tient une silhouette tout de
nc vêtue qui rappelle Charon, le nocher
s Enfers de la Mythologie grecque. Böcklin
ait intitulé son tableau un *Tableau pour
ver*, mais son marchand d'art, un homme
flair connaissant le goût du public, donna
a toile un titre plus exaltant : *l'Île des morts*.
ces temps d'inquiétude et de bouleverse-
ents sociaux, la demande en tableaux de ce
nre était apparemment forte. Böcklin reprit
illeurs le thème en cinq variantes. Cette
uvre eut également beaucoup de succès
us forme de chromo-lithographie.

cklin appartenait avec Marées et
uerbach au groupe des « Deutschrömer »
s « Romains-Allemandes »). Ce nom venait
leur fascination pour l'art classique qu'ils
aient allés, conformément à la tradition,
dier à Rome.

rt primitif italien était également le modèle
s « préraphaélites » anglais. En 1848, les
intres John Everett Millais, Ford Madox
own, William Holman Hunt et Dante Gabriel
ssetti constituèrent la Confrérie préra-
aélite. Ils visaient dans leur art à la « pureté

naïve », qu'ils pensaient avoir trouvée dans
l'art italien des débuts de la Renaissance,
dans l'art d'avant Raphaël dont ils contes-
taient la fonction de modèle dans l'enseignement des écoles d'art anglaises. A la manière
romantique, ils prônaient « l'approfondisse-
ment moral, la véracité et la sincérité » dans
l'art. Ils opposaient des rêves poétiques au
monde devenu matérialiste. Leur peinture ne
se basait pas sur la contemplation, et la
thématique de leurs œuvres oscillait entre des
sujets religieux, historiques, inspirés de la
légende ou de la *Divine Comédie* de Dante.
L'admiration sans limite que Rossetti avait
pour l'écrivain italien du XIIIᵉ siècle lui inspira
même l'idée de prendre son nom. Le contenu
chimérique des œuvres était exprimé dans un
langage formel dont le critère premier était
l'harmonie interne. Cet esthétisme donnait
souvent aux compositions un caractère ornemental. Basées sur le dessin, ces compositions dont la particularité était les lignes
fluides, ne cherchaient pas à imiter la réalité
visible. Comme l'harmonie intérieure et l'équilibre des éléments picturaux étaient prédominants, la forme et la couleur revendiquaient
une valeur propre et une grande puissance
d'expression.

Le style linéaire et harmonieux des préraphaélites eut une influence décisive sur l'art de la
fin du siècle, l'art nouveau et le symbolisme,
quand des artistes adjoignirent une réalité artificielle, une « contre-réalité » à la réalité d'un
monde de plus en plus complexe.

Le réalisme et l'idéalisme constituent les deux
pôles artistiques de la seconde moitié du XIXᵉ
siècle. Bien que paraissant opposés, tous
deux ont été d'une importance capitale pour
le développement de l'art moderne classique
du XXᵉ siècle. Le réalisme ouvrit la voie à une
orientation vers la réalité, fit de l'art un instrument d'intervention et de l'artiste un sujet réa-
gissant individuellement aux processus sociaux. L'idéalisme attaché aux qualités
esthétiques immanentes à l'image libéra l'art
d'une reproduction naturaliste et contribua à
établir l'idée de l'art pur exprimé par un langage propre et expressif qui renvoie à lui-
même.

C'est grâce à ces deux supports conceptuels
que les peintres du début du XXᵉ siècle
créeront un art qui, s'il nie la reproduction naturaliste, est encore proche de la réalité.

Dante Gabriel Rossetti, *Le Boudoir
bleu*, 1865. 82,5 x 69,2 cm. Tate
Gallery, Londres

L'IMPRESSIONNISME 1860-1900

En route vers le modernisme

DE L'IMPRESSIONNISME AU FAUVISME

1860-1920

Impressions de la grande ville

Au cours du XIXe siècle, Paris était devenue une métropole moderne. Sa population avait doublé en quelques décennies sous la poussée de l'industrialisation qui avait attiré dans la capitale de nombreux paysans sans travail. Paris n'était pas seulement la troisième plus grande ville du monde avec plus d'un million d'habitants, mais un Moloch pestilentiel, constamment en danger d'épidémie. La ville n'avait rien de la capitale florissante et prestigieuse que Napoléon III aurait bien aimé avoir pour affirmer son pouvoir.

Le préfet Haussmann fut chargé d'élaborer un plan d'assainissement et d'embellissement de la ville. De grandes avenues rectilignes bordées de maisons patriciennes furent ouvertes dans le centre. Les nouvelle artères n'avaient pas seulement pour but d'aérer les ruelles du vieux quartier mais de faciliter l'intervention des forces de police et de l'armée dans Paris, une préoccupation résultant de l'expérience de 1848 : la structure de la ville avait en effet offert de nombreuses possibilités de repli aux insurgés. Le projet de restructuration qui fut réalisé en vingt ans fut à la fois la conséquence et le moteur du processus général de modernisation de Paris : l'accroissement rapide du nombre d'habitants provoqué par l'industrialisation avait rendu indispensable une restructuration de la ville, mais celle-ci, en créant elle-même les conditions du développement de l'industrie accélérait la destructuration sociale, son corollaire. La population parisienne, autrefois si variée, fut passée au crible : les ouvriers et l'industrie – durent s'installer dans les banlieues, le centre de la capitale fut réservé à la classe bourgeoise. Paris devint la cité de la bougeoisie distinguée, des plaisirs et des artistes qui arrivaient du monde entier attirés par son atmosphère incomparable.

Les impressionnistes évoquèrent dans leurs tableaux toutes les facettes de la vie urbaine. Ils quittaient leurs ateliers pour aller peindre au beau milieu de la « capitale culturelle du monde » et de son intense activité, ils peignaient les beaux boulevards, les lieux de divertissement nouvellement ouverts, les gares avec leurs constructions métalliques modernes ou partaient à la campagne pour pique-niquer, la nouvelle forme de détente du citadin moderne.

Ces peintres étaient des réalistes, aussi se sont-ils peu préoccupés de questions sociales, excepté Camille Pissarro, un anarchiste confirmé. Autant les paysages de Claude Monet étaient sereins, autant les tableaux de Renoir sur le café « Moulin de la Galette », l'été, respiraient l'insouciance. Edgar Degas peignait la haute société à l'hippodrome, et même Edouard Manet, qui pourtant dans ses tableaux ne partageait pas toujours l'insou

1861 Abraham Lincoln devient président des Etats-Unis et abolit l'esclavage. Johann Philipp Reis invente le téléphone.

1862 Victor Hugo publie les *Misérables*.

1863 Fondation de la Croix-Rouge internationale (Convention de Genève).

1869 Ouverture du canal de Suez, à l'occasion de laquelle Verdi compose *Aïda* (1870).

1870 Début de la guerre franco-allemande (jusqu'en 1871) ; Paris est occupé ; la République est à nouveau proclamée en France. A Paris, l'insurrection de la Commune est réprimée dans un bain de sang.

1871 Fondation de l'Empire germanique à Versailles.

1874 Première exposition de groupe des impressionnistes.

Etudes de mouvement ayant influencé les impressionnistes : *Cheval au galop*, 1878. Photographie de Edward Muybridge.

1879 Thomas Edison invente la lampe électrique à incandescence.

1883 Sous la pression des événements, Bismarck décrète des lois sociales libérales.

1885 Carl Benz construit la première automobile.

1888 Guillaume II devient empereur d'Allemagne.

1889 Construction de la tour Eiffel à l'occasion de l'Exposition Universelle de Paris.

1894 A Paris, le camp antisémite provoque l'affaire Dreyfus, qui débouche sur une crise nationale.

1895 Invention du cinématographe, simultanément à Paris et à Berlin. Première projection d'un film par les frères Lumière à Paris. Sigmund Freud développe la psychanalyse.

1896 Giacomo Puccini compose la *Bohème*. Premiers Jeux Olympiques modernes à Athènes.

1899 L'Angleterre entre en guerre contre l'Afrique du Sud (Guerre des Bœrs).

1900 Apogée de l'impérialisme. Guerre des Boxers en Chine. Fondation du « Labour Party » en Angleterre.

1903 Premier vol motorisé dans un biplan construit par les frères Wright.

1905 Première révolution russe.

1914 Henry Ford met au point et commence la production d'automobiles en chaîne.

EDOUARD MANET

Edouard Manet, qui ne s'est jamais considéré lui-même comme un peintre impressionniste, était issu d'une famille de la haute bourgeoisie parisienne. Après ses études de peinture – de 1850 à 1856 chez Thomas Couture, peintre de la cour –, Manet entreprit un voyage d'études en Hollande, en Autriche, en Italie et en Espagne pour achever sa formation en copiant des maîtres. Manet doit avoir été fortement impressionné par la peinture espagnole, car les tableaux de Vélasquez et de Goya influencèrent durablement son œuvre. Parmi les artistes modernes, il s'intéressera plus particulièrement à Courbet et à Delacroix.

Toute sa vie, le peintre allait lutter pour la reconnaissance officielle du monde artistique, mais il restera longtemps controversé dans le jugement

Manet photographié par Nadar, vers 1870

du public. Dans le travail de Manet, les jeunes impressionnistes seront surtout influencés par la modernité et la contemporanéité des sujets, par les couleurs souvent claires et lumineuses, mais aussi par la manière très libre de juxtaposer les couleurs dans des formes simplifiées et planes, sans l'emploi de transitions ombrées.

A maintes reprises, l'œuvre picturale de Manet devait ébranler le monde artistique de l'époque. C'est ainsi que son *Déjeuner sur l'herbe* provo-

Eloge et condamnation de la vie des grandes villes : *Un Bar aux Folies-Bergère*, 1881-82. Huile sur toile, 96 x 130 cm. Courtauld Institute Galleries, Londres

qua un scandale retentissant au Salon des refusés de 1863, où l'on pouvait voir les œuvres rejetées par le jury du Salon officiel de Paris. La femme nue assise entre deux hommes en habit fut perçue comme profondément choquante et indigne de l'art. Manet se bornait pourtant à citer un sujet pictural classique : le nu féminin dans la nature, tel que l'avait traité Raphaël lui-même. Il est vrai qu'en remplaçant les dieux et les figures mythologiques par des personnes de son époque, Manet modernisait le sujet et en faisait un sujet profane. Et qui plus est, il opérait aussi un rapprochement entre la familière atmosphère dominicale du pique-nique prisé par la bourgeoisie et une prostitution très répandue dans les lieux de promenade des environs de Paris.

Bien que ses sujets soient tirés du monde

contemporain et qu'il ait été épisodiquement en contact étroit avec les impressionnistes, exposant même avec eux, on ne peut définir Manet comme un impressionniste au sens strict : il mélangeait ses couleurs sur la palette à la manière traditionnelle, sans les décomposer, il privilégiait une facture plane et accordait une grande importance à la netteté des contours ; de plus, le noir était une de ses couleurs principales ; enfin, son sujet de prédilection n'était pas le paysage, mais les gens.

Sa facture plane et les contours cernant les divers éléments du tableau produisent une forte distanciation des personnages et une absence de liens les unissant. Manet traitait ses figures comme les éléments d'une nature morte, elles semblent dénuées de vie propre et sont avant tout considérées par le peintre comme des valeurs de composition dans la surface. Tout y est mis en scène, les objets sont arrangés avec grand soin, les hommes sont figés dans leur pose.

Malgré tout le fragmentaire et le fugace de ses sujets, malgré toute la force avec laquelle ses compositions picturales rappellent les instantanés photographiques et donc la manière impressionniste, l'expression des personnes représentées, le sentiment qu'elles sont perdues dans leurs pensées et plongées en elles-mêmes contredit ce regard superficiel. Dans le tableau *Un Bar aux Folies-Bergère*, que l'artiste peignit un an avant sa mort, le sens des harmonies de couleur, la représentation de l'isolement et de la non communication générés par la société moderne a atteint un point culminant. S'appuyant sur le comptoir, la jeune serveuse jette un regard de lassitude inexpressive et distante sur le tourbillon des plaisirs monnayables. Face au comptoir se tient un homme élégamment vêtu. Un angle de vue raffiné ne nous le fait voir que dans la glace. Son reflet devient ainsi celui du spectateur du tableau.

Le Déjeuner sur l'herbe, 1863. Huile sur toile, 214 x 270 cm. Musée du Louvre, Paris

Camille Pissarro, *La Bergère (Jeune fille à la baguette)*, 1881. Huile sur toile, 81 x 64,7 cm. Musée d'Orsay, Paris

ciance de ses confrères, et était resté long-temps fidèle aux idéaux de la peinture aca-démique, était fasciné par l'atmosphère des Folies-Bergères, un établissement équipé des moyens techniques les plus modernes, telle la lumière électrique.

La peinture de l'instant

En 1874, les peintres dont les envois avaient été refusés par le jury du Salon : Camille Pissarro, Paul Cézanne, Edgar Degas et Berthe Morisot, organisèrent avec d'autres confrères leur propre exposition dans l'atelier du photo-graphe Gaspard-Félix Nadar. Monet y exposa entre autres tableaux *Impression. Soleil levant*, une œuvre dont la banalité du sujet (vue d'un port dans la brume) et la touche ra-pide déroutèrent, scandalisèrent, égayèrent le public. L'impression du lever de soleil inspira effectivement à un journaliste ce titre de compte rendu : « Exposition des impres-sionnistes », créant ainsi le nom de ce nou-veau courant stylistique.

L'expression « peintres de l'impression » n'avait rien d'un compliment car, en cette fin de siècle, traduire de simples « impressions » n'était pas ce qu'on attendait de l'art établi. Le public amateur d'art trouvait « anti-artis-tique » et trivial, l'abandon démonstratif du *ta-bleau historique*, placé tout en haut de la hiérarchie des genres établie par l'Académie, en faveur du paysage, du portrait, du genre et de la nature morte. Il n'appréciait pas non

plus la manière de peindre impressionniste qui, par sa palette claire, ses plans pareils à des instantanés, sa touche légère, contrastai avec la peinture académique à base de mar ron et très travaillée. Les sujets de la vie de tous les jours que les peintres traitaient sans leur donner la moindre valeur symbolique ont dû être perçus comme un défi lancé au traditions classiques et à la conception de l'art habituelle.

Les impressionnistes portaient pourtant avec fierté le nom qui se voulait injurieux. La pein ture académique avec ses diktats esthétique leur paraissait ennuyeuse et dépassée, sur tout à une époque d'innovations technolo giques comme celle de la photographie. Dé couverte dans les années trente, elle avai mis en effervescence le monde artistique e jouait pour les impressionnistes un rôle non négligeable. Si les peintres académiques, pa peur de la concurrence, traitaient les photo graphes de « non-artistes », les jeunes artiste se montraient plus ouverts à la nouvelle tech nique. L'instantanéité, le « pris sur le vif » d la photographie les attiraient. La perception immédiate était aussi leur critère suprême. Il voulaient, avec la neutre objectivité de l'œi ne peindre que ce qu'ils voyaient réellemen Lorsqu'ils étudiaient leurs motifs, ils es sayaient de se concentrer sur les valeurs to nales et leur division, la plasticité de la form et le jeu des ombres et des lumières, en per dant presque de vue les objets eux-mêmes

Edgar Degas, *Le Foyer de la danse à l'Opéra, rue Le Pelletier*, 1872. Huile sur toile, 32 x 46 cm. Musée d'Orsay, Paris

L'art de Degas repose tout entier sur le dessin : cette vue fragmentaire apparem-ment fortuite, cette représentation fugace d'un moment de répétition de ballet est composée en lignes vigoureuses, avec des surfaces de couleur cernées de con-tours contrastants. Bien que ces carac-téristiques l'aient placé dans la tradition classique d'un peintre tel que Ingres, De-gas se sentait proche des impression-nistes. Son propos était en effet de fixer l'instant passager et de représenter la vie moderne. Ses vues fragmentaires et ses angles de vue souvent très personnels relèvent de son intérêt pour l'apparition de la photographie, qu'il considérait comme un signe des temps, mais non comme un art.
A propos de l'étroitesse de son monde pictural, Degas dira : « On m'appelle le peintre des danseuses, on ne comprend pas que la danseuse n'a été pour moi qu'un prétexte à peindre de jolies étoffes et à rendre des mouvements. »

Les peintres dans le tourbillon de la fête : *Le Moulin de la Galette*, 1876. Huile sur toile, 131 x 175 cm. Musée d'Orsay, Paris

PIERRE-AUGUSTE RENOIR

Pour Renoir, une peinture devait avant tout être belle, aimable et réjouissante. Il estimait que les choses désagréables étaient suffisamment nombreuses et qu'il était inutile d'en rajouter d'autres. Et de fait, Renoir est considéré comme le peintre des côtés joyeux de l'existence. Le jeu de la lumière du soleil et la notation des reflets, mais surtout la figure humaine dans la lumière naturelle, sont les contenus picturaux essentiels de son œuvre. Au « Moulin de la Galette », une guinguette des bords de Marne, la lumière tombe à travers une toiture de feuilles et d'innombrables petites taches de couleurs scintillantes dansent au sol et sur les figures. Les personnes et le sol semblent vibrer dans ce jeu de lumières fait de taches claires et sombres.

Renoir misait tout sur la valeur descriptive propre de la couleur : par des touches brèves et douces et de fins dégradés de couleurs, il produisait des contours flous et tendres. Tous les éléments du tableau semblent se fondre ainsi les uns dans les autres, se « dissoudre ». Sous ces voiles de couleur, les détails ne peuvent plus être définis avec précision. Du fait du processus dit « synthétique » de la vision, les tableaux de Renoir demeurent intelligibles pour le spectateur : avec ce tableau flou tout en allusions descriptives, le spectateur compare automatiquement des images « types » existant dans son subconscient pour compléter lui-même le tableau. Comme son ami Monet, Renoir faisait délibérément appel au processus de la perception synthétique afin de donner une vie plus intense à ses tableaux par le travail personnel du spectateur. La référence sur laquelle il s'appuyait était l'imprécision des contours dans la technique du *sfumato* de Léonard de Vinci. Ainsi, il préparait en même temps une des bases de la peinture abstraite du XXe siècle.

Après 1880, Renoir se détourna de la peinture purement impressionniste et s'appuya progressivement sur les œuvres d'Ingres et d'autres classiques qui s'étaient consacrés à la composition claire et consciente du tableau. C'est seulement dans les dernières années de sa vie que Renoir revint à la libre manière coloriste des impressionnistes.

En tant que *plein-airistes* passionnés, ils avaient constaté que la façon d'apparaître des choses change avec la lumière, celle-ci n'étant pas simplement claire, mais possédant aussi ses propres valeurs. A cela s'ajoute le fait que les choses perdent leur couleur et leur forme sous une lumière blanche et que celle-ci va jusqu'à diluer les lignes des contours les plus nettes. Monet était de tous les impressionnistes le plus appliqué, le plus typique, c'est celui qui a le mieux étudié ce phénomène naturel, qui l'a peint et repeint sans cesse. Capter les effets fugitifs de la lumière exigeait un travail rapide. Les couleurs n'étaient souvent que brièvement mélangées sur la palette et déposées tout de suite sur la toile par des touches en virgules ou en taches.

Cette manière de peindre, bâclée, aurait-on dit à l'époque, garantissait, outre la promptitude du travail, une représentation correspondant à la perception visuelle naturelle : avec

Peintre de la lumière

CLAUDE MONET

1840-1926

Claude Monet contribua d'une façon décisive à élever l'impressionnisme au rang de tendance stylistique européenne. Bien qu'il n'accordât pas la moindre importance à une élaboration ou à une formulation théorique de ce style artistique, il fut pendant un certain temps son principal représentant. Ayant survécu d'une génération à l'époque impressionniste, il laissa aussi une importante œuvre de vieillesse.

Cathédrale de Rouen : le portail, brouillard matinal, 1894. Huile sur toile, 100 x 66 cm. Museum Folkwang, Essen

Monet dans son jardin à Giverny, vers 1910

Claude Oscar Monet naquit à Paris en 1840 d'un père marchand. La famille s'installa bientôt au Havre, où le jeune Monet publiera déjà des dessins et des caricatures. En 1856, il alla former ses talents de dessinateur dans l'atelier de Jacques-François Ochard chez qui, un an plus tard, il fit la connaissance du peintre de *plein air* Eugène Boudin. Ce dernier allait exercer sur lui une influence durable. Sous la direction de Boudin, Monet se consacre à la peinture de paysages et de marines. En 1859, il entreprend un voyage à Paris. Il en reçoit de nombreuses impressions et étudie à l'Académie Suisse, école privée où il rencontrera Camille Pissarro. Mais le travail en atelier ne le satisfaisait pas, il se sentait en effet bien trop lié à la *peinture de plein air*. Plus tard, il allait rencontrer Bazille, Renoir et Sisley, avec qui il travaillera à plusieurs reprises dans la forêt de Chailly-en-Bière, près de Barbizon. En 1870, Monet, à qui quelques succès n'éviteront pas de connaître bientôt de graves difficultés financières, épouse Camille Doncieux, l'amante avec qui il partage sa vie depuis de longues années et dont il a déjà un fils, et se rend à Londres pour fuir la guerre franco-allemande. A Londres, il voit les paysages de Constable et de Turner. Leur emploi libre de la couleur et l'importance qu'ils accordaient aux manifestations naturelles fugaces le marquèrent profondément. C'est aussi à Londres qu'il fera la connaissance du marchand de tableaux Durand-Ruel, qui allait plus tard lui acheter de nombreuses œuvres et devenir un de ses principaux protecteurs en lui organisant des expositions régulières. L'année suivante, Monet peint en Hollande. Après avoir hérité un modeste pécule à la mort de son père, il s'installe à Argenteuil, où Manet et Renoir le rejoindront bientôt pour travailler avec lui. En 1874, lors de la première exposition de groupe de ses amis peintres, il expose son tableau *Impression. Soleil levant*, qui donnera son nom au mouvement suite à un sarcasme du critique d'art Leroy.

La découverte de la lumière

Dès ses premières marines, Monet préparait le style impressionniste : pour lui, la mer et le ciel n'étaient plus un décor certes imposant, mais homogène, auquel il s'agissait de conférer une profondeur selon les règles de la perspective connues depuis la Renaissance. Monet dissolvait au contraire l'espace en manifestations atmosphériques particulières, conférant une vie propre au ciel, à la mer et au paysage en général. Un facteur décisif de cette vie propre fut son emploi très spécifique des couleurs : Monet ne manipulait plus la teinte des éléments du tableau en fonction de la tonalité générale, mais considérait et traitait chaque objet comme une partie autonome ayant sa propre couleur. Et de fait, Monet ira bientôt jusqu'à souligner les manifestations lumineuses de la nature au point que les différences de matière des objets baignés de lumière semblent s'effacer. La lumière naturelle de plein air devient elle-même objet de représentation et commence à reléguer les autres éléments picturaux au second plan. Ainsi ses tableaux éveillent-ils souvent l'impression d'une dissolution de la réalité en éléments colorés qui ne sont plus sous-tendus par aucun corps homogène. Le tableau dans son ensemble devient un imbroglio de couleurs et semble comme atomisé. Les couleurs sont claires et légères, intensifiant ainsi l'impression de transparence des éléments picturaux. Par la juxtaposition d'innombrables tons aux couleurs différentes ayant leur valeur propre définie respectivement par la lumière du soleil (la *couleur locale*), les objets ne se déploient plus dans la profondeur de l'espace ou dans leurs aspects corporels, ils se dissolvent dans la surface et dans leur juxtaposition.

Les paysages multicolores de Monet ne manquent pas pour autant de cohérence sur le plan de la composition. En effet, malgré toutes les libertés prises dans la transposition picturale, l'artiste soumettait toujours ses tableaux à un même schéma de composition donné par la lumière du soleil éclairant chaque élément du tableau et les reliant entre eux comme par une trame superposée.

Monet à l'apogée de l'impressionnisme

Malgré quelques succès sporadiques, la situation financière de Monet ne s'améliorait guère. Il fut en revanche de plus en plus connu du public,

Intérieur de la gare Saint-Lazare à Paris, 1877. Huile sur toile, 75 x 104 cm. Musée d'Orsay, Paris

Cathédrale de Rouen, effet de soleil, fin de journée, 1892. Huile sur toile, 100 x 66 cm. Musée Marmottan, Paris

qui le perçut aussi comme un chef de file et pour finir comme le premier représentant de la peinture impressionniste. En 1876, lors de la deuxième exposition de groupe des impressionnistes, Monet était représenté par 18 tableaux, dans la troisième, en 1877, par 31. En 1880, Monet eut une exposition personnelle à la galerie de la revue « La Vie moderne » avec 18 tableaux.

A la même époque environ, Monet découvre pour lui-même la vie animée et la richesse de couleurs de la vie des grandes villes. Un peu comme le peintre anglais William Turner, Monet se passionne dès lors pour la technique, dont les traces surgissaient partout et influençaient la vie moderne. C'est ainsi qu'il installera son chevalet dans la gare Saint-Lazare à Paris et qu'il fixera dans une série de tableaux l'instant où les trains tirés par d'imposantes locomotives à vapeur entrent en gare et déversent un flot de banlieusards de leurs compartiments. Avec la même technique de dissolution et les mêmes contrastes vivants de couleurs qui caractérisent ses paysages, Monet fut à même de fixer l'atmosphère empressée, bruyante et chaotique d'une gare. Mais son amour se portait de plus en plus exclusivement sur le paysage.

Pour Monet, la peinture de paysage ne consistait nullement à fixer sur la toile la description peinte d'un souvenir ou l'atmosphère du paysage lui-même, le tableau devait saisir l'impression purement visuelle et vécue d'un objet ou d'un paysage. Pour lui, l'essentiel n'était pas la « beauté objective » des choses, mais avant tout l'impression momentanée, sa fugacité. C'est précisément cette impression fugace et éphémère qu'il s'agissait de fixer comme dans un « instantané photographique ». Monet refusait catégoriquement la peinture d'atelier. Après des esquisses rapides réalisées en plein air, la peinture d'atelier se contentait d'élaborer l'« essentiel » et non le momen-

Nymphéas, matin (détail), 1916-1926. Peinture murale en quatre parties, 197 x 1211 cm. Musée de l'Orangerie, Paris

tané ; elle travaillait donc à une sorte de stylisation, d'idéalisation, alors que la peinture impressionniste représentait la réalité de l'instant. En ce sens, Monet comprenait son art comme une forme de réalisme.

Les séries de tableaux, Giverny et les *Nymphéas*

L'année 1880 allait marquer la rupture avec le style proprement impressionniste, sans que cette rupture l'amenât pour autant à rompre avec ses amis peintres. Les couleurs claires des paysages peints en plein air cèdent alors la place à des tons plus sombres et plus lourds. A cette époque, Monet peindra surtout des paysages de côtes et de falaises et des natures mortes. Au cours des années 1880, mais plus encore pendant la décennie suivante, Monet en arrivera progressivement à peindre des séries de tableaux sur un sujet unique, mais dans diverses conditions d'éclairage et à différents moments de la journée. Il ne travaillait souvent que quelques minutes par jour au même tableau. Entre 1892 et 1894, il réalisera ainsi 20 vues de la façade de la cathédrale de Rouen. Malgré l'identité du motif, chaque tableau a son identité propre du fait de l'atmosphère créée par les différences d'éclairage. L'atmosphère du tableau ne se révèle souvent au spectateur qu'après un certain temps, elle doit en quelque sorte s'élaborer entre le spectateur et l'œuvre. Au demeurant, les tableaux de Monet exigent de la part du spectateur un effort de synthèse visuelle consistant à relier ce qu'il voit avec l'image-type de l'objet concerné, telle qu'il l'a emmagasinée dans sa mémoire.

Monet renonce désormais complètement à la représentation de la figure humaine et tout se passe comme si les objets de ses tableaux n'étaient plus qu'un prétexte pour la perception

Femme à l'ombrelle, 1886. Huile sur toile, 131 x 88 cm. Musée d'Orsay, Paris

d'observations de la couleur. En 1899, Monet entame son cycle de nénuphars et de nymphéas. Ces fleurs seront aussi le sujet de huit grandes peintures murales que l'artiste peignit entre 1915 et 1924 pour en faire don à l'Etat français. L'éventail des couleurs utilisées n'est ni abstrait ni arbitraire, il communique le sentiment d'un accord de tons spécifique dont l'effet est d'une grande solennité. Dans les *Nymphéas* de Monet, les valeurs lumineuses sont à nouveau reliées davantage aux objets. Ceux que Monet réalisera sur le tard de sa vie se présentent comme l'arrangement personnel d'un monde idéal paisible et solennel, dont le vivant enchantement se communique au spectateur.

Monet est mort à Giverny le 6 décembre 1926.

Georges Seurat, *Un Dimanche après-midi à la Grande Jatte*, 1885. Huile sur toile, 206 x 306 cm. The Art Institute of Chicago

Ce tableau de Georges Seurat, qui devait entrer dans l'histoire de l'impressionnisme en 1885 par un scandale, est marqué par une tension très particulière entre la scintillante décomposition de la vision et une statuaire des figures qui donnent l'impression d'être façonnées au tour. Seurat s'était proposé d'y appliquer certaines connaissances relatives à l'optique par un fractionnement des couleurs en points vibrants illustrant la décomposition prismatique de la lumière. Il en résulte des surfaces tramées dont les touches de couleurs ne fusionnent dans l'œil qu'à une certaine distance, processus par lequel les couleurs ainsi mélangées gagnent en expressivité et en fraîcheur. En même temps, le jeune peintre, qui emprunta beaucoup de ses sujets au monde des loisirs dominicaux, devait maîtriser le jeu troublant de la lumière par la solidité des formes et la limpidité de la composition linéaire.

l'éloignement, les choses deviennent imprécises et se dissolvent. Mais elles sont bientôt reconstruites par un processus mental faisant appel au savoir et à l'expérience visuelle de l'observateur. L'œuvre impressionniste fonctionne sur le même principe : au moment de l'observation, les schémas visuels du monde que chacun a dans sa tête coïncident avec les traces de couleurs, tant et si bien qu'une image finit par se dessiner. Les impressionnistes seront les premiers à transposer dans l'art les découvertes de la psychologie de la perception, une toute nouvelle discipline scientifique.

Leur facture lâche donne en même temps à la peinture une direction entièrement nouvelle. Malgré toute référence à la réalité, les tableaux bruts des impressionnistes font apparaître la peinture en tant que telle. Si les peintres académiques pratiquent une peinture qui modèle pour ainsi dire l'objet avec la couleur en visant à la plus grande coïncidence visuelle possible entre la peinture et la réalité, les impressionnistes, eux, offrent à l'observateur un coup d'œil sur leur art : la touche renseigne sur le processus chromatique, le processus perceptif, le médium de la reproduction, en un mot, sur la peinture elle-même. La technique et l'effet de la peinture (donc de la touche) s'étant ajoutés au motif représenté comme nouveau « thème » du tableau, les impressionnistes peuvent considérer comme « prêts » des tableaux où apparaît encore la toile vierge – à la grande fureur

des peintres académiques pour qui seul un tableau travaillé sur toute sa surface était réellement achevé.

Mais les impressionnistes ne dédaignent pas le support de l'image, au contraire : ils mettent très nettement en avant qu'un tableau est toujours quelque chose de fabriqué, qu'il dépeint toujours une illusion de la réalité, une fiction artistique. Cette référence à la réalité du tableau, à la vie propre de la peinture au delà de sa fonction descriptive permettra aux artistes du XXᵉ siècle de se libérer complètement de l'objet figuratif et permettra aussi à la question du « comment » de la peinture de devenir le point central de l'art, le thème propre du tableau.

LA PEINTURE POST-IMPRESSIONNISTE 1880-1910

Mise au point – le pointillisme

L'autonomie de la peinture par rapport à l'objet, déjà esquissée dans l'impressionnisme est développée et radicalisée par les pointillistes. Ils s'intéressaient aux effets produits par la couleur et à la vision. On avait découvert entre-temps que l'image rétinienne est composée d'une multitude de points qui fusionnent dans l'esprit. Paul Signac et Georges Seurat ont donc eu l'idée de construire leurs tableaux sur le même principe : ils décomposent, sur la toile, les tons en minuscules taches de couleurs pures proches les unes des autres qui, observées de loin, recom-

PAUL CÉZANNE

Celui qu'on appelle aujourd'hui le « père de l'art moderne » est né en 1839 à Aix-en-Provence dans le milieu de la bourgeoisie aisée. A côté des études de droits auxquelles l'avait contraint son père, il commença à suivre une formation artistique et étudia à partir de 1861 à l'Académie Suisse. Il fut plusieurs fois refusé par l'Ecole des Beaux-Arts de Paris, sa peinture étant considérée comme « malheureusement excessive » et parce que son tempérament en faisait un « coloriste », c'est-à-dire qu'il privilégiait la couleur comme moyen de création aux dépens du dessin et de la représentation réaliste. Et de fait, il était un grand admirateur de coloristes célèbres tels que les Vénitiens, Rubens, Poussin ou Delacroix. Par son ami Emile Zola, il fit la connaissance des peintres Guillaumin et Pissarro. Il rencontra également les impressionnistes Monet, Renoir et Degas, avec lesquels il exposa en 1874 et en 1877. Ne trouvant pas la reconnaissance du public, il se retira de la scène artistique parisienne pour vivre à partir de 1882 surtout à Aix, avec Hortense Fiquet et son fils Paul. Il mourut à Aix en 1906.

Partant de l'impressionnisme, Cézanne devait développer de nouvelles formes d'expression artistique. Il est considéré comme le plus grand maître du post-impressionnisme et en même temps comme un individualiste et novateur à qui des artistes ultérieurs (cubistes, fauves, expressionnistes) devront les fondements de leur art.

Alors que l'impressionnisme se distinguait par l'illusion et la plénitude de la lumière, l'illusion lumineuse et aérienne est presque totalement absente chez Cézanne. Il fixait la réalité visible d'une façon étrangement figée avec peu d'effets de profondeur. Il transforma la trame impressionniste scintillante de touches de couleurs multicolores en une vibration des couleurs obtenue par des traits de pinceau larges et colorés. Il réduisit prudemment les objets représentés à des formes élémentaires telles que la sphère, le

La Montagne Sainte-Victoire et le Château noir, 1904/1906. Huile sur toile, 65,5 x 81 cm. Bridgestone Museum, Tokyo

cube et le cylindre, posant ainsi les prémisses du cubisme et de l'art abstrait du XXe siècle.

L'*Autoportrait*, sujet qui n'a guère intéressé les impressionnistes, nous montre un homme taciturne au regard perçant, représenté en buste. Ce tableau manifeste une des premières tentatives de Cézanne pour dissocier les éléments bi- et tridimensionnels moins durement qu'il ne l'avait fait dans son œuvre de jeunesse marquée par le romantisme. Des tonalités froides et chaudes soigneusement harmonisées les unes par rapport aux autres génèrent des volumes, la perspective ou le contexte temporel jouant un rôle très secondaire – seul le sujet importe ici.

Le style de la maturité de Cézanne apparaît tout d'abord dans ses paysages. Amené à la peinture de plein air par Pissarro, Cézanne était particulièrement fasciné par le motif de la montagne Sainte-Victoire, massif montagneux dont le profil bossu très caractéristique domine la plaine du val d'Arc près d'Aix.

Cézanne s'est efforcé de fixer cette montagne et le paysage environnant de divers points de vue dans des dessins, des aquarelles et des peintures à l'huile. Dans ses tableaux, les collines qui prolongent l'impressionnant massif animent le paysage sans se conformer à une justesse naturaliste. Le but de Cézanne était de suivre par les moyens de son art la puissance créatrice et l'intensité de la nature, c'est-à-dire non pas d'imiter la nature, mais d'en donner une image représentative. De nombreuses touches de couleur aux formes cristallines se superposent pour mo-

Autoportrait, 1877/1880. Huile sur toile, 25,5 x 14,5 cm. Musée d'Orsay, Paris

deler un paysage provençal extrêmement vivant. Il en va un peu de même dans les nombreuses et très diverses natures mortes de Cézanne, dans lesquelles des combinaisons d'objets de la vie quotidienne prennent une signification essentielle. Des articles aussi banals que des bouteilles, des verres, des assiettes ou des étoffes y

Nature morte aux oignons, vers 1895/1900. Huile sur toile, 63 x 78 cm. Musée d'Orsay, Paris

sont dissociés de leur fonctionnalité ordinaire pour être monumentalisés. Dans la *Nature morte aux oignons*, une pièce de tissus vient se couler autour d'un verre et de quelques oignons, une bouteille s'élève comme une tour devant un mur riche en nuances colorées. Les formes sont réduites au cône, à la sphère et au cylindre. La fidélité au détail y est tout aussi secondaire que la justesse de la perspective. La matérialité des objets est produite par la spécificité de la palette.

Cézanne renouvela la peinture et prépara l'apparition du tableau « autonome » ainsi que la fragmentation en éléments géométriques, dont Matisse et les cubistes allaient profiter plus tard.

Peintre par passion et par désespoir

VINCENT VAN GOGH

1853-1890

Être marqué par la solitude et peintre essentiellement autodidacte, Vincent Van Gogh prépara d'une façon décisive la voie de la peinture moderne. Ayant assimilé l'impressionnisme, il le dépassa d'une façon très personnelle et devint un précurseur important de l'expressionnisme. Son œuvre vaste et puissante, mais aussi sa vie malheureuse marquée par l'insuccès (il ne vendit pas une seule toile de son vivant), ses doutes intérieurs profonds et son extraordinaire puissance créatrice, pour ne pas dire son obsession du travail, n'ont cessé de préoccuper les générations ultérieures.

Autoportrait de janvier 1889, à la tête bandé
1889. Huile sur toile, 51 x 45 cm. Mr. et Mrs. Leigh B. Block, Chicago

Vincent Van Gogh est né en 1853 à Groot-Zundert, au nord de la Hollande, d'un père pasteur calviniste. En 1869, après avoir passé sa scolarité dans divers internats, il entra dans la galerie de son oncle à La Haye, où il restera jusqu'en 1876. Pendant cette période, des voyages d'affaires le conduiront entre autres à Londres et à Paris. C'est de cette même époque que date sa correspondance avec Theo, son frère cadet, correspondance qui allait durer jusqu'à la fin de sa vie.

A la recherche de la vocation

Après avoir enseigné quelques temps, Van Gogh se prépara au métier de prêtre-assistant méthodiste et commença des études de théologie à Amsterdam, études que ses difficultés d'apprentissage et son angoisse de l'échec l'amèneront bientôt à interrompre. S'il échoua une nouvelle fois à l'école des missionnaires de Bruxelles, il put néanmoins se rendre en 1878 comme missionnaire volontaire auprès des mineurs du Borinage, en Belgique.

Malgré la ferveur de son engagement social et religieux, il ne put établir le contact avec les gens. C'est à cette époque que Van Gogh commença à dessiner pour surmonter ses tensions intérieures, tout d'abord d'après Jean-François Millet, qu'il admirera toute sa vie. Mais il réalisa aussi des dessins et des aquarelles personnelles ayant pour sujet la misère des mineurs. En 1880, il s'inscrivit à l'Académie des Beaux-

Arts de Bruxelles, mais resta au fond autodidacte et copia une série de peintures romantico-sociales. L'année suivante, le bref retour à la maison parentale s'achevait sur un amour déçu pour une cousine restée veuve et une rupture provisoire avec la famille. Fin 1881, Van Gogh se rendit à La Haye pour se former chez son cousin, le peintre Anton Mauve, qui l'incita à peindre à l'huile.

Influencé par les romans socio-critiques de Zola, Van Gogh résolut de devenir le peintre des gens simples. Fin 1883, après une brève retraite en province, dont il fuit bientôt la solitude, il revint une dernière fois pour deux ans dans la maison de ses parents à Nuenen. Ce séjour fut marqué par une nouvelle déception amoureuse.

Défenseur de la vie simple

C'est à cette époque que Van Gogh allait adopter le mode de travail caractéristique des années qui lui restaient à vivre, mode de travail conditionné par l'angoisse de ne jamais pouvoir donner une expression adéquate à sa vision de la peinture moderne. Il réalise une cinquantaine de tableaux ayant pour sujet les gens de son pays, surtout des paysans et des tisserands. D'un cycle sur la vie paysanne, qu'il se proposait de réaliser, il n'exécutera que sept lithographies.

En 1885, après un grand nombre d'études, il peint le tableau *Les Mangeurs de pommes de terre*. La cohésion des cinq personnages représentés est due à leur regroupement sous la faible

lumière d'une lampe à pétrole. Les couleurs sont sombres, les tons gris-brun renvoient à la terre. Van Gogh a lui-même comparé l'atmosphère de cette peinture avec la teinte de pommes de terre poussiéreuses non épluchées.

Ce tableau exprime à la fois l'intensité de son engagement social et la résignation. Les personnages semblent accablés, leurs visages sont minés par l'effort jusqu'à la caricature, les mains sont osseuses. Les tableaux de cette époque sont peints dans des harmonies sombres, leurs lignes dénotent la lourdeur et la simplification et ont été décrites comme un « réalisme torturé et sombre ».

Van Gogh à Paris

Après un bref séjour à l'Académie d'Anvers à partir de l'automne 1885, séjour pendant lequel il se passionna pour Rubens et étudia surtout la technique de l'estampe japonaise, Van Gogh apparut soudain à Paris, où son frère Theo dirigeait une galerie d'art.

Il entra en contact avec le groupe des impressionnistes, dont l'art avait en fait déjà dépassé son apogée à cette époque.

De son séjour parisien, on peut dire qu'il fut un événement décisif pour Van Gogh. Emerveillé par la lumière provençale, il allait peu à peu éclaircir sa palette. Il apprit à se servir de couleurs plus pures avec des contrastes plus intenses, et chercha à réaliser des accords de couleurs complémentaires primaires et secondaires (rouge-vert, bleu-orange, jaune-violet).

Dans quelques uns des 23 autoportraits datant de cette époque comme dans d'autres tableaux, il travaille sur la décomposition prismatique de la lumière − ou plutôt des surfaces de couleur homogènes − en petites touches de couleurs intenses et vibrantes à la manière des pointillistes.

Arles − apogée artistique et effondrement psychique

En février 1888, lassé du tourbillon harassant de la vie mondaine de Paris, Van Gogh suit les conseils de Toulouse-Lautrec et s'installe dans

Les Mangeurs de pommes de terre, 1885. Huile sur toile, 82 x 114 cm. Vincent Van Gogh Foundation/Van Gogh Museum, Amsterdam

Sténogramme d'une âme déchirée : *Champs de blé aux corbeaux*, 1890. Huile sur toile, 51 x 101 cm. Vincent Van Gogh Foundation/Van Gogh Museum, Amsterdam

a petite ville provençale d'Arles. Dans sa « maison jaune », il voulait réaliser son rêve d'une communauté artistique. Il échangea plusieurs autoportraits avec différents artistes et rechercha surtout l'amitié de Gauguin, qu'il tenta de faire venir à Arles.

Bien qu'il eût déjà adopté les surfaces de couleur cernées de contours chères à Gauguin et caractéristiques de l'estampe japonaise, c'est sous le soleil provençal qu'il allait trouver cette expression créatrice qui rendra son œuvre si célèbre : à touches larges et libres, il posait ses couleurs parfois ultra-colorées dans une facture rapide, souvent extatique, créant des espaces picturaux dont la profondeur spatiale ne repose pas sur l'exactitude formelle de la perspective, mais essentiellement sur l'intensité des contrastes de couleurs.

L'accentuation des contours et des figures, et la tentative de faire ressortir les traits essentiels des personnes et des objets représentés, conduisaient parfois Van Gogh à une déformation des éléments du tableau et à une spatialité très suggestive.

C'est ainsi qu'il peignit son tableau *Le Café, le soir* en se servant de durs contrastes entre le jaune du café et le bleu sombre du ciel, ou encore le bleu-noir de la rue se perdant dans l'obscurité. Proximité et éloignement sont peints ici avec une même intensité de couleurs, ce qui contredit la *perspective chromatique* connue depuis la Renaissance, dont l'effet repose sur une estompe des couleurs proportionnelle à leur profondeur et à leur éloignement dans l'espace. En soulignant ainsi le caractère essentiellement plan du tableau, Van Gogh s'opposait à l'expérience naturelle de la vision, à laquelle il substituait une réalité ressentie, chargée de tensions.

En octobre 1888, Gauguin vint à Arles, Gauguin dont Van Gogh mettait l'art et le jugement bien au-dessus des siens. Mais dès avant Noël, une violente querelle mit fin au travail en commun des deux artistes ; Van Gogh, ébranlé nerveusement, se coupa une oreille (l'offrant comme souvenir » à une prostituée).

Au cours des mois suivants, les états jubilatoires alterneront avec de profondes dépressions, ce qui n'empêchera pas le peintre de travailler comme un damné. C'est ainsi que ses célèbres *Tournesols* verront le jour, ainsi que les tableaux d'arbres fruitiers, de ponts mobiles, de maisons et d'intérieurs.

Saint-Rémy et la fin

En mai 1889, Van Gogh se fit interner à Saint-Rémy près d'Arles, où une pièce de travail fut mise à sa disposition après une courte phase d'apaisement. Des hallucinations, des cauchemars et l'obsession de la mort marquèrent ce séjour, mais ces états alternaient toujours avec des périodes de travail intense, tout d'abord de la fenêtre de sa chambre, puis de nouveau en plein air. La peur de son aliénation mentale le poussait à une activité effrénée. A côté des paysages, il réalisa une série de peintures d'après Millet, Daumier, Delacroix et Rembrandt.

A mesure que la maladie progresse, une onde tourbillonnante semble s'emparer de la nature et de l'atmosphère dans ses tableaux. Comme des courants d'énergie antinomiques, les bandes de couleur formées de touches distinctes, brèves et étroitement juxtaposées, luttent pour leur domination. Les arbres en particulier font souvent l'effet

Le Café, le soir, 1888. Huile sur toile, 81 x 65,5 cm. Rijksmuseum Kröller-Müller, Otterlo

de flammes ardentes, et certains objets semblent même se dissoudre.

En mai 1890, Van Gogh quitta Saint-Rémy et se plaça sous la garde du docteur Gachet, médecin et mécène à Auvers-sur-Oise, près de Paris. Au cours des deux derniers mois de sa vie, il peindra encore quelque 70 toiles. Si les paysages de ces dernières semaines sont plus expressifs, plus déchirés et plus désespérés, ils sont aussi plus emplis de nostalgie que ses œuvres antérieures.

Le 27 juillet 1890, Van Gogh se tira un coup de pistolet et mourut deux jours plus tard dans les bras de son frère Theo.

Paul Gauguin, *Arearea*, 1892.
Huile sur toile, 75 x 94 cm. Musée
d'Orsay, Paris

Comme beaucoup d'autres tableaux de
Gauguin, *Arearea* illustre l'éclosion de la
sexualité. Un chien rouge vif – souvent
symbole de la sexualité masculine chez
Gauguin – tourne autour des jeunes
femmes, l'une d'entre elles étant
caractérisée comme vierge et pure par
une robe blanche. Le peintre a établi
une relation entre eux par le parallé-
lisme entre l'encolure du chien flairant
le sol et l'avant-bras droit de la femme.
La statuaire monumentale de la composition, son caractère plan et massif est
rompu par des plantes tentaculaires
recherchant le contact physique. Le
message du tableau résulte ainsi de la
synthèse entre le sujet et son traitement
pictural. Le secret réside dans la composition. Pour Gauguin, des moyens picturaux tels que la couleur, la forme et le
rythme étaient les supports primordiaux
du contenu. Il visait essentiellement
dans ses tableaux à l'harmonie des
couleurs et des formes et qualifiait sa
peinture de « décorative ». Les symboles
trop connus et familiers figeant la vie du
tableau dans un réalisme équivoque.

posent l'unité du ton. Le motif devient un prétexte à une expérience réalisée avec une
méticulosité toute scientifique et qui vise à
assimiler la peinture à la vision « scientiste ».
Mais les limites d'une telle doctrine picturale
étaient prévisibles. On ne pouvait pas pous-
ser plus loin la décomposition prismatique,
faire mieux coïncider la peinture et la vision.
Les recherches étaient dans une impasse,
l'intérêt des artistes pour « l'image de l'œil »
objectiviste déclinait. Beaucoup ressentaient
le besoin de se lancer sur des sentiers moins
battus.

L'art, un monde en soi

Les recherches impressionnistes et pointillistes avaient montré de manière quelque
peu différente que la peinture existe indépendamment de l'objet, qu'elle a sa propre valeur expressive. Ces découvertes essentielles
ouvrent la voie à d'autres peintres. Paul
Cézanne et Vincent Van Gogh élèvent, dans
leurs tableaux, la peinture au niveau de vrai
support de l'expression. Tandis que Cézanne
procède à une décomposition analytique du
monde avant de former un monde pictural
neuf fonctionnant selon ses propres lois internes, Vincent Van Gogh considère que la
peinture est « l'expression d'un sentiment
brûlant ». Paul Gauguin, qu'une amitié tumul-
tueuse liait à Van Gogh, jouait, lui aussi, sur la

pouvoir émotif et le contenu symbolique de
la couleur et de la forme. « Ne copiez pas
trop d'après nature ; l'œuvre d'art est une
abstraction », disait-il vers la fin des années
quatre-vingts à ses pères nourriciers, les impressionnistes. Leurs tableaux avaient fini par
s'imposer au Salon et se vendaient bien
maintenant. Mais Gauguin appréciait peu le
réalisme « de l'apparence » des impressionnistes et la peinture « scientifique » des
pointillistes. Il ne trouvait pas dans leurs œuvres ce « sens profond », ce « sentiment fort »
qu'il recherchait dans la vie comme dans l'art.
Gauguin, se sentant écrasé par la « civilisa-
tion », abandonna Paris pour aller vivre dans
un village breton du nom de Pont-Aven. C'est
dans ce coin de Bretagne encore peu développé, qu'il trouve l'originel, le naturel, la
naïveté qu'il cherchait. Il y conçoit enfin son
propre style qui fera de lui l'un des précurseurs de l'expressionnisme. Il ne veut pas
peindre les choses telles qu'elles apparaissent, mais dévoiler le monde affectif, la
réalité intérieure, spirituelle. « Vient d'abord le
sentiment, ensuite l'émotion profonde et
seulement après l'intelligence. » Comme la finalité de ses tableaux n'était pas de produire
une simple copie de la réalité visible, le peintre
n'était tenu ni à une couleur naturaliste ni
aux lois de la perspective propres à créer une
profondeur spatiale illusionniste. Gauguin

mplifiait ses formes, renonçait aux modelés t aux descriptions détaillées. Il peignait par plats lumineux, étalés les uns à côté des utres, soulignés par des cernes. Il rejeta espace pictural dans la bidimensionnalité, la rofondeur du fond dans l'imprécision. Seuls omptaient pour lui le rythme intérieur de la omposition, l'unisson et l'harmonie de la ructure d'ensemble.

Pont-Aven, Gauguin fut rejoint par de unes peintres parmi lesquels Paul Sérusier : Emile Bernard. Pour eux aussi, la couleur : la forme étaient les moyens de représenter ne idée, un sentiment intérieur. S'inspirant e l'art du vitrail médiéval dans lequel haque champ coloré est serti de plomb, mile Bernard développa une pure peinture ynthétique qu'il appela « cloisonnisme » : ne peinture de plans colorés délimités par es contours sombres.

es œuvres tardives de Gauguin, peintes en olynésie où il vivait depuis 1891, présentent s mêmes caractéristiques : des aplats claire-ent cloisonnés rythment l'espace pictural ar leurs couleurs vibrantes ou complémen-ires. Les tableaux de Tahiti, d'un coloris in-nse, sont devenus purement et simplement s symboles de la vie. Les objets ne signifient us seulement ce qu'ils représentent, mais ar leur caractère souvent symbolique et leur onception d'ensemble deviennent répertoire e signes. Figuration, abstraction, univers per-eptif, univers caché forment une synthèse

chez Gauguin. Mais ses tableaux, bien que basés sur le monde extérieur, sont soumis à leurs propres lois artistiques internes. En libérant la peinture de son rôle de copie, Gauguin préparait la voie à l'art moderne.

La combinaison du monde perceptif et du monde intérieur régi par ses propres lois se retrouve aussi chez les peintres qui, en 1888, constituent le groupe des « Nabis » (en hébreu : « prophètes »). Ces peintres de la se-conde génération symboliste se déclarent les disciples de Gauguin. La peinture pure repré-sentait pour eux aussi un support d'expres-sion décisif. La peinture de Bonnard tire sa puissance de la couleur ardente qui s'étale tel un tissu lumineux sur toute la surface. Son ambition était de « ne pas peindre la vie, mais de donner vie à ses tableaux ». Le tapis de couleur ornemental qui semble abstrait au premier coup d'œil et fait ressortir l'objet seulement au bout d'un moment souligne la valeur propre de la couleur et possède déjà les caractères distinctifs de l'art expression-niste et abstrait. Mais Bonnard ne renoncera jamais à l'objet. L'importance qu'a sa peinture dans ses tableaux, abstraction faite de l'objet, le désigne comme un chaînon reliant l'art du XIXe siècle à celui du XXe.

A l'aube du XXe siècle se profilent d'autres fi-gures marquantes de la peinture : Henri Rousseau, James Ensor et Edvard Munch, des artistes qui créeront leurs mondes pictu-raux avec une sensibilité différente.

Pierre Bonnard, *Nu à contre-jour*, 1908. Huile sur toile, 125 x 109 cm. Musées royaux d'Art et d'Histoire, Bruxelles

Les intérieurs, natures mortes, paysages et nus de Bonnard présentent la vie vécue comme une expérience sensible. Des teintes chaudes aux transitions sub-tiles et une facture légère s'harmonisent avec des contenus picturaux générale-ment décoratifs. Bonnard ne laissait jamais ses modèles dans des postures figées, mais les observait et les peignait dans leurs gestes quotidiens. De ce fait, ses tableaux donnent souvent l'impres-sion d'être des instantanés pris sur le vif, comme par surprise.

Henri Rousseau, *Le Rêve*, 1910. Huile sur toile, 204,5 x 298 cm. The Museum of Modern Art, New York. Gift of Nelson A. Rockefeller

Les mondes conçus par Henri Rousseau sont des univers fantastiques et exo-tiques. Rousseau, qui avait été douanier jusqu'à sa retraite à l'âge d'environ qua-rante ans et qui ne s'était jusqu'alors in-téressé qu'occasionnellement à la pein-ture, s'en remettait entièrement à l'ori-ginalité et à l'authenticité de l'imaginaire. De sa riche contemplation intérieure, il tira des scènes oniriques et bouffonnes où une nature construite, généralement monumentale et composée par sur-faces, donne son expression à une per-ception naïve. C'est précisément dans cette manière non académique, dans sa « peinture naïve », que les surréalistes re-connurent plus tard le « génie » de Rousseau et qu'ils s'inspirèrent de ses œuvres. Contrairement à ces peintres ul-térieurs, Rousseau n'intellectualisait nullement son art, mais misait tout sur la puissance expressive du sentiment.

Edvard Munch, *Le Cri*, 1893. Huile, gouache, caséine et pastel sur carton, 91 x 73,5 cm. Nasjonalgalleriet, Oslo

A l'instar de Van Gogh, le norvégien Edvard Munch voulait lui aussi représenter la « vie moderne de l'âme » au sein d'un monde déchiré. Ses tableaux poignants illustrent la détresse et l'angoisse humaines, ainsi que l'amour, la maladie, la jalousie et la mort. Une facture rapide et une palette passant sans transition de teintes morbides et contenues à des couleurs vives et lumineuses font pressentir le déchirement intérieur qui animait le peintre – lui aussi sujet à une fragilité psychique – et qu'il voulait exprimer dans ses tableaux. Dans *Le Cri*, les couleurs et les formes intensifient l'expression du sujet. Le sol se dérobe sous les pieds, l'écho du cri fait résonner le ciel et la terre.

LE SYMBOLISME
1880-1900

La toile, miroir de l'âme

Par leurs mondes chargés de sens, les œuvres d'Henri Rousseau, de James Ensor et d'Edvard Munch se situent dans la tradition du mouvement idéalo symboliste. A la fin des années quatre-vingts, des hommes de lettres, tels Mallarmé, Rimbaud, Verlaine et Gide, s'insurgeaient contre le manque de dimension spirituelle de l'art naturaliste, un reproche que les arts plastiques ne tardèrent pas non plus à encourir. Les peintres symbolistes regrettaient de ne pas trouver dans l'appropriation objectiviste et scientiste de la réalité, telle qu'elle était pratiquée dans l'art impressionniste ou pointilliste, la « profondeur morale », l'« idée directrice » qu'une œuvre d'art se devait d'exprimer. L'idée n'était pas neuve. Les œuvres chargées de symboles d'Arnold Böcklin et la peinture des préraphaélites, dont l'idéalisme s'était opposé dès la mi-siècle au naturalisme et au réalisme, faisaient figure de modèles pour les symbolistes.

Le symbolisme n'a jamais pu se développer comme un style homogène, aussi une définition globale est-elle difficile à trouver. Le mouvement se présente sous la forme d'un conglomérat de créations picturales individuelles dans lesquelles les artistes, en se démarquant d'une peinture objectiviste, concrétisent des sensations, des états d'âme, des angoisses, des visions et des rêves. Ils réagissent ainsi à une situation de bouleversements qui, à la fin du siècle, libère l'artiste des conventions anciennes et l'établit de plus e plus dans son rôle de rebelle à la société d'individualiste. Le symbolisme est, avec l'a nouveau, – il existe entre eux de nombreu recoupements formels comme thématiques le lien qui relie l'impressionnisme à l'expre sionnisme, et les œuvres symbolistes très e pressives créés au tournant du siècle ouvre la voie sous plus d'un rapport à la peintu expressionniste du xxe siècle.

Une des premières figures de ce mouveme est Henri Rousseau, surnommé « le Douanie en raison de son ancien métier. Il se met à peinture très tard, à l'âge de 40 ans. Ce pein autodidacte est un des représentants les pl importants de la peinture dite « naïve ». S jungles mystérieuses et menaçantes ont da leur clarté naïve une puissance d'expressio magique. Ses tableaux expriment cert l'aspiration à un monde en paix, mais sa jamais tomber dans les facilités ingénues idylliques de la « peinture du dimanche Baignant souvent dans une lumière froide nocturne, ses tableaux prennent des allur de visions fantasmagoriques. Les paysag très expressifs et abstraits de Rousseau o beaucoup impressionné et influencé l peintres surréalistes. Les artistes avar gardistes de son époque étaient fascinés p le monde imaginaire et lyrique, qui se cré dans ses compositions en dehors des co ventions académiques. Ils y trouvaient aus « le caractère immédiat » et le « naturel » ta recherchés par l'art moderne.

Les tableaux de James Ensor et Edva Munch paraissent tout aussi mystérieux

James Ensor, *L'Intrigue*, 1890. Huile sur toile, 90 x 150 cm. Musée des Beaux-Arts, Anvers

Dans ses tableaux étranges peuplés d'êtres masqués multicolores, Ensor conçut un monde bouffon et bizarre. Chez lui, visage et masque humains se fondent en une unité sans que le spectateur puisse s'expliquer clairement le sens dans lequel évolue cette métamorphose : on ne peut décider si c'est un vrai visage qui se fait masque ou si un masque est en passe de produire un visage humain. Ensor s'est sans cesse intéressé à l'existence humaine, à la mort, mais aussi à des thèmes religieux.

Avec ses inventions picturales fantastiques, en partie macabres, Ensor exerça une influence considérable sur la peinture des expressionnistes et des surréalistes.

profonds. Leur langage pictural d'un symbolisme expressif y dépasse le concret pour
véhiculer des implications mystiques ou irra-
tionnelles. Ensor décrit dans un coloris lumineux des défilés fantomatiques de masques
ou d'êtres grotesques, montre des masses de
personnages dissous dans une structure
grossière de couleurs, des figures dénuées
de la moindre individualité, marchant comme
des somnambules au milieu d'un paysage
imprécis. Aussi bien ses peintures à l'huile
pâteuses que ses aquarelles légères évoquent sous une forme symbolique l'hostilité
profonde de l'individu et de la masse, et,
sous-entendu, le conflit qui le préoccupera
toute sa vie : le sentiment de dépaysement
qu'éprouve l'artiste dans la société. Les défilés
carnavalesques d'Ensor, hauts en couleurs,
symbolisent un monde absurde, désespéré.
Le masque, expression de l'étrange et du
menaçant, traverse son œuvre comme un
leitmotiv.

L'œuvre de Munch est proche elle aussi de
l'expressionnisme à venir. Parti du naturalisme, le peintre norvégien évolue plus en
plus vers un expressionnisme empreint de
symbolisme, expression d'expériences men-
tales et morales réelles. Les mondes picturaux
de Munch plongent leurs racines dans une
atmosphère fin de siècle : angoisse, désespoir, sexualité obsédante, jalousie, morbidité
– des thèmes que Munch n'a cessé de traiter
dans ses tableaux pour « se délivrer lui-même
de ses démons ». Si Le Cri est l'expression
graphique d'une expérience personnelle qu'il
fit en se promenant avec un ami, c'est aussi
le mal de vivre de toute une génération que
Munch a traduit ici. Le « Cri » fut repris dans
la littérature et l'art du début des années vingt
de notre siècle comme le symbole même du
sentiment d'impuissance que l'homme ressent face à une réalité de plus en plus complexe et impénétrable. Pour se démarquer de
tous les courants artistiques voués à l'imitation du réel le plus fidèle, il fallait à l'art symboliste un langage pictural susceptible d'exprimer des abstractions. Les peintres éla-
borèrent pour cela un graphisme linéaire et
ornemental et une construction anti-natura-
liste. Ce sont justement ces éléments, graphisme épuré et composition immanente à
l'idée, qui font du symbolisme le précurseur
et le parent du Jugendstil.

JUGENDSTIL ET
L'ART NOUVEAU 1890-1910

Modernisme sur fond d'or

Les résonances symbolistes et le rêve d'un
univers artistique unitaire se retrouvent sous
divers aspects dans le Jugendstil (version allemande de l'art nouveau). Les deux courants
se différencient cependant sur un point important : le Jugendstil évolue sous le signe de
la beauté tandis que les tableaux d'Ensor ou
de Munch renferment de sombres visions.
Les mondes fabuleux de l'Anglais William
Morris ou de l'Allemand Heinrich Vogeler
sont traversés de moments romantiques, ce
qui les rend proches des rêves poétiques des
préraphaélites, alors que d'autres artistes
comme Klimt transforment le motif en une
ornementation décorative.
Des personnages du Baiser de Klimt, seuls
les visages, les mains et les pieds, bien que
d'une beauté stylisée extraordinaire, ont une
forme réelle. Le reste est recouvert d'un
magnifique vêtement qui s'unit au fond d'or
pour s'incorporer à la surface du tableau,
créant ainsi un motif somptueux. L'ornementation de la composition transforme les corps
en une scintillante mosaïque.

Gustav Klimt, *Le Baiser*, 1908. Huile
sur toile, 180 x 180 cm. Österreichische
Galerie, Vienne

Son art de l'ornement abstrait associé à
une représentation sensuelle et érotique
du corps, confère aux tableaux de
Gustav Klimt une tension subtile. L'illusion spatiale est négligée au profit d'une
composition décorative de la surface
picturale.
Sous l'influence de l'art nouveau, Klimt,
qui avait commencé sa carrière artistique comme peintre d'histoire, allait
ensuite développer un langage pictural
symbolico-ornemental. Son but était
d'opérer la réconciliation entre la tradition et l'art moderne. Comme beaucoup
d'artistes de l'art nouveau, il était à la recherche d'une harmonie totale dont la
beauté devait résoudre toutes les contra-
dictions de l'époque.

Amedeo Modigliani, *Nu allongé,*
1917. Huile sur toile, 60 x 92 cm.
Staatsgalerie, Stuttgart

Toute sa vie, Modigliani a peint des
femmes, êtres au visage fin et gracieux,
au long cou et aux yeux en amandes
qu'il faisait ressortir de la profondeur
obscure de l'espace par un modelé
sculptural. Pour Modigliani, le facteur
artistique décisif n'était pas l'exactitude
de la représentation, mais l'harmonie
intérieure du tableau.

La composition de son nu est en elle-
même si juste et équilibrée que l'allon-
gement extrême des parties du corps et
la désarticulation des hanches ne
s'interprètent nullement comme une
« erreur ». Au-delà de l'exactitude de la
représentation, les parties du tableau
sont conçues uniquement à partir de
leur effet pictural. Le fond indéfini et
sombre a pour fonction de générer la
profondeur et de faire ressortir la luminosité du corps au premier plan.

André Derain, *La Danseuse,* 1906.
Huile sur toile, 100 x 81 cm. Statens
Museum for Kunst, Copenhague

La ligne étant l'élément clé du Jugendstil, les artistes ont trouvé dans les arts graphiques un terrain privilégié de recherche et de création. L'expression « Jugendstil » vient de *Jugend,* nom d'une revue fondée à Munich en 1896 et qui publia pour la première fois des œuvres graphiques dans ce style nouveau. Le Jugend-stil prit rapidement une dimension internatio-nale. En France, on l'appela « art nouveau », en Autriche, « style sécessionniste ». A Vienne, Munich et Berlin, dans les années quatre-vingt-dix du siècle dernier, de jeunes artistes avant-gardistes fondèrent les *Sécessions,* terme dont se prévalait une série de mouve-ments artistiques qui entendaient réagir contre l'art officiel, notamment celui que présentaient les académies : l'*historisme.* Avec l'*ornement,* qui n'est que forme artificielle, les créateurs pensait pouvoir s'opposer au naturalisme en « bouton d'uniforme » de la peinture officielle des années de fondation. Ils créèrent de l'art pour l'art, pour la beauté de l'art.

LE FAUVISME
1905-1920

La forme devient expression

La beauté et l'harmonie étaient pour Matisse aussi les aspects essentiels de l'art. Son ambi-tion était de créer un « art d'équilibre, de pureté, de tranquillité.... un réconfort de l'âme, quelque chose d'analogue à un beau fauteuil qui délasse des fatigues physiques ».

Henri Matisse est le chef de file des « fauves », mouvement constitué en 1905, mais qui se dissoudra deux ans plus tard. La « sauvage violence expressive de la couleur et le cou de brosse hâtif et impétueux leur valurent c nom de « fauves ». Les peintres André Derai Maurice de Vlaminck, Raoul Dufy, Kees Va Dongen et Matisse commencèrent par se lan cer sur les traces des impressionnistes et de post-impressionnistes. En persévérant dans voie de l'organisation autonome du tablea que l'élément décoratif et romanesque d symbolisme et de l'art nouveau avait mas quée, ils permirent à l'art d'évoluer vers le mc dernisme.

Ils ne s'intéressaient pas au contenu symbo lique, mais à la forme artistique. Celle-ci f élevée au rang d'interprète, de moye d'expression. Les fauves aussi étaient convair cus que la couleur et la forme avaient un cor tenu expressif, indépendant de la copie de nature, qu'il convient de mettre en valeur p une conception artistique. Derain qui connai sait les moyens picturaux de l'impression nisme, libéré en partie de l'objet par sa manièr « divisionniste » de peindre, chercha à les in tensifier jusqu'à ce que leur fonction initiale d copie se transforme en fonction d'expressio Le tableau impressionniste hachuré prit un c ractère psychographique, le schématique de vint moyen de l'expression spontanée, la cou leur claire qui servit aux impressionnistes à r présenter la réalité naturelle devint véhicu d'expression. Ce « changement de fonction des moyens artistiques avait été initié par le post-impressionnistes qu'étaient Gauguin, Va Gogh, Seurat et Cézanne. Au tournant d siècle, leur art fut présenté au public au cours de grandes rétrospectives, expositions qui apparemment représentaient pour les jeunes artistes français une source d'inspiration. Aussi trouve-t-on dans les œuvres de Matisse les grands aplats de Gauguin, la couleur pure de Seurat, la spontanéité expressive de Van Gogh et la composition de Cézanne, basée sur les rapports internes.

À l'instar de Cézanne, Matisse considère le tableau comme un organisme indépendant, dans lequel la nature n'est pas reproduite, mais représentée par un arrangement des divers éléments picturaux. S'il traite sciemment la surface comme une surface, ses tableaux acquièrent pourtant un autre genre de spatialité. Les surfaces colorées sont modulées entre elles de telle manière à ce qu'elles structurent le champ pictural : les contrastes de tons chauds et de tons froids font avancer ou reculer les surfaces en créant ainsi un effet rythmique qui construit les volumes. En revanche, la figure humaine est représentée souvent par linéarité. La ligne en arabesque du contour cerne la sensualité corporelle et plastique et la transpose dans la forme obtenue en surface ; la ligne atteint ici une nouvelle dimension figurative. En plaçant des couleurs aux nuances les plus fines les unes à côté des autres ou en établissant des contrastes complémentaires lumineux, Matisse obtient une intensité lumineuse qui fait rayonner le tableau de l'intérieur et crée par ce moyen une lumière intérieure artificielle. Les tableaux ont leur vie propre. Ils ne sont liés à la réalité extérieure ni par une exactitude de la démarche reproductive ni par une référence symbolique. Forme et expression sont devenues une. Elles constituent une unité indissociable.

Pour un autre peintre aussi, de quinze ans le cadet de Matisse, un Italien du nom de Amedeo Modigliani, la finalité d'un tableau ne consistait pas en la fidélité de la reproduction, mais en son harmonie intérieure. Modigliani peignait de préférence le *portrait* et le *nu* féminin. Il représentait ses modèles par des formes extrêmement réduites, sans modelés, et avec de grandes masses chromatiques cernées par une ligne. La ressemblance de ses portraits – des amis de Montparnasse lui servaient de modèles – est étonnante malgré leur stylisation extrême. Modigliani faisait partie avec Marc Chagall et Chaïm Soutine d'un groupe

d'artistes appelés les « peintres maudits », nom se référant à leur vie bohémienne.

Le nu féminin d'après modèle est le thème dominant de l'œuvre de Modigliani. Les variations minimales entre les nus qu'il peint généralement couchés, ainsi que la quasi-inexistence de traits individuels chez le modèle, montrent à l'envi que le motif ne lui sert que de prétexte à la création d'une harmonie intérieure. Ses représentations épurées n'ont rien de commun avec les déformations agressives de ses contemporains expressionnistes, qui utilisent un vocabulaire formel réduit pour intensifier l'expression. On ne trouve pas non plus chez Modigliani la décomposition de la forme et de la couleur des futuristes ni la dureté agressive des expressionnistes allemands de « Die Brücke ». Le peintre transforme l'objet pictural en formes souples et arrondies. Cette plasticité confère à ses représentations une présence sensuelle extraordinaire, renforcée souvent par un cadre étroite, que leur caractère artificiel n'arrive pas à atténuer.

Henri Matisse, *Madame Matisse, portrait à la raie verte*, 1905. Huile sur toile, 40,5 x 32,5 cm. Statens Museum for Kunst, Copenhague

Matisse construisait ses tableaux à partir de surfaces de couleurs vives. Il se servait librement des couleurs selon son sentiment, indépendamment de l'objet représenté. Son but était l'harmonie interne du tableau. Si sa devise « simplicité, pureté, calme », plaçait le fondateur du fauvisme dans la lignée spirituelle du classicisme français d'un Claude Lorrain, concrètement, son langage pictural s'appuyait sur des modèles plus récents tels que Cézanne, Gauguin et Van Gogh. Matisse était lui aussi convaincu que la couleur et les formes possèdent un contenu expressif autonome, indépendant du modèle naturel. Par sa conception de l'art, qui privilégie les rapports internes au tableau, à savoir la « réalité du tableau » face à l'exactitude de la représentation, Matisse est un des grands précurseurs de l'art moderne.

L'EXPRESSIONNISME EN ALLEMAGNE 1905-1919

Rendre visible l'invisible

DE L'EXPRESSIONNISME AU SURRÉALISME

1905-1945

« Épater le bourgeois »

Une série d'inventions technologiques et de découvertes scientifiques inaugurent le XXᵉ siècle. Einstein développe sa théorie de la relativité, Freud la psychanalyse, des chercheurs réussissent la première fission nucléaire et expérimentent les rayons X. Pour s'y retrouver dans ce monde en pleine évolution, les hommes sont obligés de penser différemment, et plus abstraitement. Le progrès scientifique et technique avait clairement montré que la « réalité » était loin de se limiter au visible immédiat. L'idée que l'œil a une très vaste faculté perceptrice avait fait son temps. Les impressionnistes avaient cru pouvoir capter le monde en un seul « instant » mais les jeunes artistes critiquaient à présent leur réalisme de surface. Ils voulaient arracher à la réalité son voile de faux-semblants, et, ainsi qu'ils l'exprimaient, « regarder derrière l'apparence des choses » afin de donner une image véridique du monde. Mais pour mener à bien une telle entreprise, il leur fallait un nouveau langage pictural.

Il s'imposait d'autant plus que la perception sensorielle connaissait elle-même une évolution décisive : l'invention de l'automobile et du moteur d'aéroplane, le télégraphe comme nouveau moyen de communication et bien d'autres nouvelles technologies avaient donné à la vie de tous les jours une dynamique nouvelle. Le temps et la vitesse, nouvelles dimensions immédiatement perceptibles, exigeaient une perception « accélérée ». Que le monde paraissait différent et même neuf vu d'une voiture en marche, quand on est habitué à l'allure du piéton ou de la calèche ! Les jeunes artistes accueillaient les innovations de leur époque avec beaucoup moins d'euphorie que les impressionnistes les bouleversements survenus trente ans plus tôt. Les maux de la modernisation – aliénation, isolement, désindividualisation – étaient criants, surtout dans les grandes villes. Le déchirement intérieur d'une génération à la recherche de nouvelles valeurs dans la vie comme dans l'art se traduisait par une ambiance de fin du monde et des visions utopiques d'un monde nouveau. Les artistes ardents réformateurs du monde animés du désir de détruire l'ordre établi, rêvaient d'un « art nouveau pour l'homme nouveau ». Ils voulaient créer des tableaux chargés d'émotions pour émouvoir l'homme jusqu'au plus profond de lui-même. Avec une peinture inspirée des leçons de Van Gogh et de Gauguin, nourrie par le sentiment et l'idée, ils pensaient réactiver les besoins profonds de l'homme que la vie moderne et urbaine ava

---

1905 Début de la révolution en Russie

1910 Igor Stravinski compose *L'Oiseau de feu*.

1912 Rudolf Steiner fonde sa « Société anthroposophique ». Naufrage du « Titanic ».

1914 Début de la Première Guerre mondiale, qui durera jusqu'en 1918.

1916 Début des batailles dites « de matériel ». Avènement du dadaïsme à Zurich.

1917 En Russie, la Révolution d'octobre conduit à la chute du tsarisme.

1918 Insurrections en Allemagne et dans d'autres États d'Europe. Proclamation de la République de Weimar.

1919 Fondation du « Bauhaus ». Début de la prohibition aux USA.

1922 Marche de Mussolini sur Rome.

1923 Marche d'Hitler sur la Feld herrnhalle à Munich (putsch manqué de Munich).

1926 Alban Berg compose *Wozzeck*.

1927 Charles Lindbergh survole l'Atlantique sans escale.

1929 « Vendredi noir » : effondrement de la bourse de New York. Fondation du « Museum of Modern Art » à New York.

1933 Hitler devient chancelier du Reich.

L'homme comme partie de la machinerie : Charlie Chaplin dans son film satirique *Les Temps modernes* de 1936.

1934 Après la mort de Hindenburg, Hitler cumule les fonctions de président et de chancelier (« Führer et Chancelier »).

1936 Jeux Olympiques de Berlin. Début de la guerre civile espagnole.

1937 Annexion (Anschluß) de l'Autriche au Reich.

1939 Invasion de la Pologne et début de la Seconde Guerre mondiale, qui durera jusqu'en 1945.

1940 Les troupes allemandes occupent la France et d'autres pays.

1941 Les troupes allemandes entrent en Union Soviétique. Entrée en guerre du Japon avec l'attaque de Pearl Harbour.

1942-1943 Inversion de l'équilibre des forces avec la bataille de Stalingrad.

1945 Libération d'Auschwitz. Capitulation de l'Allemagne. Les États-Unis larguent des bombes atomiques sur Hiroshima et Nagasaki.

nfoui, et ouvrir ainsi la voie d'un futur meil-
eur.

Croyant dans la croissance et dans l'appari-
on d'une nouvelle génération, tout à la fois
réateurs et jouisseurs, nous appelons tous
es jeunes gens à se ressembler, et en tant
ue jeunes gens, qui portons le futur en
ous, nous voulons arracher la liberté pour
os actions et pour nos vies des forces
étries et confortablement installées. Nous
roclamons nôtre quiconque reproduit direc-
ment et sans faux-semblants tout ce qui le
ousse à créer. » Cette envolée lyrique, bien
ue ne faisant pas une seule fois référence à
l'art » marquera pourtant son histoire.
exaltation quelque peu pathétique, très
pique pour l'époque, de la jeunesse, de la
berté et du futur constitue « l'entrée en
natière » de l'expressionnisme allemand. Ce
exte est le manifeste du groupe « Die
rücke » (Le Pont).

n 1905, au moment où en France les fau-
es donnaient le ton à la peinture avant-
ardiste, quatre jeunes artistes de Dresde, la
apitale artistique de la Saxe, fondèrent un
nouvement appelé « Die Brücke », animé
ar une volonté de rupture avec l'art pous-
éreux de l'époque wilhelmienne. Sans la
noindre expérience de la peinture, ces jeu-
es artistes jetèrent par-dessus bord toutes
es règles et les conventions académiques, et
ar rébellion aussi contre l'ordre établi,
nenèrent une vie peu conformiste.

eur mouvement allait faire école : les cer-
les d'écrivains et de peintres se multi-
lièrent pendant les premières décennies de
otre siècle. Les artistes aimaient effrayer le
hilistin bourgeois et vivaient en marge de
ette société qu'ils abhorraient. Berlin vit
eurir jusque dans les années vingt une cultu-
e souterraine, un *underground* qui eut bien-
ôt ses propres cafés, ses revues et ses gale-
es. Les raisons qui présidaient à la fonda-
on de communautés d'artistes n'étaient pas
oujours hautement artistiques ou idéolo-
iques, mais plutôt psychologiques ou éco-
omiques, car les lois d'un marché de l'art
rienté de plus en plus vers le profit ren-
aient difficile la vie de nombreux artistes.
Ion seulement une communauté apportait
e réconfort moral, mais elle aidait aussi dans
es domaines les plus pragmatiques :
ontacts, ateliers communs, expositions etc.,

sans compter le fait que quelques artistes
attiraient plus l'attention qu'un seul. Les deux
plus importantes communautés d'avant-
guerre furent « Die Brücke » et « Der Blaue
Reiter » (Le Cavalier bleu).

« Die Brücke »

Aux quatre fondateurs de la communauté,
Ernst Ludwig Kirchner, Erich Heckel, Karl
Schmidt-Rottluff et Fritz Bleyl vinrent s'ajouter
Max Pechstein, Otto Mueller et pour quelques
mois aussi Emil Nolde. Les activités commu-
nes du groupe durèrent huit ans. Au début,
les peintres développèrent un style collectif –
les œuvres présentaient de profondes analogies dans le motif et la manière de le traiter
– qui ne permet pas de reconnaître au premier coup d'œil lequel d'entre eux a peint tel
ou tel tableau. En élaborant ce style, ils ne
faisaient pas seulement acte d'esprit de
corps, mais égratignaient aussi l'image traditionnelle de l'artiste, génie sans égal.
Leur style se caractérisait par un vocabulaire
esthétique simplifié constitué de formes
réduites à l'essentiel, de corps déformés et
d'espaces dissous dans la bidimensionnalité.
Des couleurs rutilantes, saturées, passées
avec un large pinceau sans restitution de
tons locaux, souvent cernées d'une ligne de
contour épaisse et anguleuse confèrent aux

Erich Heckel, **L'Etang du village**, 1910.
Huile sur toile, 56,5 x 73,5 cm. Sprengel
Museum, Hanovre

Erich Heckel fut l'un des membres fondateurs du groupe d'artistes expressionnistes « Die Brücke ». Comme les impressionnistes, les expressionnistes du
groupe « Die Brücke » allèrent eux-aussi
peindre dans la nature, où ils pensaient
trouver l'« authentique » et le « naturel »
à l'état pur. Mais les expressionnistes ne
furent pas des *peintres de plein air* au
sens strict. Ils se contentaient de réaliser
leurs croquis dans la nature, les utilisant
ensuite pour réaliser leurs œuvres en
atelier.
A la différence de leurs prédécesseurs,
les expressionnistes ne cherchaient pas
à rendre l'impression visuelle immédiate,
mais déformaient ce qu'ils avaient vu de
manière à donner « un coup de fouet »
aux sentiments du spectateur.
L'étang d'Erich Heckel ne revendique aucune exactitude et ni aucune transfiguration idyllique. Ce n'est pas le monde des
objets représenté qui est ici support du
sens, mais la manière de le représenter.
Chez Heckel, la lumière n'est pas rendue
sur un mode « réaliste », elle est traduite
par un contraste rouge-vert qui rayonne
de lui-même. Dissociées de la *couleur
locale* et appliquée en àplats dans ses
tableaux, forme et couleur deviennent
les vrais supports de l'expression.

Ernst Ludwig Kirchner, *Scène de rue*
(G 336), 1913. Huile sur toile,
121 x 95 cm. Brücke Museum, Berlin

Dans la littérature comme dans la peinture expressionnistes, la ville est un motif récurrent. Elle incarne le dynamisme, la modernité et une certaine exaltation, mais elle est aussi symbole d'étrangeté, d'anonymat et de désindividualisation – expérience fondamentale du témoin moderne au début du XXe siècle. Dans cette *Scène de rue* de Kirchner, le membre le plus célèbre et le plus influent du groupe « Die Brücke », une facture nerveuse et saccadée note les pulsations frénétiques de la ville. Pris par la cohue de la ville, des passants se pressent au tout premier plan dans une rue sans profondeur. Malgré la proximité presque importune des personnages, belles de jour et flâneurs emportés par la frénésie du mouvement, semblent distants et inabordables. La froideur du bleu accroît encore cette distance. La vibrante animation, la vitesse, le flux irrésistible des passants, mais aussi une froideur peu engageante, un sentiment d'oppression vertigineuse dérobant le sol sous leurs pieds, ont été ici traduits en langage pictural.

tableaux une vigueur grossière de bois gravé. Cherchant la plus forte expressivité possible, les peintres de la « Brücke » recouraient à des constrastes complémentaires opposant et outrant les tons. Fous de couleurs, les expressionnistes voulaient donner à celles-ci une nouvelle dimension de composition et émotionnelle, c'est-à-dire conçue sous ses seuls aspects esthétiques internes, afin de construire entièrement – comme les fauves – leurs tableaux sur la couleur et la forme. Ils refusaient toute stylisation et toute correspondance symbolique, mais réduisaient leur langage formel à des formes délibérément simples et primitives. Les peintres voyaient dans cette peinture basée sur l'expérience subjective – du peintre comme de l'observateur – une possibilité d'expression « immédiate et authentique » telle qu'ils la proclamaient dans leur programme.

Pour les peintres, si le monde extérieur – une simple enveloppe sans vie, leur semblait-il – était encore le point de départ de leurs tableaux, il ne servait plus au fond que de prétexte stylistique à leur contenu véritable. Grâce à la déformation qui intensifiait l'expression de l'image, la « vérité vraie », l'essence des choses, pouvait être non plus vue, mais ressentie. C'est Herwarth Walden, galériste et promoteur de l'art avant-gardiste, qui donna en 1911 à cette forme d'art le nom d'« expressionnisme ». Ce terme englobait au départ tous les courants qui se détournaient de la représentation mimétique de la réalité comme par exemple le cubisme et le futurisme.

Les expressionnistes présentaient leur art comme la manifestation d'un sentiment se traduisant dans l'acte de peindre intuitif, mais cette conception n'avait rien de nouveau. Les mondes synthétiques de Gauguin leur servaient autant de modèle que la peinture gestuelle de Van Gogh et le symbolisme expressif d'Ensor ou de Munch. Ils redécouvraient la peinture du Greco et de Grünewald, mais trouvaient la puissance expressive tant recherchée dans l'art d'autres cultures : les artistes européens du XXe siècle puisèrent en partie leur inspiration dans l'art du masque et la statuaire d'Afrique ou d'Océanie, dont l'effet suggestif provenait justement de leur archaïsme primitif. Dans toutes les tendances de l'art avant-gardiste de début du siècle se retrouve la même inclination pour le *primitivisme*. L'art primitif, parce que spontané comme les dessins d'enfants ou l'art populaire, est dans l'esprit expressionniste plus véridique que tout art académique.

Ainsi le style de Max Beckmann se caractérise par un langage cru, peu attaché à reproduire fidèlement la réalité. Le peintre cernait les plages de couleurs claires et brillantes avec d'épaisses lignes noires. Ce procédé linéaire lui permettait d'intensifier les surfaces planes et incorporelles des figures qui se pressaient dans l'image. Beckmann fut un isolé. Ce n'est qu'après la Première Guerre mondiale – dont il revient dépressif – qu'il se mit à l'expressionnisme puis à développer son propre style. Les tableaux de Beckmann sont de véritables allégories existentielles cryptées, chargées de signes symboliques.

Max Beckmann, *La Nuit*, 1918-1919.
Huile sur toile, 133 x 154 cm. Kunst-
sammlung Nordrhein-Westfalen,
Düsseldorf

La Nuit est un sinistre cauchemar. Une
scène meurtrière se déroule dans une
pièce étroite et étouffante aux angles
effondrés et aux perspectives distordues
empêchant toute localisation précise. Un
homme et deux femmes sont maltraités
par des tortionnaires. La situation est
aussi vague qu'oppressante. Quel est le
motif de cette persécution ? Qui sont les
bourreaux ? Les attributs du confort
bourgeois au premier plan – bougies,
gramophone, un chat – comme les
habits relativement soignés des tortionnaires font soupçonner que ce n'est pas
une vraie chambre de torture qui est ici
représentée, mais que la représentation
est conçue comme une allégorie :
l'homme assiste impuissant à l'irruption
de l'horreur dans son monde familier.
Dans *La Nuit*, Beckmann, qui ne devait
trouver la voie de son style expressif
qu'au cours de la Première Guerre
mondiale, a conçu l'image oppressante
d'un martyre sans espoir.
Par son mode de représentation très cru,
Beckmann, artiste que le terme « expressionniste » ne qualifie qu'insuffisamment,
se rapproche des représentations vé-
ristes de George Grosz et d'Otto Dix.

qui pourraient être empruntés au répertoire
surréaliste, ce sont des mythologies modernes sur l'existence de l'homme, sur ses
implications émotionnelles, sur les trauma-
tismes collectifs et individuels. Dans son tableau, *La Nuit*, Beckmann intègre à son style
le vocabulaire formel de la première forme
de l'expressionnisme. Pour mettre en valeur
le motif de la brutalité meurtrière, Beckmann
recourt délibérément à une linéarité grossière
de bois gravé et aux contours tranchants du
style de la « Brücke ».

« Der Blaue Reiter »

A l'occasion de la première exposition à
Munich des peintres transfuges de la « Neue
Künstlervereinigung » est publié un almanach
intitulé *Der Blaue Reiter*, un recueil de reproductions et d'essais sur l'art contemporain. Le
nom qui sonne bien – imaginé, dit-on, à partir du bleu, la couleur préférée de Franz Marc
et de Wassily Kandinsky, et de leur faible pour
les cavaliers – devait désigner un groupe
d'artistes, sans organisation véritable, qui travailla entre 1911 et 1914 et réunissait Franz
Marc, Wassily Kandinsky – les figures de
proue –, Alexei von Jawlensky, lui aussi originaire de Russie, et sa compagne Marianne
Werefkin, August Macke, Gabriele Münter et

Paul Klee. Comparé à la peinture crue des
artistes de la « Brücke », l'art du « Blaue Reiter »
paraît plus subtil, pénétré d'esprit et spirituel.
Si différentes que fussent les formulations
artistiques des deux groupes, ils restaient unis
par leur conviction qu'une œuvre d'art ne
peut plus être une reproduction illusionniste
d'une réalité qui n'avait jamais été plus complexe. Il fallait donc déchirer le voile des apparences. La finalité de l'art ne se réduisait
plus, comme Paul Klee le prétendait, à « reproduire le visible, mais à rendre visible ». Cet
idéal artistique libéra la peinture de toute
référence immédiatement lisible. Les peintres
y gagnèrent en liberté créatrice, une liberté
qui les poussa vers des inventions de plus en
plus abstraites.

Les peintres du « Blaue Reiter », en particulier
Franz Marc et Kandinsky, s'intéressaient avant
tout à la transcription picturale de sensations.
Ils désiraient créer des tableaux, selon leurs
propres termes, pour « faire vibrer l'âme ».
Kandinsky était persuadé que de telles
« vibrations spirituelles » pouvaient être
suscitées par des tableaux où toute référence concrète au monde visible aurait disparu.
Cette découverte, il la doit à une inspiration
subite qu'il eut devant un tableau de Monet.
Il la raconte ainsi : « Que ç'ait été une meule

Franz Marc, *Les Petits Chevaux jaunes*, 1912. Huile sur toile, 66 x 104 cm. Städtische Galerie im Lenbachhaus, Munich

Dans son œuvre, Franz Marc a élaboré une symbolique de la nature teintée de panthéisme, où les animaux deviennent un symbole d'originalité et de pureté. Pour Franz Marc, les animaux incarnaient l'idée de la Création, car ils vivent en accord avec la nature. Le peintre voulait exprimer son utopie d'un monde paradisiaque par des formes nouvelles et des couleurs symboliques. Il élabora ses propres lois de la couleur : le bleu y est attribué au principe masculin, le jaune au principe féminin et le rouge à la matière.
Franz Marc fut influencé d'une façon décisive par les œuvres de Delaunay. Dans ses derniers tableaux, vers 1914, cette influence le conduira finalement à la peinture abstraite.

de foin, le catalogue me l'expliquait. Ne pas pouvoir la reconnaître me gênait. Je trouvais aussi que le peintre n'avait pas le droit de peindre d'une manière aussi imprécise. Je trouvais accablant qu'il n'y eût pas d'objet dans ce tableau. Puis je remarquai avec étonnement et désarroi que l'image non seulement vous saisissait, mais s'inscrivait dans votre mémoire. »
Kandinsky renonce peu à peu à représenter l'objet jusqu'à l'abandon complet de la peinture figurative. Chez les autres peintres du « Blaue Reiter » domine aussi le « comment » sur le « quoi ». Même dans les compositions où subsiste encore quelque réminiscence au monde réel, l'effet naît de la composition et non plus de l'objet. La couleur et la forme sont devenus les éléments déterminants. Les tensions résultant des contrastes entre lignes dures et lignes souples, formes ouvertes et formes fermées, couleurs veloutées et couleurs métalliques donnent un rythme et une mélodie aux tableaux. Kandinsky compare souvent ses toiles avec la musique. La terminologie musicale de titres comme « Composition » ou « Improvisation » indique clairement la direction du peintre. L'observateur devrait sentir le « son » d'un tableau comme celui de la musique.

Les peintres ne voulaient plus véhiculer des représentations conceptuelles compréhensibles, mais faire du tableau un écran et un déclencheur d'émotions artistiques. Les artistes du « Blaue Reiter » imaginaient la communication de ces sentiments comme une chaîne entre l'artiste et l'observateur. Le point de départ était le « mouvement de l'âme »

du peintre. Ensuite, ce sentiment était exprimé par le peintre dans le tableau. Celui-ci à son tour suscitait chez l'observateur certaines émotions, devenant ainsi le responsable du « mouvement de l'âme » du spectateur. Chacun avait l'entière liberté de décider de ce qu'il voulait voir dans le tableau et dans quelle direction il allait conduire son émotion spécifique. L'affectation du sens, l'interprétation ne tenait qu'à l'observateur. L'œuvre d'art se faisait ainsi inspiratrice, mais sans avoir la prétention de véhiculer la sagesse ni la vérité. L'objectif était d'attirer l'attention de l'observateur sur ses « propres vibrations de l'âme », et de les éveiller. La participation créatrice du spectateur lors de l'affectation du sens, la communication silencieuse entre l'artiste et lui, base de l'interprétation, revêtira une importance grandissante pour l'art du XXe siècle, en particulier pour l'expressionnisme abstrait apparu dans la seconde moitié du siècle. Ce sont les pensées et les sentiments, les associations et la communication avec l'œuvre qui font sortir cette dernière de son sommeil de « belle-au-bois-dormant », qui en font quelque chose de particulier : une œuvre d'art.
Les expressions artistiques de l'époque étaient aussi nombreuses que le sentiment de la vie était contradictoire. Chaque peintre s'engageait dans sa propre voie pour donner forme à la nouvelle réalité. Toutes les recherches se poursuivaient parallèlement au moins en partie. Aussi peut-on difficilement imaginer qu'au XXe siècle des styles et des courants puissent éclore dans un ordre chronologique parfait. En même temps que fleurissait l'expressionnisme allemand, en France, un artiste faisait fureur par un langage neuf, encore jamais vu. Il venait de peindre un groupe de jeunes femmes nues, le traitement en était grossier et haché. Le titre du tableau : *Les Demoiselles d'Avignon* ; le nom du peintre : Pablo Picasso. L'œuvre fracassante, peinte en 1907, provoqua la stupeur en raison de son aspect fragmenté et des visages de masques des personnages. Même les peintres de l'avant-garde en étaient retournés. Aidé dans ses recherches par son ami Georges Braque, Picasso développera les conséquences de ses trouvailles en élaborant à partir de ce grand tableau un style nouveau : le cubisme.

WASSILY KANDINSKY

Né en 1866 à Moscou, Wassily Kandinsky est l'un des artistes et théoriciens les plus importants et les plus novateurs du XXᵉ siècle. Au cours de sa vie, le peintre du premier tableau non figuratif devait libérer la composition picturale de l'objet au profit du libre développement des couleur et des formes pures. Ses tableaux abstraits et « composés » étaient pour lui avant tout l'expression de perceptions de l'âme et secondairement seulement le résultat d'un processus créatif dirigé par l'intellect.

Kandinsky, dont on a toujours souligné l'exceptionnelle intelligence, étudia le droit et l'économie à Moscou et entama une carrière prometteuse dans ces domaines. Dès le début de ses études, il s'était intéressé à l'art, et c'est ainsi qu'en 1896, il décida de se consacrer à la peinture. Installé à Munich, il y étudiera à partir de 1900. Au cours des années suivantes, il voyage dans les grands centres de l'art européen. A Paris, il entre en contact avec les fauves, dont les couleurs expressives le passionnent. La couleur en tant qu'élément constitutif prédominant de la composition jouera dès lors un rôle décisif dans son art.

Jusqu'en 1906, il se laissa influencer par les tableaux des impressionnistes, qui l'ouvrirent aux perceptions produites par les seuls effets de la couleur. Une autre source d'inspiration qu'il citera plus tard constamment dans ses tableaux, fut l'art de sa patrie, la Russie, dont les motifs folkloriques aux couleurs fortes et aux ornements abstraits produisaient des atmosphères mystiques et fabuleuses.

A Murnau, village du sud de Munich où il s'était installé en 1908 avec Gabriele Münter et d'autres artistes, il remarqua, comme il l'écrivit lui-même, que l'objet nuisait à ses œuvres. C'est de cette époque que date son ouvrage théorique *Du spirituel dans l'art*. Kandinsky y concevait une esthétique de l'art abstrait, développait sa théorie de la peinture et définissait l'« improvisation » comme le fruit d'une influence directe de la « nature extérieure », l'« impression » comme une œuvre ayant sa source dans l'influence des actions inconscientes sur la « nature intérieure », la « composition » étant « élaborée » sur la base des deux premières.

Paysage avec cheminée d'usine, 1910. Huile sur toile, 44 x 54,5 cm. Solomon R. Guggenheim Museum, New York

Selon Kandinsky, le tableau et ses formes n'ont pas seulement un caractère direct, individuel et matériel : conçus d'une façon autonome et purement esthétique, ils peuvent mettre l'âme et l'esprit en « vibration ».

En 1910, il peignit son premier tableau non figuratif, une aquarelle, mais resta tout d'abord attaché à la figuration. Dès cette époque, il fera progressivement de la couleur le support principal du tableau qui, libéré de la réalité représentée, devait faire émerger une nouvelle forme de perception. C'est dans ce sens qu'il convient de comprendre les tableaux datant de la période jusqu'à 1913 et qui, en tant qu'« improvisations », fixaient des perceptions naturelles fortement marquées par le sentiment. On y trouve entre autres le tableau *Paysage avec cheminée d'usine*.

En 1911, Kandinsky fonda avec Franz Marc la société d'artistes « Der Blaue Reiter ». Le but de ce groupe, qui subsistera jusqu'en 1914, était de libérer l'œuvre d'art de sa fonction représentative illusionniste : dans l'œuvre d'art, les artistes ne veulent plus représenter le monde, mais le « manifester ». Ils recherchaient ainsi un langage pictural permettant au spectateur de communiquer avec le tableau. Dans ce processus de communication, la nécessaire autonomie du tableau était décrite par Kandinsky par l'image d'une chaîne « artiste-œuvre-spectateur ».

Pour Kandinsky, le modèle de la conception d'une nouvelle peinture « apte à la communication » était donné par la musique et ses harmonies : tout comme les sons, la couleur devait se concentrer en accords de couleurs ; dans les tableaux, des accords de couleurs devaient apparaître pour déclencher chez le spectateur des sentiments d'harmonie ou de dissonance. « Le tableau doit être composé comme une musique », écrira Kandinsky, « et doit sonner comme une symphonie de couleurs. »

Au début de la Première Guerre mondiale, Kandinsky rentra à Moscou et ne revint en Allemagne qu'en 1921. Jusqu'à son émigration vers Paris en 1933, il y donnera des cours de création formelle au Bauhaus de Weimar

Kandinsky à son bureau en 1913 photographié par Gabriele Münter

et de Dessau. Dans les tableaux de l'Entre-deux- guerres, Kandinsky continuera de travailler sur les formes géométriques, les développant jusqu'à un système de valeurs autonomes produisant ses propres réalités picturales. A partir de 1933, il vivra et travaillera à Paris jusqu'à sa mort en décembre 1944. L'influence de Kandinsky sur tout l'art abstrait du XXᵉ siècle a été cruciale et continue de s'exercer jusqu'à nos jours.

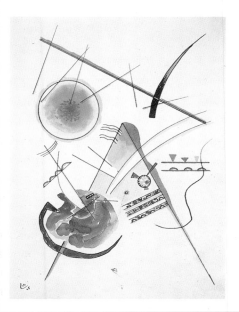

Composition, 1925. Aquarelle, 35 x 24,5 cm. Bauhaus-Archiv, Berlin

Maître de la diversité

PABLO PICASSO

1881-1973

L'espagnol Pablo Picasso est un des peintres les plus célèbres du xxᵉ siècle. L'art moderne doit des inspirations décisives à sa créativité et son inextinguible soif d'action créatrice. Avec quelque 15.000 peintures, 660 sculptures, d'innombrables dessins et céramiques, Picasso est un des artistes les plus productifs de toute l'histoire de l'art.

Picasso peignant une céramique, 1948

« Période bleue » et « Période rose »

La carrière de Pablo Ruiz Picasso, qui n'adoptera le nom de jeune fille de sa mère (Picasso) qu'à l'âge de 20 ans, commença très tôt. Dès sa jeunesse, il était déjà considéré comme un enfant-prodige. A l'âge de 15 ans, ce fils du professeur de dessin Leon Ruiz allait réussir sans difficultés le concours d'entrée à l'École des Beaux-Arts de Barcelone. Un an plus tard, Picasso se rendra à Madrid pour y poursuivre ses études, son père jugeant que l'École de Barcelone, où il enseignait lui-même, était devenue insuffisante

sentation claire et plane, accentuant les contours des figures, et des harmonies presque monochromes caractérisent ses premières œuvres. Les tableaux réalisés entre 1901 et 1904 étant peints dans des tonalités froides bleu-vert, on parle de « Période bleue » pour désigner cette phase de création.

En 1904, à l'âge de 23 ans, Picasso s'installa définitivement à Paris. La France devint sa seconde patrie. Émerveillé par la vie du quartier d'artistes à Montmartre, il plongea avec enthousiasme dans la bohème parisienne. Dans de nombreux tableaux, il peint les artistes de cirque et les saltimbanques qui y venaient. Ces tableaux du milieu du cirque et des forains dénotent une prédominance des tons roses, et cette phase de 1904-1906 est ainsi connue sous le nom de « Période rose ». A Paris, Picasso fit bientôt la connaissance de son collègue Georges Braque et du marchand de tableaux Ambroise Vollard. En 1906, Vollard acheta toutes les œuvres de la « Période rose », permettant ainsi à Picasso, qui avait vécu jusqu'alors dans des conditions précaires, de vivre pour la première fois à peu près à l'abri du besoin. En 1907, fort de cette assurance, le peintre aborde sa première expérimentation en peignant *Les Demoiselles d'Avignon*.

Les Demoiselles d'Avignon, 1907. Huile sur toile, 243,9 x 233,7 cm. Museum of Modern Art, New York. Acquired through the Lillie P. Bliss Bequest

pour la formation de son fils. Dans la capitale espagnole, le jeune étudiant passera son temps, moins à suivre les cours de la célèbre académie royale qu'à visiter les musées, en particulier le Prado, et à fréquenter les tavernes d'artistes. Dès cette époque, ses premières expositions connurent le succès.

En 1901, il fonda la revue *Arte Joven* (art jeune) et fit plusieurs séjours à Paris, métropole artistique de l'époque, dont la visite était un passage obligé pour tout artiste ambitieux. C'est là qu'il verra les œuvres des impressionnistes Cézanne, Degas et Toulouse-Lautrec, qui l'impressionnèrent profondément et l'incitèrent à peindre des tableaux de marginaux, de mendiants, de sans-abri et de personnages solitaires dans les bistrots. En fait, contrairement aux impressionnistes, Picasso réduisit sa représentation à l'extrême sur les plans des couleurs et de la forme. Une repré-

Le chemin vers l'abstraction

Les œuvres de jeunesse de Picasso n'avaient nullement annoncé cette manière picturale qui allait faire scandale. Si les *Demoiselles d'Avignon* faisaient sans doute référence à des prostituées, le tableau allait moins choquer par son contenu – les scènes de bordel étaient déjà connues de l'impressionnisme – que par la déformation et la fragmentation des figures et de l'espace pictural. Comme beaucoup de ses contemporains, Picasso était lui aussi à la recherche de nouveaux moyens picturaux pour accroître l'expressivité. Et comme beaucoup, c'est dans l'art africain dit « primitif » qu'il trouvera son inspiration, dans les masques et sculptures aux formes archaïques des mers du sud ainsi que de la sculpture ibérique. On retrouve d'ailleurs le vocabulaire formel de ces arts dans *Les Demoiselles d'Avignon* : des visages apparentés à des mas-

ques y fixent le spectateur et confèrent aux figures quelque chose d'irritant. A côté de ces êtres aux torsions étranges viennent se joindre trois nus abstraits et géométriques dans une pose classique aux bras rejetés derrière la tête. Ces « corps taillés à la hache », comme les décrira un ami de Picasso, contrastent brutalement avec la tonalité générale réduite à des teintes charnelles. Le principe cézannien exigeant la réduction au cercle, à l'ovale et au rectangle, Picasso l'intensifie par une géométrisation et une déformation radicales des corps, et par la dislocation de l'espace composé selon les lois de la perspective. Par un système de lignes et de hachure tranchantes, Picasso décompose les visages et les corps, formulant ainsi pour la première fois la conception cubiste consistant à représenter les volumes sous la forme fondamentale de surfaces rythmées. On peut donc dire que le tableau *Les Demoiselles d'Avignon* marque le début du cubisme, mouvement que Picasso allait développer entre 1907 et 1914 avec son ami Georges Braque et par lequel il allait ouvrir des voies nou-

Acrobate et jeune arlequin, 1905. Gouache sur carton, 105 x 76 cm. Collection particulière, Bruxelles

velles à l'art du xxᵉ siècle. Contrairement aux artistes abstraits de la première moitié du xxᵉ siècle, qui évoluèrent généralement vers l'abstraction pure, Picasso resta toute sa vie fidèle à l'objet, mais le libéra de sa signification première. Il en fit une entité esthétique immanente au tableau. Picasso insistait constamment sur l'autonomie de l'œuvre en s'élevant au-dessus de tout réalisme représentatif et en composant toujours ses tableaux sur la base des lois inhérentes à l'œuvre. Ainsi, dans les tableaux cubistes, les objets étaient décomposés et recomposés – que ce soit sous l'angle de la *perspective simultanée* ou sous la forme de figures cristallines aux consonances abstraites, ou encore par des recréations synthétiques s'appuyant sur des critères esthétiques formels. Les « angulations » très expressives développées par le cubisme entrent dans le vocabulaire de signes ab-

Deux Femmes courant sur la plage (La Course),
1922. Détrempe sur bois, 32,5 x 42,5 cm. Musée Picasso, Paris

straits de Picasso, deviennent partie intégrante d'un style très personnel qui se situe au-delà de toutes les tendances. Certaines têtes associant deux points de vue – un profil et une face comme dans le *Portrait de Dora Maar* – deviendront presque un « label » de son art.
Entre 1912 et 1914, Picasso allait intégrer dans ses tableaux cubistes des éléments réels tels que des coupures de journaux ou des bouts de

papiers peints, inventant ainsi le *collage*. Il est très caractéristique de cet artiste aux multiples facettes qu'à côté des œuvres cubistes, il ait peint aussi des tableaux figuratifs. Dans *Deux Femmes courant sur la plage (La Course)*, on voit apparaître un tout autre Picasso que dans ses tableaux cubistes. Presque à la même époque que le langage pictural « fragmenté », Picasso peint des tableaux où l'accent porte entièrement sur des volumes compacts contenus dans leurs contours. Non sans rappeler Ingres ou même l'art archaïque de la Grèce, ces femmes faiblement colorées courant sur une plage sont d'un effet hautement physique et vivant malgré toute leur stylisation et un environnement apparaissant dénué de spatialité.

Tableaux contre la guerre
Parmi les œuvres les plus célèbres et les plus bouleversantes de Picasso, on trouve la peinture monumentale *Guernica*. En avril 1937, avec l'appui de troupes allemandes, la petite ville espagnole de Guernica avait été bombardée par le régime fasciste de Franco et rasée en l'espace de trois quarts d'heure. Dans son accusation, Picasso exprime le saisissement, la douleur, et le sentiment de deuil déclenchés en lui par cet événement. Les distorsions et les ruptures des formes, la réduction du tableau au noir-et-blanc, expriment l'horreur face à une destruction insupportable. Hommes et animaux y sont réduits à un cri. Picasso a renoncé à tout accessoire illustratif dans le dessin et la couleur, mais s'est appuyé sur un répertoire iconographique traditionnel : la mère portant une enfant mort dans ses bras évoque les représentations de pietà, la femme à la lampe rappelle la statue de la liberté américaine, la main du soldat mort au glaive brisé renvoie à l'épée comme symbole d'une résistance héroïque tel qu'il apparaît par exemple dans le tableau *Le Serment des Horaces* du peintre classique David.
Prendre parti politiquement en tant que peintre était une évidence pour Picasso. « Qu'est-ce que vous croyez que c'est, un artiste ? Un imbécile qui n'a que des yeux ? La peinture n'a pas été inventée pour décorer les appartements. Elle est

Portrait de Dora Maar, 1937. Huile sur toile, 92 x 65 cm. Musée Picasso, Paris

une arme d'attaque et de défense contre l'ennemi. » En 1944, Picasso devint membre du Parti communiste français.
Dans les années cinquante et soixante, Picasso s'intéressa surtout à la gravure. Il réalisa des affiches, des lithographies, des eaux-fortes et des dessins. Il peignit aussi des tableaux d'après des modèles célèbres, comme *Les Ménines* de Vélasquez ou *Le Déjeuner sur l'herbe* de Manet. Picasso ne se contenta certes pas de les copier, mais les recréa dans son propre langage pictural. Toute sa vie, il resta fidèle à sa croyance – si caractéristique de l'art moderne – en la spécificité des lois inhérentes à l'œuvre .
Avec un certain orgueil teinté d'une bonne dose d'ironie, le peintre décrivait son itinéraire par les mots suivants : « Je voulais être peintre, et je suis devenu Picasso. » Il est mort en avril 1973 à l'âge de 91 ans.

Cri d'horreur et amère accusation : *Guernica*, 1937, 351 x 782 cm. Museo Nacional Centro de Arte Reina Sofia, Madrid

Georges Braque, *Femme tenant une mandoline*, 1910. Huile sur toile, 92 x 73 cm. Staatsgalerie moderner Kunst, Munich

Marcel Duchamp, *Nu descendant un escalier n°2*, 1912. Huile sur toile, 146 x 89 cm. Philadelphia Museum of Art

LE CUBISME
1907-1925

L'éclatement des volumes

Les cubistes ne croyaient pas non plus à la possibilité de reproduire la réalité extérieure de manière illusionniste, mais à la différence des expressionnistes qui partaient du sentiment lors de la création et de l'observation du tableau, leur manière de procéder était plus analytique. Ils développèrent une nouvelle méthode de structuration de l'image. Cette démarche avait été déjà amorcée dans le post-impressionnisme, en particulier par Cézanne qui avait systématisé la structure spatiale sur la surface. Les cubistes – aux côtés de Pablo Picasso et Georges Braque se trouvaient Jean Metzinger, Juan Gris, Albert Gleizes et Fernand Léger – décomposaient les formes pour les recomposer ensuite en les réduisant à leurs éléments géométriques : cube, cylindre, cône et sphère. Le sujet de leurs premières expérimentations « en laboratoire » était essentiellement la nature morte composée de cruches, de verres, de livres et d'instruments de musique. L'objet était analysé de plusieurs points de vue : plus d'optique à une dimension, plus de fixation sur un point central, comme s'ils avaient fait le tour de leurs arrangements, afin d'en prendre pleinement possession.

Cette approche permit aux cubistes d'introduire aussi la notion du « temps » dans la peinture à un moment où en Italie les futuristes élaboraient un nouveau langage pictural. Le cours du temps est particulièrement bien décrit dans le tableau de Marcel Duchamp *Nu descendant un escalier, n°2*. (Duchamp n'appartenait pourtant pas au noyau du mouvement cubiste. Créateur indépendant, c'est avec ses *Ready-made* qu'il contribua à l'enrichissement de l'art du XXᵉ siècle.) La *perspective simultanée* aboutit sur une toile bi-dimensionnelle à l'éclatement de la forme plastique en une multitude de facettes qui se juxtaposent et s'interpénètrent. La structure qui en résulte est la négation de l'espace composé selon les lois de la perspective centrale. Le tableau n'était plus pour les cubistes un simulacre illusionniste, mais un organisme autonome avec ses lois propres et relié au milieu ambiant – plan de l'image et format du tableau.

Afin d'accentuer les rapports internes et le rythme des formes sur la surface, les cubistes renoncèrent souvent à une couleur accentuant l'image ou véhiculant un contenu émotif. Ils réduisirent en général la gamme chromatique à celle des gris et des bruns, étalés en aplats uniformes. Le principe du cubisme analytique, c'est-à-dire la décomposition et la recomposition de l'objet pour en faire un organisme esthétique autonome, est très bien démontré dans le tableau de Georges Braque, *Femme tenant une mandoline* : la fragmentation de l'objet en volumes cubiques et les modulations du clair-obscur rythmant la surface créent une entité aux consonances clairement abstraites. Ces éclats tranchants n'ont plus grand-chose de commun avec le modèle, ils ressembleraient plutôt à quelque roche cristalline. L'espace perspectif est devenu espace plan, l'objet a éclaté en formes imbriquées, égrisées. En vertu du principe cubiste de transparence, il est difficile de distinguer le premier plan de l'arrière-plan en raison de leur interpénétration : ainsi un élément qui apparaît au « premier plan » par rapport à un deuxième passe à « l'arrière-plan » en recoupant un troisième.

Leurs recherches sur la valeur esthétique de l'objet, sur la réalité de l'objet et de l'image, conduisent les cubistes à de nouvelles expérimentations après 1910 : ils ne peignent plus seulement avec de la couleur et un pinceau, mais intègrent aussi à leurs tableaux des matériaux étrangers à la peinture, des « objets trouvés » comme, par exemple, des bouts de papiers peints ou de journaux qu'ils appellent « papiers collés ». C'est ainsi que naquit le *collage*. Si au début, les cubistes avaient décomposé l'objet pour le recomposer à leur gré, ils créaient maintenant des images synthétiques. Cette nouvelle phase qui débute en 1912 est connue sous le nom de « cubisme synthétique » alors que l'on parle de « cubisme analytique » pour la première période. Les papiers collés sont investis de la même fonction que les surfaces peintes, ils constituent un élément de la composition au même titre que les autres. En utilisant des objets de la vie courante, les

N'entend-on pas le claquement des sabots sur le pavé, le fracas des cailloux sous les coups de marteau et les cris des maîtresses de maison qui regardent la rue accoudées à leur balcon ? Le tableau de Umberto Boccioni *La Rue entre dans la maison* est empli d'une tonitruante agitation : on dirait que l'énergie des ouvriers travaillant sur le chantier repousse les maisons alentours vers les bords du tableau. La torsion et le décalage des axes permettent à Boccioni de générer ce qui apparait comme l'imbrication de plusieurs points de vue. Espace et architecture sont éclatés et se scindent en une structure dynamique de formes fragmentaires et anguleuses. « Nous affirmons que l'ensemble du monde visible doit s'-effondrer sur nous », écrira Boccioni – théoricien des peintres futuristes – dans un « manifeste technique de la sculpture futuriste ». Dans ce tableau, l'exaltation de la technique et de la vitesse s'exprime comme une célébration de la productivité. Aux yeux des futuristes, l'homme semblait enfin avoir entre ses mains les moyens de changer la face du monde. Boccioni ne survivra pas à la Première Guerre mondiale, qui allait anéantir les espoirs de toute une génération. Le vacarme qui fracassait et déchirait cruellement les objets était devenu une réalité matérielle.

cubistes ont non seulement innové et ouvert la voie à diverses formes d'expression de l'art moderne (*collage*, *photomontage* et *assemblage*) mais ont en plus atteint l'autonomie absolue de l'image : l'œuvre d'art, structure soumise à ses seules lois, a la capacité d'enlever à l'objet sa fonction définie par la valeur d'utilisation et d'en faire une entité esthétique pure. Un bout de papier collé dans un tableau acquiert une identité différente, donc élargie, grâce au milieu ambiant. Il est perçu à la fois comme objet usuel et entité esthétique. Les collages cubistes sont donc hautement abstraits et réels. À travers la dualité du collage, c'est toute la question du rapport entre l'art et la réalité qui est posée – une question qui ne cessera de préoccuper les artistes du XXᵉ siècle.

LE FUTURISME
1909-1915

Le temps entre dans l'image

Au moment où le cubisme dominait la scène artistique française, se développait en Italie un courant artistique ayant un rapport dialectique avec la recherche cubiste : le futurisme. Les artistes futuristes fragmentaient eux aussi la surface picturale en mille facettes. Leurs tableaux étaient l'expression d'un enthousiasme sans frein pour les innovations technologiques, et ainsi que son nom l'indique, une immense foi dans l'avenir. Ce mouvement est né dans l'esprit de Filippo Tommaso qui proclamait dans le *Manifeste du futurisme* publié en 1909 : « Une automobile de course, une voiture rugissante... est plus belle que la *Victoire de Samothrace* », en citant une œuvre qui représente l'archétype de la beauté dans l'art occidental. Les peintres Umberto Boccioni, Gino Severini et Giacomo Balla donnèrent forme à la simultanéité des processus perceptifs avec un langage formel segmenté et morcelé. Ils essayaient de rendre les images fugitives qui passent sur la rétine en une fraction de seconde en représentant les positions successives d'un objet – ou d'une personne – en mouvement, et ce à la manière d'une photo exposée à plusieurs reprises. Un chien

Lyonel Feininger, *L'Embouchure de la Rega III*, 1929/30. Huile sur toile, 48 x 77 cm. Hamburger Kunsthalle, Hambourg

Les marines et les architectures sont au centre de l'œuvre de Lyonel Feininger. Ses compositions abstraites, qu'il dissolvait rythmiquement en formes géométriques, reposent toujours sur un motif figuratif – églises, bateaux, paysages maritimes. Avec leurs interpénétrations de zones de couleur et leurs douces teintes brisées prismatiquement, ses tableaux influencés par l'orphisme de Delaunay communiquent un sentiment d'infini et de solitude, mais aussi d'harmonie et d'équilibre dynamique.

en train de courir, par exemple, était représenté avec douze pattes et la main d'un violoniste avec un nombre incalculable de doigts agiles. Derrière cette forme de représentation qui rappelle quelquefois la bande dessinée se cachait l'idée d'apporter une nouvelle dimension dans la peinture finalement statique : le temps, ou plutôt le déroulement d'une action pendant un espace de temps. La photographie avait inspiré aux impressionnistes une nouvelle forme de représentation, c'était au tour du cinéma – une suite animée de vues statiques – d'insuffler de nouvelles idées aux futuristes. Mais la volonté de renouvellement de ces derniers allait plus loin encore. Leur objectif n'était pas seulement d'exprimer le temps et le mouvement, mais aussi les bruits. Dans le tableau de Boccioni *La Rue entre dans la maison*, le vacarme strident est rendu par l'éclatement total de la structure picturale. L'enthousiasme des futuristes pour les bruits de moteurs modernes se traduisait aussi dans le domaine musical. Les artistes organisèrent des concerts de bruits et de musique de machines composée.

Robert Delaunay et sa femme Sonia, stimulés par les recherches cubistes et futuristes, se penchèrent à leur tour sur l'expression du mouvement dans la peinture. Leurs formes circulaires de couleur pure sont évocatrices de lumière et de mouvement sans toutefois en être une représentation directe. Les seuls supports de l'expression sont la couleur et la composition rotatoire. Les tonalités dynamiques qui en découlent séduisent tant Apollinaire qu'il invente le terme d'« or-

phisme », en référence à Orphée, le chanteur de la mythologie grecque. Robert Delaunay est considéré comme le premier peintre abstrait français, et sa femme Sonia s'est fait un nom dans le domaine des arts appliqués. Elle aussi croyait en la puissance rénovatrice de l'art – à condition que celui-ci sorte de la tour d'ivoire où l'avait enfermé une vision de l'art bourgeoise. A condition aussi qu'il reprenne pied dans la réalité quotidienne : l'art devait revenir à la vie.

LE BAUHAUS, DE STIJL ET LE CONSTRUCTIVISME 1913-1930

Un art abstrait pour un monde meilleur

Suggérer que l'art abstrait, si difficile d'accès, devrait gagner en influence sur la vie de tous les jours a de quoi surprendre. Qu'a à voir l'art abstrait avec la vie ? La réponse est simple : au premier abord, rien du tout, et c'est justement sa chance. Après les horreurs de la Première Guerre mondiale, l'espoir des expressionnistes de créer « l'homme nouveau » au moyen d'un art subjectif, chargé d'émotions, s'était avéré utopique. Pourtant les artistes tenaient toujours à donner une grande place à l'art dans la vie de tous les jours. Ce souhait était motivé aussi par la crainte que la culture de masse avec ses cinémas, ses Palais des sports, ses cabarets et ses music-halls, ne fasse perdre aux artistes leur responsabilité dans la société. Au lieu pour cela de revenir à une peinture réaliste, certains artistes reprirent les tendances abstraites déjà contenues dans l'expressionnisme pour en faire une peinture non-figurative absolue, excluant toute référence immédiate au monde extérieur. Seul un art qui ne répondrait qu'à des nécessités esthético-artistiques – Mondrian en était persuadé – conduirait l'homme vers le progrès et l'harmonie : « Seule la pure apparition des éléments dans des relations équilibrées peut alléger la tragédie de la vie. nous n'aurons alors plus besoin de statues ni de tableaux car nous vivrons dans un art devenu réalité… L'art se retirera de la vie dans la mesure où la vie aura gagné en harmonie et en calme. » Le monde de l'art fut mis en regard de la réalité, l'abstraction devint le support d'une vision du monde utopique

Mais le rêve d'une humanité conduite vers l'harmonie et l'unité ne pouvait se réaliser qu'à deux conditions : d'une part, l'art devait lui-même être harmonique, clair et pur, d'autre part, il lui fallait pénétrer le quotidien s'il voulait exercer une influence sur la société. C'est pourquoi les artistes ne limitaient pas leurs activités à la peinture. L'idée d'abstraction fut également appliquée à l'architecture et au design, ou plutôt, fut enrichie par l'idée de fonctionnalisme. Les objets usuels comme les tableaux devaient être construits sur la base de leurs nécessités les plus profondes. Si on parlait de « constructivisme » pour les arts plastiques, le terme employé pour les arts appliqués était « fonctionnalisme » (notion évoquée par l'architecte Sullivan : « Form follows function » – la forme suit la fonction). Dans les vingt premières années du xxe siècle, il existait en Europe plusieurs centres du constructivisme. En Hollande, Piet Mondrian et Theo Van Doesbourg avaient fondé en 1917 la revue *De Stijl*, qui leur permettait de divulguer auprès d'un large public leurs idées sur l'art. Beaucoup d'artistes apportèrent leur contribution à cette revue : poètes, peintres, sculpteurs et architectes, tous ceux qui rêvaient d'une « synthèse de l'art et de la vie ».

Tous les artistes groupés autour de Gropius au « Bauhaus », un institut d'art et de métiers qu'il avait fondé en 1919, partageaient le même rêve. Prenant modèle sur la construction de cathédrales au Moyen Âge et le travail en commun des tailleurs de pierre et des sculpteurs, le Bauhaus s'était donné pour objectif de supprimer le décalage entre art et artisanat. La « construction édifiée en commun » était à leurs yeux le symbole de l'unité sociale, d'une coexistence heureuse entre les hommes. « Erigeons ensemble la construction de l'avenir qui sera une seule et même chose – architecture, sculpture, peinture –, qui s'élèvera dans le ciel grâce aux millions de mains des artisans, comme le symbole d'une foi nouvelle et à venir », écrit Walter Gropius en 1919 dans le *Manifeste et programme du Bauhaus* en reprenant ainsi l'idée d'œuvre d'art totale. Parmi les premiers professeurs de l'école, se trouvaient les peintres Paul Klee, Lyonel Feininger, Josef Albers et Oskar Schlemmer.

Le constructivisme était en fait originaire de Russie : le peintre Casimir Malevitch avait développé à partir du « cubo-futurisme », une fusion de tendances cubistes et futuristes, un concept pictural rejetant toute forme de reproduction de la réalité. En 1914/15, il peignit son premier *Carré noir sur fond blanc* qu'il reprendra souvent par la suite. Il déclara au sujet de cette icône de l'abstraction : « Tout ce qui subsiste encore d'expressif et d'anecdotique dans l'abstraction doit disparaître. » Le *Carré noir sur fond*

Robert Delaunay, *Formes circulaires. Soleil n°2*, 1912-1913. Peinture à la colle sur toile, 100 x 68 cm. Musée national d'art moderne, Centre Georges Pompidou

Paul Klee, *Le Départ des bateaux*, 1927. Huile et encre de Chine sur toile ; cadre d'origine, 50,2 x 64,4 cm. Staatliche Museen zu Berlin – Preußischer Kulturbesitz, Nationalgalerie, Berlin, n° d'inv. NNG/NG 22/67

Dans beaucoup de ses tableaux, Paul Klee ouvre d'une façon enjouée la voie d'un équilibre harmonieux. Le *Départ des bateaux* date de 1927, alors qu'il enseignait au Bauhaus (1920-31). « Plus ce monde regorge d'horreurs (comme de nos jours justement), plus l'art doit être abstrait », avait noté Klee pendant l'année de guerre 1915. Mais dans ses tableaux, la fuite dans l'univers poétique prend souvent les traits de l'ironie. Certaines traces de l'expérience (la flèche rouge par exemple) sont résumées en codes purement graphiques, elles entrent dans le monde autonome des formes comme des éléments de décor empruntés à la réalité extérieure. Le rapport de Klee aux formes d'expression enfantines relève de la même ambiguïté : s'il se sert de leur simplicité élémentaire pour critiquer les conventions et la culture, il était parfaitement conscient des différences existant entre l'art enfantin et un vocabulaire de signes volontairement simplifié, qui doit sans cesse recréer son authenticité.

Kasimir Malevitch, *Carré noir sur fond blanc*, 1914/1915. Huile sur toile, 79,5 x 79,5 cm. Galerie Tretjakov, Moscou

blanc était pour lui l'expression de la sensation pure parce qu'ici toutes les pensées relatives au monde concret avaient disparu. Malevitch appelait son art « suprématisme » parce qu'il était l'expression de la suprématie de la sensibilité sur l'objet. Le mouvement De Stijl et le Bauhaus devaient reprendre à leur compte les leçons radicales de Malevitch. Les artistes de De Stijl cherchaient à éliminer tout arbitraire individuel dans leurs trouvailles. Aussi la composition ne devait-elle répondre qu'à des nécessités esthétiques, en clair, abandonner tout ce qui était figuratif ou narratif. Des compositions reposant sur l'expression de structures mathématiques – carrés parfaits, droites noires se heurtant dans les angles, aplats colorés épurés – caractérisaient le constructivisme hollandais. Pour Mondrian, ces formes sobres signifiaient la plus grande harmonie, l'équilibre et le calme. Il a peint ce genre de composition dans d'innombrables variantes, et bien que se ressemblant toutes à première vue, elles ont chacune leur caractère particulier.

Les principes créateurs de De Stijl ne sont pas restés sans influence sur le Bauhaus. Au début des années vingt, le langage pictural de la plupart des artistes de l'école était encore expressionniste, mais il se fit de plus en plus géométrique, constructiviste. L'engouement général pour les techniques, qui se manifesta pendant la phase de stabilisation de la République de Weimar, encouragea également cette évolution. Des mesures de rationalisation à l'américaine – l'introduction du travail à la chaîne, par exemple – avait relancé l'économie. Les artistes étaient convaincus qu'un art conçu sur des principes analogues aux méthodes de production modernes pourrait retrouver sa place dans la vie de tous les jours. Certains artistes comme le Hongrois László Moholy-Nagy qui enseigna au Bauhaus en 1923 ou bien Kandinsky et El Lissitzky, fraîchement revenus de Russie, jouèrent un rôle important dans la recherche ce nouvel art « moderne ». Kandinsky et El Lessitzky avaient connu le constructivisme russe lorsque la guerre les avait obligés à rentrer dans leur pays. Contrairement à Kandinsky, l'intellectuel, qui se sentait proche de la peinture métaphysique de Malevitch, El Lissitzky s'intéressait de près aux idées avant gardistes d'Alexandre Rodchenko, d'Olga Rozanowa, de Warwara Stepanowa ou de Vladimir Tatline. Après la Révolution d'octobre 1917, les artistes avaient enfin l'occasion de participer activement à la construction d'une nouvelle société. Ils se considéraient

Piet Mondrian, *Composition en rouge, jaune et bleu*, 1922. Huile sur toile, 41 x 49 cm. Staatliche Museen zu Berlin – Preußischer Kulturbesitz, Nationalgalerie, Berlin

Dans ses œuvres, Piet Mondrian, cofondateur du mouvement De Stijl et théoricien dogmatique de ce groupe d'artistes, fit appel aux éléments fondamentaux de la création formelle et du langage visuel – couleur, forme, surface, ligne.
Dans son système géométrique de lignes horizontales et verticales et de couleurs pures – Mondrian privilégiait avant tout les couleurs primaires, rouge, jaune, bleu, et les non-couleurs noir, blanc et gris – Mondrian exclut avec une rigueur toute puriste le caractère représentatif encore présent dans les tableaux cubistes. De plus, dans l'abstraction « pure » de ses compositions de formes et de couleurs indépendantes de l'objet, tout caractère individuel devait être banni. Piet Mondrian devait pourtant associer au langage formel radicalement géométrique de ses œuvres la revendication d'une vision authentique de la réalité, d'une réalité constante et « pure » existant indépendamment de l'image sans cesse mouvante des formes naturelles.

Lázló Moholy-Nagy fut l'ingénieur de la lumière et – à partir d'elle – de la couleur. Cet artiste extrêmement éclectique chercha toute sa vie à transposer « la matière, l'espace et le temps en contours de lumière ». Il considérait en effet la lumière comme l'élément biologique fondamental de la vie. Dans ses photogrammes – photographies réalisées sans appareil – comme dans sa construction du « modulateur d'espace et de lumière » – machine cinétique produisant des ombres et lumières –, la lumière était à la fois sujet central et moyen de création. Dans ses tableaux, l'équivalent pictural de la lumière est donné par l'effet de transparence des couleurs. Les couleurs s'interpénètrent et s'éclairent les unes les autres ; dans les zones de superposition, de nouveaux tons apparaissent. Moholy-Nagy devait ajouter ainsi un facteur spatial aux contrastes de couleurs primaires, géométriques et planes d'un Mondrian. Dans *Composition Z VIII*, les masses des éléments géométriques superposés libèrent la structure plane de sa bidimensionnalité et la transfèrent vers un espace de profondeur virtuelle des couleurs.

comme des « ingénieurs de l'art », des « artistes prolétaires » et voulaient accomplir ce travail de construction par un art qui, sous un angle aussi bien esthétique que pratique, s'orientait vers la production technique. Les peintres abandonnèrent la peinture pure pour exercer des activités dans tous les domaines artistiques au sens le plus large du terme : création d'affiches, de tissus, de mode, typographie, photographie, architecture intérieure, art d'agitation politique, illustration de livres – ils intervenaient partout où ils pouvaient. Tatline osait sortir du domaine traditionnel des arts plastiques en se lançant dans des projets d'architecture audacieux, comme, par exemple, le *Monument à la IIIᵉ Internationale*, une sorte de tour en spirale, ou des machines volantes. Cette démarche osée lui valut la reconnaissance admirative des dadaïstes. Ceux-ci proclamèrent en 1920 à tue-tête : « L'art est mort. Vive le nouvel art mécanique de Tatline ! »

LE DADAISME
1916-1925

Le sens du non-sens

Le dadaïsme fut la réponse de certains artistes à un monde en plein effondrement moral. Tout avait commencé en 1916 dans

un cabaret zurichois, le « Cabaret Voltaire », où un groupe d'artistes réfugiés venus de tous les horizons et inspirés par le futurisme se révoltaient en pleine guerre contre les valeurs et le modèle de la culture traditionnelle, incapables d'innovation selon eux. Concerts *bruitistes*, récitation de poèmes, conférences absurdes, costumes des acteurs confectionnés à partir d'objets usuels, toutes ces manifestations irritaient et choquaient le public. C'étaient – bien que le nom ne fût pas encore inventé à l'époque – les premiers *Happenings*. En créant des œuvres qui retournaient les valeurs traditionnelles contre elles-mêmes et qui ne devaient plus rien à voir avec l'art traditionnel, les artistes entendaient, comme Arp le dit, « protester contre la bêtise et la vanité de l'homme », stimuler la réflexion et le changement dans la façon de penser. « La tête est ronde, disait-il, pour que la pensée puisse changer de direction ». Le caractère cosmopolite du groupe permit à cet art de l'absurde, cet anti-art, de se diffuser en Europe et en dehors de l'Europe. A Paris, à New York, à Berlin et ailleurs, se trouvaient des artistes se réclamant des idées de « dada ». Hans Arp, Richard Huelsenbeck, Johannes Baader et bien d'autres opposaient aux valeurs bourgeoises anachroniques l'irrationnel, le choquant, le hasard,

George Grosz, *Les Piliers de la société*, 1926. Huile sur toile, 200 x 108 cm. Staatliche Museen zu Berlin – Preußischer Kulturbesitz, Nationalgalerie, Berlin

Empoignant fermement bock et sabre, la cravate ornée de la croix gammée et la cavalerie impériale surgissant de sa tête creuse, le « chauviniste » conduit l'assaut des « piliers de la société ». Dans ce tableau d'histoire moderne, le satirique George Grosz réunit une fois de plus toute la galerie des forces réactionnaires de la République de Weimar, du partisan nazi à la belliqueuse « *Reichswehr* » en passant par le journaliste de droite et le prêtre servile. L'artiste s'est servi de la dislocation des formes pratiquée par les dadaïstes comme d'une légitime défense forcené contre l'hypocrisie, l'avidité et la haine. Le choc esthétique généré par la laideur et la distorsion devient une arme. C'est par un art meurtri que Grosz réagit à l'expérience de la violence au sein de la société.

l'absurde. Leur principe était le dépassement des limites dans tous les domaines. Ils s'appelaient dadaïstes, un mot « non-sens », tiré du français « dada » qui désigne un jouet et que Hugo Ball, paraît-il, trouva par hasard en feuilletant un dictionnaire français. Légende ou vérité ? En tout cas, l'anecdote est conforme aux principes dadaïstes de non-sens et de hasard.

Les dadaïstes propageaient l'anti-art. Leur dessein était de créer un art qui rompe avec la conception bourgeoise de l'art, qui se situe en dehors de toute tradition et de toute catégorie historico-artistique. Marcel Duchamp avait eu en 1913 une première idée de génie, espièglerie à l'adresse des « philistins de l'art » : ses *Ready-mades*. Il avait exposé dans une galerie des « œuvres d'art » à lui, se présentant sous la forme d'un égouttoir à bouteilles, d'une roue de bicyclette à l'envers sur un tabouret et d'un urinoir. Son intention était de démontrer que l'art ne devient « art » que dans un lieu d'exposition reconnu, que ce que nous percevons par « art » ne dépend pas uniquement de l'œuvre mais aussi du contexte de sa présentation. L'action polémique de Duchamp est peut-être la remise en question de la notion d'art et du marché de l'art la plus ironique qui ait jamais été formulée.

Les *collages* et les *assemblages* de Kurt Schwitters, le grand créateur des *Tableaux Merz*, ne vont pas aussi loin dans la provocation mais n'en sont pas moins originaux. « merz », mot extrait de Kommerzbank et découpé dans une annonce publicitaire, faisait partie à l'origine d'un collage de Schwitters. Par la suite, il désigna tous les modes d'expression que l'artiste pratiquait. Contrairement aux autres dadaïstes, Kurt Schwitters n'avait pas l'intention de faire de l'anti-art mais restait fidèle à une vision plus traditionnelle. Il s'intéressait à l'art n'obéissant à d'autres lois que les siennes et agissant par lui-même. Mais comme celui des autres dadaïstes, son art avait pour point de départ la catastrophe que représentait la Première Guerre mondiale. « Tout était détruit et il fallait construire du neuf avec des débris ». Il se mit à fouiller dans les poubelles du quotidien des « détritus » avec lesquels il composa ses *Tableaux Merz*. Il n'était pas le seul à « coller » ses tableaux avec des bouts de

papier journal, Hannah Höch, Raoul Hausmann et John Heartfield en avaient fait aussi leur mode d'expression. Mais se démarquant sciemment des *collages* cubistes, ils les appelaient *photomontages* et ne cessaient de répéter qu'ils étaient moins des artistes au sens traditionnel du terme que des monteurs, des « ingénieurs de l'art ».

Bien entendu, les dadaïstes aimaient provoquer et cherchaient à scandaliser, mais l'abolition de l'art était une affaire autrement compliquée : l'attaque violente et nihiliste contre l'art bourgeois que les dadaïstes pensaient lancer avec leur anti-art n'avait d'effet que si les produits et les manifestations dada avaient le statut d'œuvres d'art. Sinon pourquoi être choqué par des objets de la vie courante ? Si la catégorie « art » ne jouait plus le moindre rôle dans le jugement porté, les œuvres dadaïstes perdaient de leur potentiel provocateur et de leur pouvoir explosif. Les artistes avaient donc besoin de l'art comme corrélat pour faire ressentir le choc de l'anti-art.

Ce dilemme mis à part, il était évident que le choc n'était pas un procédé indéfiniment pratiquable et qu'il perdait vite de son impact. Tandis que les dadaïstes hollandais renforçaient leur collaboration avec les constructivistes, que le dada français évoluait vers le surréalisme, l'immense potentiel politique des dadaïstes allemands débouchait sur une nouvelle peinture figurative engagée.

LA NOUVELLE OBJECTIVITÉ 1920-1933

D'un trait incisif

La nouvelle objectivité était un mouvement tendant au dépassement du subjectivisme expressionniste et de l'abstraction cubiste et constructiviste. La peinture n'était plus l'expression d'un sentiment subjectif ni d'une expérience esthétique sur la forme, c'était une représentation détaillée, silencieuse du monde tangible dont l'apparence figée conférait un aspect insolite aux choses familières. Mais elle pouvait tout aussi bien être une dénonciation mordante, voire caricaturale de la société sous la République de Weimar. Cette tendance socio-critique est appelée « vérisme » (du latin « veritas » vérité) en raison de sa manière plutôt crue de traiter le thème de la grande ville moderne. Le vérisme est, selon un critique de l'époque, « la réponse picturale d'artistes pensant en termes sociaux à la situation de crise de l'après-guerre ». Les peintres George Grosz, Rudolf Schlichter et Otto Dix savaient planter d'un trait incisif et appuyé des mutilés de guerre, des gagnants de la guerre et la misère sociale. Un « réalisme magique » étayait cette peinture atttachée à découvrir la véracité des choses. Christian Schad était le représentant le plus marquant du « réalisme magique » : il décrivait avec une attention exaspérée la vie dans la grande ville moderne. Proche de la manière photographique, le langage pictural de Schadest si singulièrement froid qu'il émane de ses tableaux, en dépit de leur réalisme, une impression d'étrangeté, de distanciation. Des aplats compacts, bien délimités par des contours au tranchant métallique, détachent chaque élément pictural du reste de la composition, lui conférant ainsi une acuité plus grande encore. Grâce à leurs formes claires et leur surface lisse, les choses acquièrent une présence propre, nouvelle. La peinture de Schad paraît si lointaine qu'elle incite à la réflexion.

La tension entre réalisme et sentiment d'irréalité qui marque les œuvres de la nouvelle objectivité se retrouve aussi dans le surréalisme, mais sous une forme exacerbée.

LE SURRÉALISME 1924-1945

Images du tréfonds de l'âme

Alors qu'en Allemagne le dadaïsme avait évolué au début des années vingt en une peinture engagée, politiquement et socialement, en France, les artistes intégrèrent à leur peinture le principe dadaïste de l'illogique, de l'irrationnel et du fortuit pour explorer le domaine de l'inconscient. Eux non plus ne croyaient pas à la réalité visible et cherchaient par conséquent une réalité globale, une surréalité. A l'instar de l'expressionnisme, le surréalisme ne se limita pas à l'art plastique, mais investit aussi la littérature en tant qu'« attitude face à la réalité ».

Les découvertes de la psychanalyse furent également un ferment du surréalisme. Les recherches de Freud sur l'interprétation des rêves avaient démontré qu'il existe dans la vie psychique une barrière entre la conscien-

Christian Schad, *Sonja*, 1928. Huile sur toile, 90 x 60 cm. Collection particulière

Otto Dix, *Les Parents de l'artiste,* 1924. Huile sur toile, 118 x 130,5 cm. Sprengel Museum, Hanovre

Le réalisme d'Otto Dix est caractérisé par des tensions extrêmes et une grande justesse d'observation. Pendant la Première Guerre mondiale, le jeune peintre de Dresde fut le témoin du potentiel de destruction humain. Les expériences de la guerre, qu'il traduisit dans des grands formats à la manière des maîtres anciens, ont fortement marqué sa conception du monde. C'est ainsi que le dadaïsme fut le bienvenu pour raccommoder tant bien que mal sur la toile les lambeaux d'un monde déchiré.
Mais Otto Dix n'a pas trouvé les lieux d'expériences extrêmes sur les seuls champs de bataille. Le milieu des prostituées fait aussi partie de son champ d'expérience : jusque dans les recoins les plus intimes du corps, armé d'une distante objectivité, il dépeint l'imbrication étroite entre éros et décadence. Ses portraits participent d'ailleurs de la même précision anatomique et font percevoir la même tension entre l'individu et son rôle social. Dix a inscrit le vécu de ses modèles dans la surface visible. C'est ainsi que dans le portrait de ses parents peint en 1924, les mains avancées vers le spectateur racontent le rude labeur de leur vie pendant qu'ils posent pour leur fils dans une pose fière empreinte de rigidité.

ce et l'inconscience, et que penser, sentir, agir sont dictés par des forces inconscientes. Les artistes s'essayèrent à un domaine qui leur était jusqu'alors inconnu. Le monde des rêves prit une importance essentielle aux yeux des surréalistes puisque l'inconscient se manifestait essentiellement dans l'état de rêve et de transe. « Je crois, disait André Breton, à la résolution future des deux états, apparemment si contradictoires, en une sorte de réalité obscure, la surréalité ». Avec cette profession de foi, Breton donnait son nom au mouvement qu'il avait initié.

Un groupe d'artistes cosmopolite – artistes plasticiens comme écrivains – partageaient la conviction qu'il existe à l'envers de la vie quotidienne consciente un immense réservoir d'expériences inexploitées qu'il suffit de faire naître au moyen de rêves ou d'hallucinations. Les peintres les plus marquants de ce groupe étaient les Espagnols Salvador Dalí et Joan Miró, l'Allemand Max Ernst, le Belge René Magritte et la Mexicaine Frida Kahlo, pour ne nommer que ceux-là. Chacun recherchait son propre langage de manière autonome mais toujours dans le but de « substituer la réalité intérieure au monde extérieur réel. » Tandis que certains se trempaient dans le monde onirique et objectif, et révélaient sur un mode narratif un univers

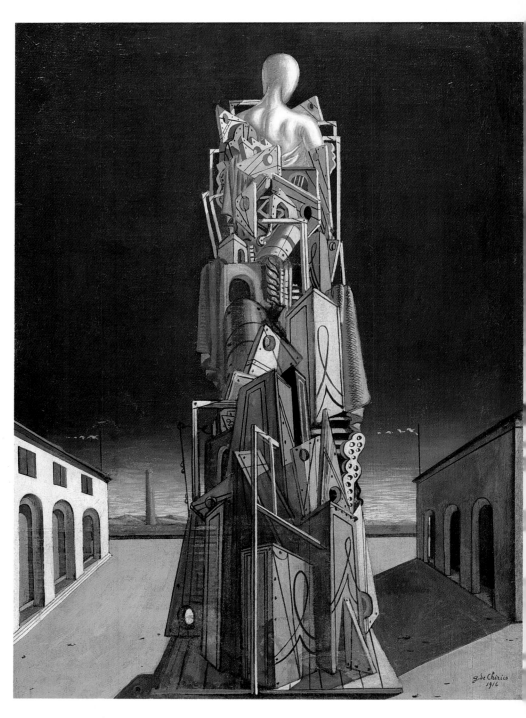

Giorgio de Chirico, *Le Grand Métaphysique*, 1916. Huile sur toile, 110 x 80 cm. Staatliche Museen zu Berlin – Preußischer Kulturbesitz, Nationalgalerie, Berlin

Le jeune Giorgio de Chirico n'a peint ses tableaux frappants d'un genre inédit que pendant une courte période. Ces œuvres montrent des lieux déserts et se présentent comme des collages d'objets magiquement arrangés. L'histoire de l'art du XXᵉ siècle est impensable sans ces tableaux, qui deviendront des modèles pour Max Ernst, René Magritte, Salvador Dalí et bien d'autres artistes. Dans l'œuvre ultérieure très vaste qu'il peignit après 1920, de Chirico se copiera souvent lui-même ; au demeurant, il n'aspirera plus qu'à un art classique : sa manière devint néo-baroque-impressionniste. Mais la nostalgie du classicisme, son apparente nécessité et sa constante actualité, avaient déjà influencé les premières œuvres de ce peintre d'origine grecque, qui opta plus tard pour la nationalité italienne. Ce classicisme, c'est dans l'architecture italienne et dans la géométrie de la peinture de la pré-Renaissance qu'il le trouvera : chez Paolo Uccello et Piero della Francesca. Avec une virtuosité certaine, de Chirico devait fusionner d'une part leur agencement clair de l'espace, où les objets sont isolés comme des éléments statuaires, et d'autre part la dislocation de l'espace scénique rationnel de la Haute Renaissance en des perspectives diagonales discontinues, se servant pour cela de schémas irrationnels peints en trompe-l'œil et oscillant entre le plan et la tridimensionnalité. Il en ressort souvent une certaine parenté avec l'agencement cubiste de la toile. En revanche, les aspects irrationnels et inquiétants relèvent d'une toute autre parenté. De Chirico avait étudié à Munich, où il s'était passionné pour Arnold Böcklin. Même dans l'autonomie de son langage pictural moderne, la peinture de de Chirico est encore empreinte de la symbolique énigmatique et indéchiffrable de *L'Île des morts* – il est vrai que dans ses tableaux, les aspects littéraires, psychologiques et narratifs du XIXᵉ siècle ont cédé la place à des marionnettes autonomes et à l'atmosphère abstraite d'une statuaire très éloignée de l'humain.

Salvador Dalí, *Persistance de la mémoire*, 1931. Huile sur toile, 24,1 x 33 cm. Museum of Modern Art, New York. Given anonymously.

SALVADOR DALÍ

Dalí faisait partie du groupe des surréalistes parisiens depuis cinq ans lorsqu'en 1934, le tableau *Persistance de la mémoire* fut présenté dans une galerie new-yorkaise avant d'entrer au célèbre Museum of Modern Art. C'est à cette époque que commença la « carrière de star » de l'Espagnol, carrière qui sera jalonnée d'actions spectaculaires, surtout aux Etats-Unis. Les « montres molles » devinrent un des « labels » de son art. Il les reprit dans d'autres tableaux, gravures et décors de théâtre. Dans certaines caricatures de journaux, elles coulent le long de la poignée de porte de sa chambre d'hôtel, apparaissent sous un dessus de lit ou prennent la place d'une langue tirée au spectateur.

Tous ces facteurs semblent contredire l'inspiration poétique d'un surréalisme imprévisible tel qu'il se présentait chez Max Ernst et Joan Miró. D'un autre côté, le surréalisme fut et reste moins un style de production artistique déterminée qu'une attitude face à la réalité. La manifestation d'une réalité marquée par les habitudes et les normes devait être « amollie » et s'ouvrir à des associations imaginaires fluides, telles qu'elles sous-tendent le rêve. Les idées fixes qu'on peut implanter dans de nombreux esprits – comme précisément des montres molles – étaient les bienvenues pour diffuser cette attitude de la « concrète irrationalité ».

Le psychanalyste Sigmund Freud décrit le fonctionnement du psychisme humain par une couple de concepts simples : le « principe de réalité » assure l'adaptation au monde, mais est constamment infiltré par le « principe de plaisir ». Pour Dalí, les montres, c'est-à-dire des instruments de mesure normés, incarnent le principe de réalité, tandis que le mou, le « mangeable » appartenait au principe de plaisir. Par ailleurs, on relève dans les tableaux de Dalí un rapport entre les perceptions du temps et de l'espace. Les montres qui commencent à se liquéfier spatialement et temporellement font songer à l'« écoulement » du temps. Il en résulte l'impression d'un espace-temps de la mémoire se dissipant dans le lointain, où l'inexplicable intervient sans cesse et conditionne inconsciemment l'expérience du présent.

absurde, ourdi de phantasmes, d'autres se consacraient aux mécanismes créatifs dictés par l'inconscient. En représentant d'une manière réaliste des situations on ne peut plus irréelles, Giorgio de Chirico et Salvador Dalí cherchaient à percer le processus de la pensée au travers d'un monde pictural déroutant et captivant. De Chirico appelait ses œuvres, où semblent régner des forces surnaturelles, sa « peinture métaphysique » (« *pittura metafisica* »). Les peintres surréalistes devront beaucoup à ses tableaux énigmatiques et magiques, peints au début du siècle. Les œuvres de Dalí sont comme des visions oniriques projetées dans la lumière du jour, des images chargées de signes et de chiffres qui atteignent l'observateur à un niveau de sensibilité situé au-delà de toute logique et de toute vision du monde rationnelle. Dalí, qui prétendait être un « photographe de rêves », appartenait au groupe des surréalistes « illusionnistes ». L'étrangeté

Joan Miró, *L'Or de l'azur*, 1967.
Acrylique sur toile, 205 x 173,5 cm.
Fundació Joan Miró, Barcelone

« Je ne fais aucune différence entre peinture et poésie », a dit Miró. Et de fait, le concept d'« abstraction lyrique », qui a parfois servi à décrire la peinture de Kandinsky ou d'autres, semble s'appliquer tout particulièrement à Miró. Il est vrai que Miró ne fut jamais un peintre totalement abstrait. De même que la poésie moderne (celle du surréalisme par exemple), n'innove guère sur le plan des formes lexicales et préfère créer de nouvelles images à partir de mots familiers, de même les signes flottants de Miró partent de détails formels familiers, le plus souvent d'origine organique.

Max Ernst, *La Grande Forêt*, 1927.
Huile sur toile, 114 x 146 cm. Kunst-museum, Bâle

Par la diversité de son œuvre, Max Ernst fut sans doute l'artiste qui contribua le plus à fonder la peinture surréaliste. Dès 1919, sous le nom de « Dadamax », il avait réalisé des dessins « naïfs » d'appareils hybrides fictifs.
Peu après, ses petites machines et ses *collages* dadaïstes prirent la forme autonome d'organismes microscopiques. Ils semblent animés par des pulsions internes. Ernst commença ensuite à transposer ce qu'il avait appris de ses lectures de Freud à propos des symboles, des images de substitution et des mécanismes du refoulement, intégrant désormais ses figurations dans une dimension spatiale suggestive indéterminée empruntée à de Chirico. Tout ceci fit insensiblement de lui un surréaliste bien des années avant que ce terme entre dans l'usage courant. Après 1924, l'art de Max Ernst devint plus pictural. Ses figurations surgissaient d'une structure colorée couvrant toute la surface du tableau. C'est ainsi qu'il réalisera de nombreuses « Forêts ». Celles-ci montrent une nature qui n'a rien d'une représentation, mais qui semble plutôt avoir en quelque sorte poussé dans le tableau lui-même.

de son monde figuratif ouvre à l'observateur les portes d'images doubles, d'une réalité derrière la réalité visible.

Le Belge René Magritte interpréta lui aussi la réalité, mais selon la démarche inverse : il ne voulait pas faire surgir l'expérience refoulée dans l'inconscient à travers des mondes visionnaires et traumatiques, mais associer un élément étranger au motif familier. « On a, dit le peintre, trop souvent l'habitude de rapprocher l'étrange de ce qui est familier par un jeu de l'esprit. » Il cherchait, dans ses tableaux subtils, à atteindre l'inverse : « Je m'efforce de renvoyer ce qui est familier à ce qui est étrange. » Son tableau, *L'Empire des lumières*, ne déroute qu'au second coup d'œil : un paysage nocturne avec une maison éclairée au milieu est couvert d'un ciel d'été brillant avec une lumière diurne. Le jour et la nuit sont si plausiblement associés que la contradiction prend l'apparence de la vérité. En énonçant une proposition étrange, le tableau oblige l'observateur à se demander pourquoi la réalité est comme elle est et pas autrement. Magritte, influencé par le surréalisme, se mit dans les années vingt à démontrer avec une intensité aiguë les différences qui existent entre l'art et la réalité. Imaginant toujours de nouvelles associations – par exemple, sa fameuse pipe sous laquelle il écrivit : « Ceci n'est pas une pipe » –,

il cherchait à déclencher chez l'observateur de nouvelles associations métaphoriques ou oniriques qui devaient bouleverser l'idée qu'il se faisait du monde. Pour Magritte, la peinture était avant tout « un art de penser ». Le peintre éveille dans notre conscience la relation entre apparence et réalité, entre image et copie, une idée qui fut reprise d'ailleurs dans les années soixante par certains artistes. Jasper Johns, par exemple, intitula un de ses tableaux représentant le drapeau américain : « Is it a flag or is it a painting – est-ce un drapeau ou un tableau. »

L'étrangeté du monde figuratif – des tableaux surréels de Dalí ou de la « peinture de penser » de Magritte – n'est que l'une des nombreuses possibilités de pénétrer dans les profondeurs de l'inconscient. Un autre moyen était de laisser faire le hasard, c'est ce principe qu'adopta Max Ernst. Il était l'un des surréalistes les plus curieux de nouvelles techniques, il expérimenta le *frottage*, le *grattage* et la *décalcomanie*. Intégrées à sa peinture, elles lui permettaient de créer des structures abstraites. Si elles n'exprimaient rien à première vue, elles étaient pareilles à des paysages de nuages générateurs d'images. Ernst s'inspira souvent de structures nées du hasard en leur empruntant des motifs. Une telle démarche n'était pas différente du test « Rorschach » connu

en psychologie : l'interprétation figurative d'une tache colorée non-figurative renseigne sur la pensée et la sensibilité enfouies dans l'inconscient. Un procédé du même type est *l'écriture automatique* qui exclut théoriquement tout contrôle mental conscient : le peintre donne libre cours à ses pensées et à ses gestes comme en état d'ivresse. Les surréalistes voyaient en ce procédé une possibilité de porter sur la toile ou le papier des images non filtrées arrachées aux profondeurs de l'inconscient. Cette technique sera redécouverte dans les années quarante et cinquante par les peintres de l'informel, en particulier Jackson Pollock qui l'utilisera dans son *Action Painting.* Les figurations écrites « automatiquement » représentent à la fois une documentation sur des dispositions psychiques et un terrain d'associations pour l'observateur. Les œuvres de Joan Miró, bien qu'étant basées sur une composition réfléchie, peuvent être regardées aussi comme des aires de jeux. Influencé par l'art populaire catalan, Miró développa un langage à base de signes graphiques poétiques, aux formes et aux couleurs suggestives et chargés d'évocations métaphoriques. Ses inventions oscillent entre la *figuration* et l'*abstraction*, leurs lignes souples et enlevées, leurs étoiles, leurs cercles et leurs soleils suscitent l'imagination et le rêve. Les tableaux sont poétiques et drôles, ils vivent aussi de leur coloris et de leur vitalité linéaire. Les éléments picturaux semblent communiquer entre eux et danser ensemble. Les œuvres de Miró ressemblent d'une certaine manière à la première peinture abstraite de Kandinsky. Les tableaux de Miró sont faits eux aussi pour « faire vibrer l'âme de l'observateur ». L'exploration surréaliste des profondeurs de l'âme était par définition une démarche individualiste. Les événements politiques – le national-socialisme en Allemagne, le fascisme en Espagne et en Italie, puis la Seconde Guerre mondiale – ne sont pas évoqués directement dans les tableaux surréalistes, à part quelques exceptions. L'attitude politique des surréalistes s'exprime par la défensive : se tourner vers le monde intérieur peut s'expliquer comme une aversion pour le monde extérieur, un monde qui est en train de s'autodétruire de façon consciente. La Guerre et l'oppression national-socialiste

avaient interrompu la production et l'évolution de l'art européen, surtout allemand. La grande exposition de Munich sur l'« art dégénéré » qui eut lieu en 1937, constitua le prélude d'une campagne de haine contre les artistes modernes ou avant-gardistes qui ne se pliaient pas au pseudo-réalisme de l'art national-socialiste. Les œuvres des plus grands artistes contemporains disparurent des musées, furent détruites ou vendues à l'étranger. Les artistes furent interdits d'activité ou même persécutés. Beaucoup partirent en émigration. Un nombre important d'artistes européens s'installèrent aux Etats-Unis, en particulier à New York qui devint ainsi dans les années quarante un grand centre artistique. Certains surréalistes s'y retrouvèrent. Bien qu'ayant déjà dépassé son point culminant, le surréalisme était encore en mesure de donner des impulsions à l'art de l'après-guerre.

René Magritte, *L'Empire des lumières,* 1954. Huile sur toile, 146 x 114 cm. Musées royaux des Beaux-Arts de Belgique, Bruxelles

Dans son art, Magritte, qui extérieurement fut toute sa vie un personnage tout à fait bourgeois, remettait en cause l'ordre des choses : des objets inertes y sont pourvus d'yeux, des reflets disparaissent comme par enchantement, des rues nocturnes sont placées sous l'éclat d'un ciel diurne. Le monde semble avoir des brèches, le sens de l'orientation et la sécurité du monde familier s'évanouissent. Dans beaucoup de tableaux, Magritte obtint cet effet par de surprenantes combinaisons d'objets dont la matière ou les proportions sont sensiblement modifiées. Entre ces objets passe une « étincelle poétique », comme le disent les surréalistes : le hasard, l'inspiration subite et l'absurde y reçoivent un sens inexplicable. Il en va un peu de même pour les titres que Magritte donne à ses tableaux. Ils sont surréalistes en ceci qu'ils sont parfois sans rapport avec l'image. Parfois cependant, des associations d'idées jettent un pont fugace au-dessus des abîmes ouverts par ce procédé.

Le nouvel art du Nouveau Monde

ABSTRACTION ET PEINTURE FIGURATIVE

Depuis 1945

L'EXPRESSIONNISME ABSTRAIT 1945-1960

L'abstraction, langue universelle

Le désir de commencer une nouvelle vie était très fort chez les gens après la Seconde Guerre mondiale. On était heureux que la guerre qui avait ravagé l'Europe entre 1939 et 1945 soit enfin finie, on espérait vivre désormais dans la paix et l'aisance. On voulait oublier les horreurs de la Guerre, en particulier en Allemagne où le passé récent pesait sur la conscience individuelle et collective. Le fascisme, la guerre et l'Holocauste avaient ébranlé toutes les valeurs éthiques dans leur fondement. Le lancement de la première bombe atomique sur Hiroshima par l'armée américaine pendant l'été 1945 avait choqué les esprits et donné conscience des effets terribles que pouvaient avoir de nouvelles technologies. La peur de la bombe atomique allait dominer la décennie. Dans les années cinquante, en pleine guerre froide, lorsque les superpuissances se livrèrent un véritable combat idéologique, le danger d'une nouvelle guerre était toujours aussi grand. Le monde occidental ne pouvait toujours pas respirer.

Dans l'art de l'après-guerre régnait une certaine désorientation, surtout en Europe. Que faire maintenant ? On cherchait un point de départ. La destruction d'œuvres plastiques par les nazis avait conduit à un appauvrissement sur le plan artistique. Des avant-gardistes célèbres comme Chagall, Albers, Moholy-Nagy, Mondrian, Duchamp, Grosz, Ernst ou Dalí avaient fui la persécution nazie et s'étaient installés aux Etats-Unis où on sentait moins les répercussions de la guerre.

La situation économique des USA autorisait un mécénat privé plus généreux, ce qui aurait été inimaginable en Europe. En Amérique, le sponsoring artistique était devenu une tradition. Depuis « l'Amory Show » de 1913 qui avait fait connaître l'avant-garde européenne, les amateurs d'art avaient un faible pour les expressionnistes, les cubistes et les surréalistes. On regardait même avec une certaine envie la richesse culturelle de l'Europe dont le centre indiscuté était, depuis les impressionnistes, Paris. Pour combler le « déficit artistique » ressenti comme un vide culturel très désagréable, mais pour aussi, comme le disait Mrs. Rockefeller, l'une des cofondatrices du Museum of Modern Art, « épargner aux artistes contemporains, un destin pareil à celui de Van Gogh qui n'avait pu gagner assez d'argent avec ses tableaux pour s'acheter du pain », fut ouvert en 1929 un musée financé par des fonds privés et consacré à l'art moderne : le Museum of Modern Art de New York, l'un des musées d'art du XXe siècle les plus riches et les plus renommés du monde. Suivant ce modèle d'engagement artistique privé, s'ouvrit à New York dix ans plus tard le Guggenheim Museum. Au début, le musée fut consacré à l'art non-figuratif comme

---

1945 La capitulation du Japon met fin à la Seconde Guerre mondiale.

1953 Mort de Staline le 17 juin. Insurrection ouvrière en RDA.

1959 La victoire de Fidel Castro à Cuba exacerbe le conflit Est-Ouest (menaces de missiles entre les

Dresde en ruines après le bombardement du 12.2.1945

USA et l'URSS) : jusqu'en 1962, apogée de la Guerre froide.

1961 La construction du mur de Berlin entérine la division de l'Allemagne en deux États.

1963 John F. Kennedy est assassiné à Dallas.

1964 Nikita Khrouchtchev est renversé. Le conflit vietnamien conduit à des actions militaires ouvertes.

1965 Début de la révolution culturelle en Chine (jusqu'en 1967).

1968 Apogée des troubles estudantins et vague de grève en Europe. En Tchécoslovaquie, le « printemps de Prague » est réprimé par les troupes du pacte de Varsovie.

1969 Premier alunissage d'une fusée américaine : « Apollo 11 ».

1974 Aux Etats-Unis, l'affaire du Watergate provoque la chute du président Nixon. Instauration de la démocratie au Portugal.

1975 Après la mort de Franco, l'Espagne devient une démocratie.

Le président américain John F. Kennedy à Berlin en 1963.

1979 L'ayatollah Khomeini établit une « République Islamique » en Iran. Entrée des troupes soviétiques en Afghanistan.

1980 Troubles politiques dans plusieurs pays d'Afrique. Double-résolution de l'ONU.

1981 En Pologne, les manifestations ouvrières conduisent à la proclamation de l'état de guerre. Début du retour au conservatisme aux Etats-Unis.

1983 Montée du mouvement international pour la paix contre les armes atomiques, propositions politiques pour la réduction des armes nucléaires.

1984 La Chine entreprend une réforme économique comportant des éléments capitalistes. Troubles sanglants en Inde après l'assassinat d'Indira Gandhi.

1985 Mikhaïl Gorbatchev est élu secrétaire général du P.C. soviétique et introduit un courant de réformes (Perestroïka).

1987 L'URSS et les USA signent l'« option double-zéro » pour la limitation et le démantèlement des fusées à moyenne portée.

1990 Réunification de l'Allemagne et premières élections générales allemandes après la guerre. Changement des stratégies politiques à l'Est et à l'Ouest. Crises politiques après l'éclatement de l'URSS en Etats indépendants.

1994 Victoire de la majorité noire aux premières élections libres en Afrique du Sud.

D'innombrables cinéphiles et lecteurs
de romans du monde entier ont une
certaine image de ces héros solitaires
qui peuplaient les villes de l'Amérique
des années 30 et 40. Les tableaux de
Hopper semblent correspondre en tout
point à cette image ; et de fait, il existe
des influences réciproques entre la
peinture de Hopper et le cinéma. Mais
Hopper ne raconte pas des histoires.
Les motivations, l'avant et l'après n'ont
aucune importance dans ses tableaux,
dont l'effet spatial fait souvent songer à
de Chirico. Chez Hopper aussi, le temps
semble figé comme dans un moment
de surprise où l'on reconnaît un ami.

'indique son nom entier : « Museum of non-
objective art », mais il élargit bientôt sa collection à d'autres courants. C'est grâce à ces
deux institutions, à des mécènes et à des
collectionneurs privés que New York devint
dans les années quarante la capitale culturelle, reprenant le flambeau de Paris, la ville
des arts par tradition.

A New York, sans se faire remarquer, s'était
développé un monde des arts qui pratiquait
un réalisme proche de la nouvelle objectivité.
Le rôle joué par les artistes européens exilés
en Amérique dans l'émergence de ce mouvement n'avait pas été minime. Ses principaux
représentants étaient Grant Wood, Andrew
Wyeth et Edward Hopper. Après la Guerre,
c'est lui qui devait donner le ton dans le con-
cert international. Le morceau qu'il jouait
s'appelait « abstraction ». La mélodie était déjà
connue : au cours des deux premières décennies du siècle, on avait entendu jouer les
premières notes d'un nouveau mouvement
stylistique. Les expressionnistes Kandinsky et
Klee, les constructivistes du Bauhaus, les peintres de l'avant-garde russe et les surréalistes
avaient préparé le terrain. Les vétérans de l'art
moderne classique représentaient maintenant
le lien entre la période d'avant et d'après-
guerre.

Dans le monde occidental d'après-guerre, on
refusait toute forme de peinture figurative
pour des raisons plus idéologiques qu'esthétiques. En effet, on associait automatiquement
l'art figuratif à *l'art national-socialiste* ou au
réalisme socialiste qui était considéré à l'Est
comme fidèle à la ligne politique. La peinture
abstraite, en revanche, semblait par sa franchise
et son contenu sans contrainte la seule à con-

venir à l'« Ouest libre ». Au demeurant, on
préférait sûrement regarder des tableaux non
figuratifs plutôt que ceux de Carl Hofer qui
dépeignaient la réalité de la Guerre et de
l'après-guerre de manière hallucinante. La
peinture abstraite s'imposa dans les années
cinquante comme le style pictural prééminent.

L'expressionnisme abstrait –
tachisme, informel, Action Painting

« L'abstraction, langue universelle » est souvent appelée aussi l'art du recommencement
à zéro. Bien qu'après 1945 l'art n'ait pas
connu justement d'« heure zéro », puisque ses
antécédents remontent à l'art de la première
moitié du XXe siècle, la fin de la Guerre annonçait cependant une nouvelle ère artistique.
L'art fut redéfini. Personne ne croyait plus re-
faire le monde avec un pinceau. Barnett
Newman se souvient avoir eu en 1941 « le
sentiment que le monde allait à sa fin. Mais la
peinture y perdait toute signification, toute justification. Impossible de peindre encore des
fleurs, des figures, des hommes. La question
était de savoir ce qui était encore possible. »
Les peintres de l'après-guerre soumirent la
peinture à rude épreuve : ils lui enlevèrent sa
fonction traditionnelle de reproduction de la
réalité en la laissant s'exprimer sans maquil-
lage, sans fonctions représentatives. Mais les
artistes, à la différence de ceux de la Première
Guerre mondiale, ne cherchaient pas créer de
nouvelles valeurs ou d'utopies. Ils gravitaient
en quelque sorte autour d'eux-mêmes, à la recherche de formes d'expression individuelles.
Le résultat fut l'éclosion d'un nombre incroyable
de styles et de courants nouveaux. Les peintres abstraits français Georges Mathieu et

Jackson Pollock, *Numéro 32*, 1950.
Laque sur toile, 269 x 457,5 cm.
Kunstsammlung Nordrhein-Westfalen,
Düsseldorf

Dans une action à la fois contrôlée et
conditionnée par le hasard Pollock recouvre la toile d'éclaboussures et de
coulures de peinture. L'absence de toute
mise en scène d'une répartition des
masses ou de relations harmoniquement
composées souligne la pure surface du
tableau. En cela, Pollock radicalise la tendance du Monet tardif, de Cézanne, des
cubistes et des peintres abstraits de la
génération précédente. La peinture con-
serve néanmoins la faculté de produire
des formes figuratives et un espace illusionniste. Dans la trame noire ni tout à
fait chaotique, ni à l'inverse à motif récurrent, le spectateur peut en effet projeter
ses propres figures spatiales, c'est-à-dire
faire reculer ou avancer certains com-
plexes de couleurs par rapport à d'autres.

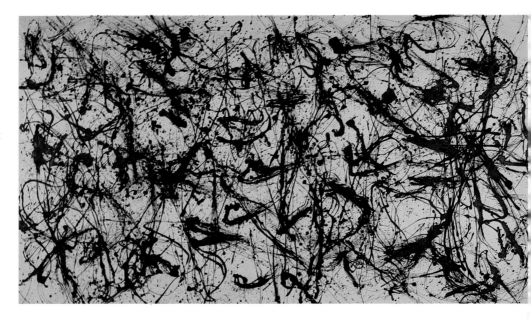

Wols avaient élaboré à partir de l'*écriture automatique* une peinture basée sur des éléments colorés de forme imprécise qu'ils ap-
pelèrent « tachisme ». Des peintres allemands
comme Willi Baumeister, Ernst Wilhelm Nay,
Karl Otto Götz ou K.R.H. Sonderborg s'en
inspirèrent pour mener leurs propres recherches. En Allemagne, on classa l'art
abstrait dans la catégorie art « informel »,
c'est-à-dire sans forme, sans figuration.

La peinture n'était plus soumise à aucun
canon, à aucune règle contraignante relative
à son contenu et à sa manière. Le seul critère
désormais valable était la subjectivité de
l'artiste, apparue pour la première fois dans
l'expressionnisme d'avant-guerre. L'artiste était
libre de tenir compte ou non des conventions
esthétiques ou des modèles de composition
traditionnels. Mais la liberté artistique née de
l'abandon de règles n'était pas un atout pour
le grand public qui avait du mal à comprendre ce nouvel art. Beaucoup de gens
n'arrivaient pas à se faire à l'idée que la peinture abstraite qui ne reflétait pas la vie de tous
les jours, puisse être fêtée comme l'expression du sentiment de la vie moderne. Pour
beaucoup aussi, ces tableaux étaient de
simples barbouillages de dilettantes qui ne
méritaient pas l'intérêt qu'on leur portait. Le
trait le plus marquant de ces tableaux est
qu'ils ne représentaient plus ce qu'on pouvait
lire et reconnaître au premier coup d'œil. Pour
les observer, il fallait regarder autrement. Il
s'agissait moins en effet de « lire ce qu'il y
avait dans un tableau » que de « regarder
dans le tableau », un processus qui exige

imagination, concentration, méditation et
interrogation sur soi-même. En ce sens, cette
peinture correspondait bien à l'époque.
L'observateur était renvoyé à lui-même par
l'absence évidente de « message » dans le tableau. Il était obligé de méditer sur lui-même
et son environnement.

Jackson Pollock, le représentant le plus marquant de « l'expressionnisme abstrait » américain avec Robert Motherwell et Willem de
Kooning, conseillait à son public d'« essayer
de prendre ce que le tableau lui offrait et non
d'apporter avec lui un sens et une opinion
préconçue dont il chercherait la confirma-
tion ». Cette manière de regarder, Léonard de
Vinci l'avait déjà préconisée dans son *Traité
de la peinture* datant de 1500 : « Une nouvelle manière inventive de regarder se manifeste quand tu observes certains murs
parsemés de taches. Si tu as à inventer une
situation, tu peux y apercevoir des choses qui
ressemblent à des paysages. Des choses
indéfinies et confuses poussent en effet
l'esprit à de nouvelles inventions. »

Ce commentaire s'applique aussi aux tableaux
de Jackson Pollock. Mais Pollock ne prenait
pas les anciens maîtres pour modèles. Au
contraire : il fit tomber la peinture traditionnelle,
au sens propre comme au sens figuré. Au lieu
de poser sa toile sur un chevalet, il l'étalait par
terre. En voyant Pollock, les pinceaux dans une
main, une boîte en fer trouée dans l'autre, faire
ruisseler la couleur sur la toile étalée sur le sol,
en le voyant faire gicler la peinture par gestes
rapides, en le voyant enfin tourner autour de la
toile comme un derviche, on ne pouvait plus

Wols, *Peinture*, 1946/1947. Staatliche
Museen zu Berlin – Preußischer Kulturbesitz, Nationalgalerie, Berlin

parler de peinture au sens traditionnel du mot. C'est un critique qui utilisa le qualificatif de « Action Painting » (peinture d'action) pour définir cette manière de peindre dynamique et gestuelle. Ce terme est déjà très explicite en lui-même : pour Pollock, peindre était une action, un acte réel – bien que proche souvent de l'ivresse ou de la transe. Le peintre ne pouvait jamais dire à l'avance à quoi ressemblerait le produit final. Pollock trouvait les titres de ses tableaux *a posteriori*, selon ce que lui suggérait la structure née de son « dripping » (la couleur ruisselle depuis le haut de la toile). La plupart du temps, cependant, il leur donnait un numéro ou la date de création, ou mieux encore, il faisait sciemment l'impasse sur le titre afin de laisser au spectateur toute liberté d'interprétation.

Les peintres abstraits évitaient de fournir des points de repère pour permettre à l'observateur, devenu pour un instant un second artiste, de créer son propre tableau. La toile peinte était à la fois prétexte et modèle. Si par une telle étude créative et interprétative, le tableau est forcément toujours actuel et contemporain, il ne se crée en fait qu'au moment de l'observation et de la réflexion. Tant que l'observateur n'attribue pas de signification possible au réseau de fils et de cordes de peinture, l'œuvre se révèle comme une simple toile brute avec de la peinture dessus, c'est-à-dire une chose qu'on qualifierait plutôt d'« artisanal » que d'« artistique ». Mais parce qu'il reproduit un bout de réalité en tant que « preuve » et document d'un processus de travail, le tableau prend une dimension réaliste aussi dans son abstraction. Il est une image réaliste de la réalité. Les traces de peinture sont les traces cinétiques de la vie même. Le tableau n'est plus un simulacre, une fiction, il est le compte rendu exact d'une action véritable. Pour renforcer le caractère réaliste de leurs tableaux, la plupart des peintres expressionnistes renonçaient aux lourds cadres qui isolaient les œuvres du milieu ambiant.

En outre, la peinture *all-over* (peinture couvrant tout) de Pollock avec ses gouttes privées de centre de gravité, pulvérisées sur tout le champ de la toile, donne l'impression que les taches pourraient se poursuivre indéfiniment, hors des limites du cadre. Les impressionnistes avaient déjà utilisé ce procédé pour créer une impression de réalité. Jack « the Dripper » renforçait encore l'effet d'immédiateté en choisissant de travailler à une échelle monumentale. Et ses toiles pareilles à des murs se trouvent face à l'observateur. Son regard ne peut les éviter. Elles sont une composante du milieu ambiant.

Couleurs silencieuses et surfaces profondes – l'abstraction géométrique

A peu près au même moment, une nouvelle abstraction voyait le jour : l'abstraction géométrique. Elle se voulait le pendant de l'abstraction lyrique de Pollock ou de de Kooning en évitant toute conclusion sur l'état d'esprit de l'artiste ou sur le processus de création du tableau. Les peintres de l'abstraction géométrique évacuaient le tableau de l'écriture personnelle pour le remplir de surfaces de couleurs lisses et claires. Un tableau ne devait plus rien avoir de ce qui rappelait même de loin le figuratif, mais se transcender lui-même en tant que matérialité visuelle, en tant que peinture pure. L'observateur devait pouvoir se concentrer sur l'image sans se dissiper en réflexions inutiles sur le pourquoi et le comment du tableau. La confrontation était le seul sens de cette peinture : d'un côté, la peinture, de l'autre, l'observateur. La chaîne imaginée par Kandinsky, père de l'abstraction, « artiste – œuvre – observateur » – fut réduite à ses deux derniers maillons : l'observateur face au tableau.

Le grand dessein de peintres comme Barnett Newman, Marc Rothko et Ad Reinhardt était de créer des tableaux de méditation et d'absorption. La philosophie orientale jouait depuis longtemps un grand rôle dans l'art d'avant-garde, ainsi qu'en témoignent Newman et ses tableaux dominés par le concept de champ total. Ce sont précisément les « vides » qui laissent à l'observateur une place inhabituellement grande pour ses propres sensations. Le temps et l'espace perdent de leur importance devant des tableaux généralement monumentaux. L'observateur se trouve face, comme c'est le cas avec les toiles de Newman, à des surfaces colorées qui donnent au bout d'un moment l'impression de vibrer et de s'animer de façon menaçante. La question de Newman : Who's Afraid of Red, Yellow and Blue ? (Qui a peur du rouge, du jaune et du bleu ?) trouve ici sa justification.

Willem de Kooning, *Woman VI*, 1953. Huile sur toile, 174 x 149 cm. Donation G. David Thompson, Carnegie Museum of Art, Pittsburgh

Une des caractéristiques de la peinture de de Kooning est sa facture extrêmement mouvementée. La couleur est appliquée d'une façon impulsive, souvent avec des pinceaux larges. La devise de l'artiste était : « ne regarde pas, peins ! ». Et de fait, ses tableaux vivent de leur facture dynamique et de la luminosité des couleurs. Ainsi, dans les tableaux de la série *Women* (Femmes), son propos était moins le corps féminin que le « corps du tableau ». Dans une manière gestuelle, il réalisa des trames serrées de surfaces et de lignes d'où l'objet ne surgit que par endroit.

Mark Rothko, *Earth and Green*, 1955. Huile sur toile, 231,5 x 187 cm. Museum Ludwig, Cologne

Ad Reinhardt, *Abstract Painting,*
1954/59. Huile sur toile, 276 x 102 cm.
Museum Ludwig, Cologne

Les grandes nappes de couleur aux contours flous de Marc Rothko sont plus douces et plus engageantes. Ces carrés mouvants déploient une profondeur spatiale lorsqu'on les regarde bien, tandis que les aplats mats et modulés mettent en valeur la surface et la planéité du tableau. Comme Newman, Rothko a une prédilection pour les formats monumentaux afin que l'observateur se sente emporté par un raz de marée coloré. D'après Rothko, « Peindre un petit tableau, c'est se placer soi-même (et l'observateur) hors de son expérience. En revanche, vous peignez la plus grande toile, vous êtes dedans. » L'immersion mystique dans le médium de la couleur trahit l'origine russe de Rothko et sa manière de penser enracinée dans la religiosité. En même temps, sa peinture témoigne de recherches typiques de la génération d'après-guerre : sortir de l'illusion du tableau pour approcher un art nouveau, plus attentif à l'observateur, donc plus « réaliste ».

C'est dans ce sens qu'il faut comprendre la petite phrase d'Ad Reinhardt : « L'art est l'art et tout le reste est tout le reste. » L'art ne voulait plus représenter, il proclamait ses propres vérités. Pour les découvrir, il faut prendre son temps en regardant un tableau de Reinhardt : la couleur qui semble monochrome à première vue est en fait très finement modulée. En la scrutant, nous en découvrons la diversité extraordinaire. Cet effet subtil ne peut être saisi que devant l'œuvre originale : le tableau apparaît alors comme un immense espace coloré dans lequel le regard ne fait que s'enfoncer toujours plus profondément. C'est le même principe avec l'obscurité : lorsque les yeux se sont habitués à elle, on voit en soi des images qui étaient cachées jusque-là. La peinture de Newman, Rothko et Reinhardt requièrent le calme. C'est une peinture du silence et de la concentration où, comme l'a joliment exprimé un critique américain « Newman a fermé les fenêtres, Rothko tiré les rideaux et Reinhardt éteint la lumière. »

LA PEINTURE CONCRÈTE 1955-1975

L'art des angles aigus : Op art, champs colorés, Hard Edge

Contrairement à la peinture métaphysique de peintres comme Newman et Rothko, les néo-constructivistes considéraient les couleurs comme de purs phénomènes physiques qui pouvaient très bien faire l'objet d'expérimentations. La conception d'une œuvre d'art reposait, selon eux, non pas sur un processus abstrait, mais sur l'utilisation directe des éléments picturaux concrets : surface, ligne, volume, espace et couleur. En ce sens, les tableaux néo-constructivistes, dont l'unique objet est la couleur, sont eux aussi très concrets en dépit de leur caractère non figuratif. Les peintres, en appelant leur art « abstraction concrète », entendaient montrer que la peinture abstraite a une valeur propre et peut ne renvoyer qu'à elle-même.

Les recherches des peintres du « Op art » (abréviation de « Optical Art » : art optique) s'orientèrent aussi vers les effets des couleurs et des formes. Leurs tableaux scintillants eurent une grande influence sur la décoration et le design des années cinquante et soixante. L'initiateur du mouvement, et son représentant le plus marquant, est Victor Vasarely. Dès le milieu des années trente, il commence à s'intéresser aux effets optiques et à faire des recherches sur les mécanismes perceptifs de l'œil afin d'étudier, à l'instar des impression-

Barnett Newman, *Who's Afraid of Red, Yellow and Blue ?* 1969-70. Huile sur toile, 274 x 603 cm. Staatliche Museen zu Berlin – Preußischer Kulturbesitz, Nationalgalerie et Verein der Freunde der Nationalgalerie, Berlin

Le vœu de Barnett Newman était : « Face à mon tableau, le spectateur doit éprouver sa propre présence ». Newman y parvient grâce au très grand format et à l'intensité des surfaces de couleur. Le tableau maintient le spectateur dans une certaine inquiétude, lui fait ressentir son propre « travail » sur le tableau, et par conséquent sa propre présence. Lorsqu'on contemple longuement les tableaux de Newman, ils s'ouvrent en de vastes espaces de couleur.

nistes, la réalité de la vision. Un autre peintre, une femme, Bridget Riley, suit son exemple, mais en dirigeant ses recherches sur les moyens de créer l'illusion du mouvement dans un tableau statique. Son étude de la peinture de Seurat et de Signac lui révèle l'intensité de l'action réciproque des harmonies et des contrastes chromatiques sur l'œil. Dans ses « tableaux de rayures », des assemblages contrastés de formes et de couleurs transforment la surface picturale en oscillations, produisent des images persistantes et des effets de rotation. Des mouvements virtuels et une spatialité aux rythmes vibratoires et désorientants se sont mis en place.

Moholy-Nagy, membre du Bauhaus, avait fait des investigations sur les effets cinétiques dès les années vingt. Mais si le Hongrois se servait encore de lignes en perspective pour construire ses images en relief, les artistes du Op art ne travaillaient plus que sur la surface bi-dimensionnelle et faisaient naître le mouvement − stimulus sensoriel − par l'interaction déroutante des couleurs. L'affirmation de la valeur propre de la couleur n'était pas un thème nouveau. Elle prenait ses racines dans les principes énoncés dans les années trente par Van Doesburg, membre de De Stijl, sur l'« art élémentaire » ainsi que dans le fonctionnalisme du Bauhaus. Celui-ci avait été diffusé aux Etats-Unis dans les années cinquante par Josef Albers, un ancien professeur du Bauhaus exilé en Amérique. Albers avait essayé de cerner le caractère propre des couleurs et l'harmonie chromatique dans plusieurs variations de son tableau *Homage to the Square* (Hommage au carré). Quant à la peinture de champs colorés (« Colour-field Painting »), elle dénotait d'une attitude plus radicale encore : la couleur n'était pas comme l'avait affirmé un jour Albers, un complément de la forme, mais la finalité même de toute entreprise picturale. La couleur devenue autonome agit dans le champ pictural, toujours petit chez Albers, en un jeu interactif, un principe que l'artiste baptisa « Interaction of colours » (interaction des couleurs) et avait déduit de ses recherches picturales. Il attachait beaucoup d'importance au fait que la couleur ne s'affaiblisse pas dans cette interaction − à la différence du Op art − et qu'elle garde son vrai visage. « La couleur, écrit Albers, a deux manières de se conduire, exactement comme l'homme : d'abord, se

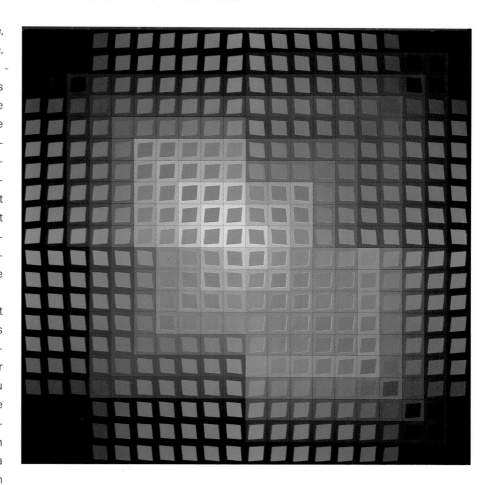

réaliser, ensuite établir des relations avec les autres. Il faut pouvoir être en même temps un individu et un membre de la communauté. » La couleur est également au centre des préoccupations des peintres « Hard Edge », tels Frank Stella, Kenneth Noland et Ellsworth Kelly. Leurs tableaux sont de la couleur pure. Le tableau finit exactement là où la couleur s'arrête. Les « Shaped Canvases » de Stella, des toiles au châssis découpé selon des formes variables, sont provoquantes d'objectivité. Le peintre explique son choix stylistique : « Je me dispute très volontiers avec des gens qui sont très attachés aux vieilles valeurs de la peinture − les valeurs humanistes qu'ils croient voir sans arrêt sur la toile. Si on les coince, ils finissent toujours par prétendre qu'il y a autre chose sur la toile en dehors de la couleur. Ma peinture repose sur le fait qu'il n'existe vraiment que ce qui se voit. » Les tableaux de Stella s'opposent à l'idée romantique de l'artiste qui dévoile son âme dans son tableau. Ses œuvres n'ont rien de mystérieux. La profondeur du sens et de l'interprétation en sont absentes. Une longue contemplation n'est guère possible, et même inutile, car les « Instant Images » (les images instantanées) sont à saisir d'un seul coup

Victor Vasarely, *Lant II*, 1966.
Détrempe sur contreplaqué, 80 x 80 cm.
Museum Ludwig, Cologne

Josef Albers, *Homage to the Square.*
***Open outwards*.** 1967.
Huile sur masonit, 121,5 x 121,5 cm.
Staatliche Museen zu Berlin −
Preußischer Kulturbesitz, Nationalgalerie,
Berlin

Yves Klein, *Relief-éponge, bleu monochrome*, 1960.
Bois, éponges, pigments dissous dans de l'acétone, 230 x 154 cm. Kunstmuseum im Ehrenhof, Düsseldorf

Lucio Fontana, *Concetto spaziale (Concept spatial : Attente)*, 1966.
Huile sur toile, 80 x 100 cm. Museum Ludwig, Cologne

d'œil, immédiatement, directement. Elles sont comme un signal dans l'espace. Représentation et représenté coïncident. Ces planches lumineuses sont plus objets que tableaux. Dans l'esprit de l'artiste, elles sont aussi plus proches de la réalité parce qu'en tant qu'objets, elles pénètrent vraiment l'espace réel.

LE RÉALISME ET L'ACTION ARTISTIQUE 1958-1975

Sur le fil entre art et vie - nouveau réalisme

Les œuvres des « nouveaux réalistes » présentent elles aussi un caractère objectif. Les artistes de ce mouvement se sont livrés au début des années soixante à un véritable numéro de funambule avec leurs œuvres situées quelque part entre le monde de l'art et le monde de la réalité. Yves Klein, par exemple, construisait ses tableaux avec des objets, tels que des éponges, qu'il reliait ensuite avec un coloris uni. « Yves, le monochrome », comme il se nommait lui-même avec humour, avait une prédilection pour la couleur bleue. Dans l'iconographie de l'histoire de l'art, elle est la couleur de la transcendance, et depuis le romantisme, l'expression de l'aspiration à l'infini. Klein se fit connaître surtout par ses « Anthropométries », des nus féminins réalisés par l'application de peinture bleue à même le corps d'une femme dont l'artiste faisait l'empreinte sur des toiles étalées sur le sol. Ces « tableaux » peu conventionnels réalisés au

cours d'actions spectaculaires étaient peints non avec un pinceau, mais pour ainsi dire avec la « réalité ». En revanche, ses grands tableaux monochromes sont pénétrés d'esprit et très réels à la fois. D'un côté, ils représentent l'ultime stade de la non-figuration – quelque chose de plus abstrait que des toiles de couleurs unies, peintes uniformément, est difficilement imaginable dans la peinture – qu'on se rappelle le tableau de Malévitch *Carré noir sur fond blanc* –, d'un autre côté, ils imposent leur identité d'objets réels en ne montrant qu'eux-mêmes.

L'Italien Lucio Fontana poussé à l'extrême ce principe de réalité. Le titre de son tableau *Concetto spaziale* (concept spatial) est à prendre à la lettre : Fontana a incisé sa toile, tendue sur un châssis et dont le fond est peint soigneusement, avec un couteau pointu. Ces incisions dans la toile n'étaient pas conçues comme un acte de destruction, mais devaient faire prendre conscience du « processus de transformation en espace de la surface par l'ouverture des fentes ». Les incisions tendues vers l'arrière sous la pression de la toile peinte laissent voir « sur » le tableau un intervalle sombre allant jusqu'au mur. On ne peut représenter la spatialité de façon plus réelle, plus réaliste. Dans ces tableaux, l'espace n'est pas redéfini par un moyen pictural comme les cubistes l'avaient fait auparavant, mais tout bonnement remplacé par l'espace réel. La réalité s'était littéralement emparée de l'art.

La réalité s'empare de l'art

A partir du milieu des années soixante, de nombreux artistes cherchent à cerner la réalité d'aussi près que possible et à divulguer leur art auprès d'un vaste public, mais la peinture ne leur paraît pas être le meilleur moyen d'y arriver. L'image peinte est suspecte selon eux parce qu'elle est de par sa nature même une illusion et une fiction. Ne pouvant plus accepter ce monde illusionniste, ils envisagent donc de le détruire. L'art, pour eux, doit cesser d'être une chose qui ne fonctionne qu'à l'intérieur du système « art » et qui n'a aucune importance en dehors de sa « tour d'ivoire », c'est-à-dire dans la réalité sociale et quotidienne. Il faut un retour de l'art vers la vie. Afin de faire sauter les « barrières qui séparent l'art et la vie », les artistes s'approprient d'autres expressions artistiques. Dans le *Happening*, ou

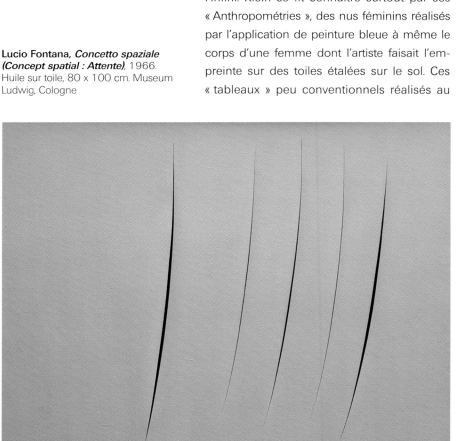

action artistique, par exemple, c'est le processus, c'est-à-dire ce qui se produit spontanément et dans l'instant, qui est élevé au rang d'œuvre d'art. Les *Environments*, les grandes *installations* que l'observateur ressent comme un environnement réel, sont également une tentative d'unir l'art et la vie. La translation de l'art dans la vie avait pourtant un défaut, que d'ailleurs les dadaïstes avaient appris à leurs dépens en voulant remplacer l'art par l'anti-art : à quoi reconnaît-on l'art lorsqu'il ne se distingue plus des choses de la vie courante ? L'Américain Jasper Johns avait fait de cette question le centre de ses recherches. Il s'interrogeait sur la réalité de l'art, sur la signification des tableaux et des symboles, comme Magritte en son temps. Un drapeau peint a-t-il moins de réalité que le vrai ? le sens du drapeau change-t-il lorsqu'il n'est que peint ? Son tableau *Flag on Orange Field* est une incitation à la réflexion – puisqu'il refuse la réponse – sur l'art, sur sa fonction reproductive et symbolique. La question cardinale est la suivante : qu'est-ce qui différencie l'art de la réalité ?

Les tableaux de Robert Rauschenberg expriment aussi cette interrogation critique sur le lien entre l'art et la réalité. Le peintre commença vers la fin des années cinquante à intégrer des objets réels dans sa peinture. Il appela cette combinaison de peinture et d'objets trouvés des « Combine Paintings », des tableaux combinés. Ils rappellent d'ailleurs les *Tableaux Merz* de Schwitters, le dadaïste. C'est la raison pour laquelle on nomme aussi cette forme d'art réaliste « néo-dadaïsme ». Mais contrairement aux œuvres de leurs précurseurs, les peintures d'images et d'objets familiers des néo-dadaïstes ne prétendaient pas dévoiler une vérité profonde. Le sens de ces combinaisons joliment colorées était simplement de correspondre à la vie réelle. C'était au spectateur de trouver les associations d'images.

À l'instar de Pollock, Rauschenberg ne donne aucune directive à l'observateur. Le regard n'est pas attiré, dirigé par telle ou telle composition, il se déplace à tâtons sur la surface, cherchant à s'orienter. Partout, il y a quelque chose à découvrir. Seule la perception individuelle établit des associations. Cette habitude visuelle correspondait encore entièrement à la peinture figurative informelle. Rauschenberg essayait toutefois, comme ses confrères de

l'abstraction concrète, de réduire autant que possible son rôle de créateur par rapport à la perception de l'observateur. Il recourait à des matériaux préexistants et les ordonnait de manière à ce qu'une impression de fortuité se dégageât de la construction. Néanmoins, il veillait, comme son prédécesseur Schwitters, à composer une structure harmonieuse en elle-même. Il lui arrivait aussi de traiter picturalement certaines surfaces pour accentuer sa composition. Mais par l'utilisation démonstrative d'objets voués au rebut, Rauschenberg renonçait à l'écriture personnelle qui « faisait » l'œuvre dans la peinture traditionnelle. Il n'argumentait pas avec une peinture qui renvoyait à elle-même, ainsi que le faisaient les expressionnistes abstraits, mais y intégrait des objets connus des spectateurs. Rauschenberg essayait de cette manière de combler le fossé séparant l'artiste et le néophyte, et de tendre un pont entre leurs créativités. En introduisant des fragments « solides » de la réalité dans ses constructions, Rauschenberg ouvrait la voie aux artistes du Pop art qui tendent vers la négation de la différence entre l'œuvre d'art et l'objet usuel.

POP ART
1958-1965

« Tout est beau »

Si les peintres abstraits d'après-guerre ont banni toute figuration de l'art pour atteindre à une plus grande vérité, les artistes du Pop art vont réintroduire les images figuratives dans

Frank Stella, *Sanbornville I*, 1966. Peinture alcaloïde et epoxite sur toile, 371 x 264 x 10 cm. Staatliche Museen zu Berlin – Preußischer Kulturbesitz, Nationalgalerie, Berlin

A la fin des années cinquante, avec ses « Black Paintings », motifs symétriques constitués de larges bandes noires, Frank Stella faisait ses adieux à l'auto-affirmation subjective qui avait marqué l'expressionnisme abstrait. Au lieu d'extérioriser son âme sur la toile, il recherchera désormais les lois objectives de la perception. Partant de là, il commença à redéfinir les conditions de la peinture : comment pouvait-on par exemple accroître l'expressivité des formes géométriques fondamentales en rompant avec le quadrilatère classique du tableau défini par le châssis rectangulaire ? Par cette transgression concrète d'une des limites du tableau, les « Shaped Canvases », dont fait partie *Sanbornville I*, ne remettaient pas seulement en cause la distinction entre les genres peinture et sculpture : de pur moyen de représentation, la forme devenait elle-même contenu pictural.

Robert Rauschenberg, *Canyon,* 1959.
Combine Painting,
219 x 179 x 57,9 cm. Sonnabend
Gallery, New York

Inventeur des « Combine Paintings »,
collages et peinture combinées avec
toutes sortes d'objets tridimensionnels,
Rauschenberg ouvrit une nouvelle voie à
l'art des années cinquante et soixante.
Grâce à ses « combines », la séparation
des genres encore en vigueur entre la
peinture et l'art de l'objet devint plus
souple. Influencé et encouragé par le
dadaïsme et les Ready-mades de
Duchamp, il disposa sur la surface picturale préalablement pourvue de bouts de
papier peint, de coupures de films ou de
photographies, des objets tridimensionnels tels que des montres, des oreillers,
des panneaux de circulation, des
oiseaux empaillés, etc. Ces compositions
donnaient le jour à une réalité plus vaste
et à une manière différente de la vivre,
une relation nouvelle entre sujet, contenu et signification, une esthétique
innovatrice de l'image. Rauschenberg
défendait le point de vue qu'un paysage
traditionnel n'est qu'une image de la
nature perçue, tandis qu'un « Combine
Painting » était lui-même nature. Par la
multiplicité de ses techniques et possibilités d'expression (sérigraphie, frottage),
et surtout par son intérêt pour les objets
et les sujets de la vie quotidienne,
Rauschenberg est aussi considéré
comme le « père du Pop art ».

Jasper Johns, *Flag on Orange Field,*
1957. Encaustique sur toile,
167 x 124 cm.
Museum Ludwig, Cologne

l'art, avec force et de la façon la plus directe
qui soit. L'« art populaire » – Pop art en abrégé
– se développe simultanément en Angleterre
et aux Etats-Unis à la fin des années cinquante,
période correspondant au miracle économique. Les artistes de ce mouvement vont
élever les choses banales de la vie quotidienne
au rang d'œuvres d'art. Ils puisent dans le
répertoire figuratif de la culture de masse, de
la presse de boulevard, de la publicité, des
magazines populaires, du cinéma et du
design industriel. Les artistes réagissent à la
concurrence des médias visuels, qui commencent à pénétrer le quotidien puis bientôt à
l'envahir, en intégrant sans hésiter dans leurs
propres représentations le flot d'images
qu'elles produisent. Les œuvres ainsi réalisées
n'étaient plus des mondes artistiques créés
de toutes pièces par les artistes, mais des
« images d'après des images ».

Après l'art abstrait élitiste, ce dut être un
soulagement pour le public de voir ces
mondes familiers et compréhensibles. On
n'avait plus besoin de craindre l'art, ni d'avoir
des connaissances préalables. Ce qui était à
voir, tout le monde le connaissait ou le recon-
naissait. Rien d'étonnant donc que cet art ait
eu beaucoup de succès, surtout auprès des
jeunes. Il était un vent de fraîcheur dans
l'atmosphère confinée et poussiéreuse de l'art.
En prenant pour motif le monde de la consommation, des artistes comme Tom
Wesselmann, Richard Hamilton, Claes Olden-
burg, David Hockney et Andy Warhol s'en-
gageaient dans une démarche ambiguë : le
fait de « laisser parler les choses sans aucun
effet d'illusion » dénotait certes une attitude
critique de leur part, mais c'était servir aussi la
culture de masse que de représenter comme
les nouvelles superstars de l'art des boîtes de

conserves, des bouteilles de Coca-Cola, des emballages de lessive. Le Pop art n'utilisait pas seulement les produits de la culture de masse, il les reproduisait aussi en série, comme Andy Warhol le faisait à la Factory, son atelier. La *sérigraphie* autorisant une reproduction aisée et variable, elle devint vite un des procédés privilégiés du Pop art. Les *Multiples*, tableaux et objets, qui étaient fabriqués en série et qui enlevaient à l'œuvre d'art son caractère unique, correspondaient à la position équivoque du Pop art, situé quelque part entre le grand art et la culture de masse.

L'image peinte à la main semblait révolue. Mais la peinture n'avait-elle pas encore des charmes cachés en raison justement de sa technique traditionnelle ? Roy Lichtenstein le savait, qui agrandissait des images de bandes dessinées au moyen d'un épidiascope. Son dessein était de reproduire la gravure sous la forme d'un tableau conventionnel peint avec pinceau et couleur. Ses tableaux au réseau de points délicatement peints avaient un pouvoir démystifiant, le format de la gravure grossissait la banalité de la scène. Mais le potentiel critique de ces œuvres restait indéterminé, - oscillant entre distanciation ironique et apologie de la culture populaire américaine. Que l'on voit dans le Pop art une critique narquoise de notre clinquante société de consommation ou une manière raffinée de suivre le courant des lois commerciales, la réponse est laissée à la libre appréciation de l'observateur.

Les « photoréalistes » de la fin des années soixante traitèrent leur monde nouveau et agréable avec les mêmes moyens traditionnels : pinceau et peinture. Ils peignaient eux aussi des « images d'après des images », mais en pratiquant une mise à distance du sujet.

LE PHOTORÉALISME 1965-1975

« Nothing is real »

Les « photoréalistes », tels que Richard Estes, Philip Pearlstein et Chuck Close, sont des disséqueurs de la réalité. Le monde extérieur qu'ils montrent avec l'exactitude d'un objectif est précisément une copie de photographies projetées sur une toile. A l'instar des artistes de la nouvelle objectivité, ils cherchent à sonder ce qui se cache derrière les apparences. A travers la duplication hyper-exacte qui dépasse

souvent l'original en netteté et en brillant, se produit un effet de détachement qui permet à l'observateur de poser un regard nouveau et investigateur sur le motif. De même que l'observateur se rend vite compte que l'image n'est pas une vraie photo, la clarté brillante de la représentation devrait l'éclairer sur le caractère illusoire du monde représenté. Avec ce procédé, le photoréalisme pose un regard critique sur le monde extérieur opposé aux tendances idéalisantes du Pop art.

Les représentants du « réalisme critique » adoptèrent eux aussi une attitude critique envers la société d'abondance. Ce courant, né de la révolte étudiante de 1968, ne dura que quelque temps. Par opposition au « réalisme socialiste » de l'autre Allemagne, des peintres ouest-allemands, tels Sigmar Polke et Gerhard Richter, se qualifièrent par autodérision de « réalistes capitalistes ». Leur interrogation sociale et politique était digne de leurs devanciers de la nouvelle objectivité. En raison de leur engagement politique et social, ils se seraient volontiers servi de la peinture comme vecteur de leur message, mais les peintres étaient peu écoutés à l'époque. La peinture jouait en effet un rôle mineur dans le paysage artistique des années soixante-dix.

Roy Lichtenstein, *M-Maybe (A Girl's Picture)*, 1965. Magna sur toile, 152 x 152 cm. Museum Ludwig, Cologne

Simple agrandissement d'une bande dessinée ? Sans doute *M-Maybe (A Girl's Picture)* de Roy Lichtenstein parle-t-il clairement d'une expérience standardisée par une commercialisation de l'image, à laquelle il est désormais impossible d'échapper dans la vie des grandes villes. Mais au-delà de cet aspect, les œuvres de Lichtenstein présentent une maîtrise virtuose dans la composition de trames pointillées et de surfaces contourées, par laquelle l'artiste a transformé les techniques de reproduction de masse en nouveaux moyens d'expression picturale. La réaction de l'artiste au tout-puissant déluge d'images de la culture populaire devait pourtant générer ses propres paradoxes : derrière l'anonymat de ses modèles picturaux, Lichtenstein créait un style hautement personnel, alors que son message pictural résultait précisément de la négation de toute paternité artistique.

ANDY WARHOL

Andy Warhol est devenu une véritable popstar des arts plastiques. Il est mondialement célèbre, on peut acheter ses tableaux en posters ou en cartes postales, des générations entières peuvent s'identifier à ses œuvres. Cela n'est pas dû à un engagement ou à un « sens » particuliers, car l'ironie critique de ses œuvres – si tant est qu'elle existe – n'est pas sans ambiguïté et demeure totalement ouverte, exception faite bien sûr de la subversivité ciblée d'une protestation venue « d'en bas » contre les produits culturels « d'en haut » posés solennellement sur des socles et généralement adulés sans réflexion. Hormis cela, il s'agit plutôt de la possibilité de retrouver l'agréable familiarité des marques et la fascination des photos de stars, le tout transformé comme par enchantement en art progressif. Et c'est surtout une bonne dose de génial non-sens dans la répétition insouciante et obstinée du donné, qui rend aujourd'hui le Pop art de Warhol si attrayant.

Certes, les critiques d'art voient aussi à juste titre des niveaux de signification plus profonds dans l'œuvre de Warhol. Sur certains points, cet art en dit souvent plus long que l'analyse sociologique sur l'état psychologique d'une société médiatisée et de la production de masse. Quoi qu'il en soit, les tableaux de Warhol ont bien entendu des qualités esthétiques tout à fait particulières, elles entretiennent des rapports étroits avec les œuvres plus anciennes ou récentes d'autres artistes et sont pour beaucoup des modèles décisifs.

En 1960, lorsque Andy Warhol commença à peindre ses tableaux grand format, il avait 32 ans et était un graphiste publicitaire new-yorkais bien établi. Dix ans plus tôt, Andrew Warhola (qui raccourcit ensuite son nom), fils d'un immigrant tchèque, avait fait les premiers

Rayonnante icône de la culture pop : *Marilyn*, 1964. Polymère et peinture sérigraphique sur toile, 101,6 x 101,6 cm. Collection of Thomas Ammann, Zurich

Andy Warhol vers 1970

pas difficiles dans ce métier, laissant derrière lui une enfance et une jeunesse parfois oppressantes dans la ville minière et métallurgique de Pittsburgh. Pendant ces dix années, le dessinateur Warhol fut de plus en plus attiré par le « vrai » art, il rêvait de gloire. Il fut encouragé par son admiration pour Jasper Johns et Robert Rauschenberg, tous deux parvenus à une reconnaissance étonnante rapide à cette époque. L'ennemi à combattre était en revanche l'art élitiste et subjectif des grandes

poses, l'expressionnisme abstrait : « Je déteste cet art », dira Warhol à l'un de ses amis, et « et je vais me mettre à faire du Pop art. » Ce terme était entré depuis peu dans le vocabulaire des initiés. Il désignait tout d'abord les œuvres de quelques peintres anglais travaillant sur des matériaux picturaux tirés du quotidien.

La première idée « pop » de Warhol fut de faire d'immenses agrandissements de comic strips (bandes dessinées). Mais il s'avéra bientôt qu'à New York à la même époque, indépendamment de Warhol, Roy Lichtenstein avait déjà eu et appliqué la même idée, et cela d'une façon bien plus conséquente. Warhol changea donc et travailla sur l'agrandissement fragmentaire de petites publicités et d'étiquettes de produits. En 1962, il réalisa les premières séries de boîtes de conserves de soupe Campbell. Cette année fut l'année décisive, l'année la plus importante de l'évolution artistique de Warhol : en peu de temps, il trouva sa forme picturale très personnelle et toutes les idées picturales qu'il déclina par la suite. Le facteur décisif fut la découverte du fait que la *sérigraphie* permettait d'imprimer sur la toile des photos tramées dans tous les formats voulus et sans l'aide d'aucune machine. Dans la « Factory » (usine), son atelier-entreprise, Warhol se mit alors à produire de nombreuses séries de tableaux. Il avait pour cela de nombreux assistants, généralement des personnages étranges issus de la scène « underground » (avec lesquels il tourna aussi des films). Le doublement ou la multiplication tramée de motifs peut être compris comme une image du nivellement des valeurs par la « remplaçabilité » et l'inépuisable approvisionnement en biens de consomma-

tion, auxquels appartiennent également les produits de l'industrie des loisirs et des médias. A côté de séries d'impressions d'après des photographies de grandes stars du cinéma, Warhol réalisa des séries d'après les photos de suicides anonymes et de victimes d'accidents ayant connu « 15 minutes de célébrité » grâce aux articles parus sur eux dans les journaux.

Ambulance Disaster, 1963. Sérigraphie, 315 x 203 cm. Städtisches Museum Abteiberg, Mönchengladbach : Collection Dr. Erich Marx

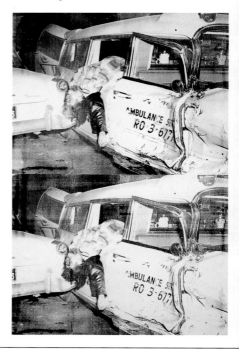

De nombreux artistes avaient quitté leurs ateliers à la suite du néo-dada et des *Happenings* pour produire dans la nature du « land art » éphémère (transformation d'un lieu naturel pour lui conférer une forme symbolique) ou pour suivre des « mythologies individuelles » au moyen de divers matériaux. La photographie ou les nouveaux médias – vidéo et ordinateur – suscitaient de nouvelles formes d'art expérimental. Un autre groupe, les « minimalistes », créèrent en réaction au Pop art criard des tableaux simplifiés à l'extrême et utilisant des formes abstraites géométriques. Mais il y avait plus chiche encore que ces formes d'expression déjà réduites au minimum : l'art conceptuel dans lequel les idées d'œuvre d'art ne sont plus exprimées que par le langage. Souvent l'œuvre en question ne voyait même pas le jour. L'idée se suffisait à elle-même et était considérée comme de l'art. C'est ainsi que Rauschenberg honora un jour une importante commande de portrait en écrivant cette phrase lapidaire : « Ceci est un portrait si je le dis ». Aux phrases, aux plans, aux objets, qui étaient pour les artistes le véhicule amenant un processus réflexif chez le spectateur, était lié un principe émancipateur : la réflexion sur la réalité (de l'art) mettait en même temps en évidence la relativité de la réalité.

Dans la foulée du Pop art apparurent de multiples formes d'expression artistiques. Leur point commun était une superstructure souvent très bien conçue, intellectuelle, dont la connaissance facilitait la compréhension des œuvres, pour ne pas dire la rendait possible. L'effort entrepris pour associer le plus possible le spectateur à la production artistique par sa collaboration mentale renforça l'intellectualisation de l'art. Ce processus accompagna l'évolution artistique tout au long du XXᵉ siècle. Mais la « participation de l'observateur » était allée si loin que le second maillon de la chaîne « artiste-œuvre-observateur » se retira à son tour. L'œuvre d'art perceptible par les sens avait fait son temps. Depuis les années soixante, l'art était l'objet d'une quasi dématérialisation. L'œuvre, ce vis-à-vis avec qui il fallait s'expliquer, disparut. Elle n'existait plus que dans l'imagination de l'observateur. L'art s'était dissous pour ainsi dire dans l'extension de la notion d'art. Il était tellement intégré à la réalité qu'il perdait tout moyen d'agir sur elle. L'art avait perdu en même temps sa fonction de support d'utopies, de contre-projets pour un monde meilleur.

Cette expérience dégrisante provoqua dans les années quatre-vingt une véritable faim d'illusion, des fausses apparences des images picturales. La peinture revint. Libéré de toutes les ambitions sociopolitiques, libéré de la tâche de mettre en harmonie l'art et la vie, l'art put enfin redevenir art : c'était la renaissance des belles apparences, de l'illusion qui peut se contempler avec un plaisir désintéressé.

Gerhard Richter, *Ema (Nu dans un escalier)*, 1966. Huile sur toile, 200 x 130 cm. Museum Ludwig, Cologne

Sans autre commentaire, Richter exposait la reproduction d'une photographie en peinture. A l'instar des tableaux de Warhol par exemple, les traits banals d'un instantané aléatoire et « indigne de l'art » s'imposent et embarrassent en soulignant le modèle photographique qui est à l'origine du tableau (en particulier par l'imprécision et les ombres dues au flash). Contre la domination exclusive de la peinture abstraite, Richter dressait un réalisme photographique et un sujet classique (le nu dominant la représentation picturale). En même temps, le mode de représentation abolissait la forme picturale traditionnelle du sujet et le déclarait non reproductible.

Richard Estes, *Rappaports Pharmacy*, 1976. Huile sur toile, 100 x 125 cm. Museum Ludwig, Budapest

Par son observation hyper-précise et une perfection technique du rendu, Estes parvint à des effets picturaux nouveaux et fascinants. Au premier regard, il semble qu'il représente son environnement avec une méticulosité toute photographique. En fait, il va au-delà de l'objectivité de la photographie : dans ses tableaux, les surfaces réfléchissantes se fondent à l'image réfléchie, deviennent elles-mêmes tableau ; tout l'univers des grandes villes devient un phénomène d'apparences, une projection picturale se représentant elle-même.

Lorsqu'on interroge les photoréalistes comme Estes sur la finalité de leur peinture, ils se contentent souvent de répondre qu'ils considèrent toute abstraction comme une supercherie et qu'ils ne cherchent qu'à peindre le monde de leur mieux. Mais cette esquive n'en fait pas pour autant (au moins dans le cas d'Estes) des artistes réactionnaires ou des peintres de supermarché. Leur position apparemment dénuée de jugement, mais en fait entrecoupée d'interrogations, leur simple affirmation de l'état effectif des choses, rappelle fortement le Pop art, et aussi un peu Edward Hopper.

Francis Bacon, *Trois Etudes d'Isabel Rawsthorne*, 1967. Huile sur toile, 119 x 152,6 cm. Staatliche Museen zu Berlin – Preußischer Kulturbesitz, Nationalgalerie, Berlin

Francis Bacon peignait comme si ses yeux n'avaient pas seulement touché l'enveloppe humaine, mais comme si son regard avait glissé sous leur peau pour longer et contourner les chairs. Dans les taches de couleur brouillées de *Trois Etudes d'Isabel Rawsthorne*, la femme représentée apparaît comme la pulsation d'une masse chaude dont les cellules vivantes se refusent à rester immobiles et à se laisser enfermer dans l'éternité du tableau. La juxtaposition des trois études reproduit un mouvement de fuite et de poursuite : une première fois, le modèle jette un regard par-dessus son épaule ; il tente ensuite de s'esquiver par un entrebâillement de porte ; enfin, le portrait est épinglé. Tout se passe comme s'il cherchait à fuir le regard disséquant du peintre. Dans les tableaux de Bacon, la peinture devient un art contradictoire qui ne peut parler de la vie qu'en mettant en même temps à nu sa fragilité et sa fugacité.

LA PEINTURE FIGURATIVE DEPUIS 1970

Recherche subjective de traces

Le renouveau de la peinture et de l'intérêt dont elle est l'objet attira l'attention sur les artistes qui lui avaient toujours été fidèles. Parmi eux, il y avait l'Anglais Francis Bacon, les Allemands Anselm Kiefer, Gerhard Richter, Georg Baselitz et A.R.Penck. Bacon développa, à partir du surréalisme dont il avait assimilé les acquis dans sa jeunesse, un style très personnel qui lui valut de devenir l'une des personnalités les plus marquantes de ce siècle. Sa thématique était l'homme. Il le représentait dans des espaces clos, indéfinissables, ou isolé comme une créature tourmentée, brimée dans des cages de verre à peine visibles. La clarté de l'espace forme un contraste irritant avec la touche violente, sinueuse, de la représention des figures. Les limites du non figuratif sont souvent mouvantes dans la matière pâteuse, de sorte que les personnages – souvent des amis du peintre – ont l'air de masses de chair flasques. Ses tableaux deviennent dans l'abstraction la reproduction de la vie intérieure de l'homme tourmenté, blessé. Bacon a suivi une voie solitaire, indépendante de tout courant artistique, et est l'un des plus grands peintres du XXᵉ siècle.

Anselm Kiefer et Gerhard Richter se mirent dans les années soixante-dix « en quête de traces ». Kiefer, dans une approche très personnelle, rejetant une peinture réaliste et illustrative, entreprend une confrontation directe avec le passé allemand, le fascisme, et l'idéologie de la Tradition allemande. Il choisit à cette fin le langage informel qui, en raison de son manque de lisibilité immédiate, demande au spectateur une plus grande participation mentale. Il élabore une peinture à la fois abstraite et concrète. L'observateur est obligé de prendre un par un les éléments picturaux du tableau et d'en tirer une proposition par un travail intellectuel personnel. La matière picturale, palpable et rêche, à laquelle Kiefer incorpore des produits naturels tels que terre, paille ou poils confère au tableau une actualité qui fait frissonner. Ses tableaux sur l'histoire ne sont pas des *tableaux historiques* traditionnels narrant un événement, ils ont le caractère d'une mémoire collective permettant à l'histoire de rester vivante. Ce qui se met en place chez le spectateur à travers l'immédiateté de la peinture, c'est le miroir de sa propre conscience historique, non comme un souvenir lointain, mais comme une chose qui a ici même et au moment présent une importance, comme histoire présente et actuelle. Tandis que Kiefer opte pour la confrontation avec l'histoire allemande, Gerhard Richter s'interroge de la manière la plus variée sur l'illusion de la peinture. Les tableaux d'une écriture expressive de Georg Baselitz révèlent la permanence d'une réflexion sur le problème de « la peinture en tant que peinture ». Le peintre retournera bientôt ses motifs, pour en faire sa « signature ». Sa peinture spontanée et subjective servira de référence aux artistes de la génération suivante.

Peinture nouvelle, débridée et au-dessus des traditions

Les jeunes peintres des années quatre-vingt ont jeté par-dessus bord l'idée de transposer l'art dans la vie. Ils revendiquaient une peinture saturée, agréable aux sens. Leur ambition était d'exprimer leur pensée et leur sentiment, peindre des tableaux de leur époque, comme les expressionnistes de la « Brücke » en leur temps, « directement et avec authencticité », une attitude qui leur valut le nom de « néo-expressionnistes ». Insolents, sûrs d'eux-mêmes, fougueux, se moquant des conventions – surtout pas artistiques – ils peignaient selon leur bon plaisir et leurs préoccupations du moment ; ils peignaient la culture urbaine, la vie dans la grande ville avec ses « indigènes », sa faune nocturne, ses visiteurs de discothèques, ou bien thématisaient les rapports entre les deux sexes, en un mot : ils peignaient leur propre vie. S'interroger sur des questions de style ennuyait ces « nouveaux fauves ». Aussi puisaient-ils sans complexe dans le réservoir formel de l'histoire de la peinture et se servaient-ils des moyens dont ils avaient besoin pour donner à leurs tableaux l'effet recherché. Se situant au-delà de toutes les orientations traditionnelles, pratiquant un anarchisme esthétique, ils étaient « trans-avant-gardistes ». Ce mot désigna d'abord les peintres subjectivistes italiens tels Francesco Clemente, Sandro Chia et Enzo Cucchi. Puis ce phénomène, qui avait pris entre-temps une dimension internationale et envahi d'autres domaines, fut qualifié de « postmoderne ». L'art classique moderne, et ses utopies, semblait avoir échoué dans son entreprise de « fondre l'art dans la vie ». Mais une telle translation était-elle vraiment nécessaire ? Pourquoi l'art, élément constituant de la réalité, ne devait-il plus apparaître comme tel, pourquoi le « dissoudre » dans la réalité ? La fascination d'une œuvre d'art ne réside-t-elle pas justement dans sa fiction consciente ? « Être différent » n'affine-t-il pas le regard de l'art sur la réalité ? Ce sont en tout cas les questions que les jeunes artistes se sont posé. Ils ont laissé derrière eux l'expérimentation de « l'art = la vie » qui retient l'art moderne à la manière d'une agrafe, et donné à l'art l'occasion de se prononcer lui-même sur la question de son importance dans la vie quotidienne. Le retour vers la peinture, vers une production d'objets moins intellectuels ne signifiait pas pour eux une retraite obligée dans l'univers hermétique de l'art, mais plutôt un éclaircissement, une évaluation objective de ce que peut l'art.

Le champ de l'art s'est extraordinairement élargi au cours du XXe siècle. Aujourd'hui comme hier – le Pop art était au fond avec son fameux aphorisme « tout est beau » la première manifestation du postmodernisme – la question de la frontière entre Art et Culture de la vie ordinaire est toujours d'actualité. Des formes d'expression comme les tableaux graffitis de Keith Haring, classés autrefois dans la catégorie « art underground », deviennent du jour au lendemain dignes de musées, grâce à un marché de l'art plus entreprenant. Mais à peine ennoblies, ces formes d'expression sont commercialisées sur des T-Shirts, des montres ou des cendriers. L'art ne connaît aujourd'hui plus aucune limite. Il a su développer au cours de son histoire séculaire une infinie variété de formes. On peut dire qu'il se situe en dehors de toute doctrine, à l'exception peut-être de celle de l'« innovation » : la peinture abstraite fait bon ménage avec la peinture figurative, l'art vidéo et informatique avec les installations, les performances et l'art d'objets. Les « mixed media », les formes artistiques s'interpénètrent. Il n'y a rien qui ne soit pas. Même le rien peut être art – si nous le voyons ainsi.

Georg Baselitz, *Triste Jaune*, 1982. Huile sur toile, 250 x 200 cm. Kunstsammlung Nordrhein-Westfalen, Düsseldorf

Baselitz veut lui aussi rendre visible « la peinture en tant que peinture ». Couleur et forme sont les véritables supports de l'expression. Il est vrai que contrairement aux tendances abstraites de l'art du XXe siècle, il ne renonce pas totalement à l'objet, mais le retourne pour souligner le fait qu'il n'est pour lui qu'un prétexte de la peinture. Les coulures montrent qu'il peint réellement ses motifs « à l'envers » et qu'il ne se contente pas seulement de retourner ses tableaux. Pour marquer la dimension sensible de la couleur (comme matière) et de l'acte pictural, il peint avec des pinceaux larges dans une écriture légère, gestuelle, et il n'est pas rare qu'il peigne avec les doigts.

Anselm Kiefer, *Varus*, 1976. Huile et acrylique sur toile, 200 x 270 cm. Stedelijk Van Abbemuseum, Eindhoven

Les tableaux de Kiefer suivent presque toujours les traces inscrites par le nazisme dans la conscience des Allemands. *Varus* montre sous une forme symbolique le champ de la bataille d'Hermann dans la forêt de Teutoburg, en l'an 9 ap. J.-C. Au XIXe siècle, cet événement fut élevé au rang de source historique de l'identité allemande. Les noms d'écrivains et d'autres personnalités ayant contribué au nazisme – directement ou du fait d'une récupération involontaire – sont consignés dans le tableau. Des lignes évoquant un arbre généalogique aboutissent au nom de Hermann. La forêt – « paysage allemand par excellence » – se présente visiblement comme l'intérieur d'une cathédrale gothique, autre élément du mythe de « l'esprit allemand ». Kiefer nous montre que l'histoire récente ne se contente jamais de recouvrir l'histoire plus ancienne, mais que simultanément, elle la remodèle. Pour lui, le regard sur le passé n'est jamais innocent.

INDEX DES TERMES EMPLOYÉS

Les termes expliqués sont en *italique* dans le texte courant.

Abstraction Renoncement à une reproduction réaliste et représentative jusqu'à l'abandon complet de la représentation figurative.

Abstraction géométrique Réduction de la composition picturale à des formes géométriques claires et à un rythme de la surface picturale déterminé par la couleur. L'abstraction géométrique tire son origine du constructivisme. Apogée dans les années 1950 et 60.

Action Painting (de l'anglais : « peinture en action ») Manière de peindre dans laquelle la couleur est peinte, égouttée ou projetée sur la toile (parfois posée au sol) sans esquisse de composition préalable. La structure du tableau résulte d'un processus pictural guidé par l'intuition et des divers « comportements » de la couleur, par ex. des coulures aléatoires.

Alla prima (de l'italien : « du premier coup ») Procédé pictural consistant à peindre le tableau en une seule fois et sans esquisse préparatoire, peinte ou dessinée, destinée à arrêter la composition. L'impressionnisme fut l'apogée de la peinture *alla prima*.

Allégorie Représentation imagée d'un concept abstrait (liberté, justice etc.), souvent sous la forme d'une personnification (cf. : Delacroix, *La Liberté guidant le peuple*, p.61).

All over Painting (de l'anglais : « peinture couvrant tout ») Manière de peindre dans laquelle la surface du tableau est recouverte d'une structure uniforme de formes et de couleurs. Ce terme est surtout employé pour désigner les Action Paintings de J.Pollock.

Anti-art Formes d'expression délibérément « non artistiques », en rébellion contre l'héritage des traditions artistiques. L'anti-art remonte au dadaïsme et connaît un nouvel essor avec le Happening et les néo-dadaïstes du mouvement Fluxus dans les années 1960.

Antiquité Terme désignant les époques antiques grecque et romaine (du IIe siècle av. J.-C. au Ve siècle ap. J.-C. env.). L'Antiquité joua un rôle important surtout pour les artistes de la Renaissance et du classicisme.

Aquarelle Couleurs solubles dans l'eau, demeurant transparentes après séchage, c'est-à-dire non couvrantes et donc d'un effet particulièrement tendre et léger.

Arcadie Paysage de Grèce qui dans la littérature et l'art antiques devint un décor représentatif de la vertu, de la légèreté et du bonheur pour son caractère intact et sa beauté. A l'époque moderne, l'Arcadie fut associée à la poésie amoureuse et bucolique, et idéalisée en archétype du paysage classique idéal dans lequel la nature et l'homme vivent en parfaite harmonie.

Art cinétique (du grec : ayant trait au mouvement) Les œuvres cinétiques sont des objets ou des tableaux présentant ou suggérant des effets de mouvement (ex. : les œuvres de Moholy-Nagy).

Art conceptuel Tendance artistique qui, à partir des années 1970, déclare œuvre d'art le processus intellectuel indépendant de son actualisation artistique.

Art informel Peinture non-figurative de la seconde moitié du XXe siècle.

Art moderne classique Terme employé en histoire de l'art pour désigner les débuts de l'art abstrait avec Cézanne, et décrivant ces débuts comme un art moderne devenu classique.

Art national-socialiste (art nazi) Seul art autorisé du troisième Reich. Au service de la propagande idéologique, cet art s'est consacré à la transfiguration glorificatrice de la force musculaire, de nobles héros, de la vie rustique et d'une indéfectible cohésion familiale. Sur le plan stylistique, la peinture du national-socialisme était caractérisée par une facture lisse, traditionnelle, conservatrice et académique. Les œuvres de toutes les autres tendances, déclarées « dégénérées », furent en partie détruites et les artistes poursuivis.

Art nouveau Tendance stylistique vers 1900 (appelé aussi « Jugendstil » ou « style sécessionniste » en Allemagne). Caractérisé par un langage formel linéaire, ornemental et décoratif.

Arts décoratifs Par opposition aux arts plastiques, les arts décoratifs sont les arts appliqués, l'artisanat d'art s'appliquant par ex. au textile, au verre, céramique, émail et meubles.

Arts graphiques Terme générique désignant les diverses techniques de dessin et d'impression réalisés sur papier (par ex. la gravure sur cuivre, le bois-gravé, l'eau-forte etc...).

Assemblage Terme désignant un tableau se rapprochant du relief, dans la composition duquel entrent des objets du quotidien, généralement laissés tels quels. Les premiers assemblages apparurent au cours de la deuxième décennie du XXe siècle (K.Schwitters).

Attribut Signe (objet ou action particulière) distinctif donné à une figure pour la caractériser ou en permettre l'identification. Ex. : petit pot d'onguent et cheveux longs pour Marie-Madeleine.

Automatisme Technique de peinture ou d'écriture spontanée ; mode d'expression artistique employé sans contrôle de la raison ni réflexions morales ou esthétiques par les surréalistes ou les artistes de l'expressionnisme abstrait.

Autoportrait Portrait d'un artiste par lui-même.

Avant-garde Terme désignant des groupes ou des phénomènes artistiques apparaissant en avance sur leur temps, allant au-delà de ce qui existe déjà et annonçant des tendances ultérieures.

Baroque (*barocco*, en portugais : irrégulier) Epoque stylistique de l'art européen entre 1600 et 1750 environ. Partant de Rome, le baroque se répandit dans toute l'Europe, prenant les formes les plus diverses dépendant de l'identité nationale ou confessionnelle. Les signes distinctifs en sont le caractère extrêmement mouvementé et le traitement ludique des situations spatiales et lumineuses.

Bauhaus Ecole nationale d'architecture et d'arts décoratifs fondée en 1919 par W.Gropius et visant à une collaboration totale entre les arts plastiques et décoratifs.

Blaue Reiter, der (le Cavalier bleu) Titre d'un almanach publié en 1910 par W.Kandinsky et F.Marc et comportant des textes théoriques sur l'art. Par la suite, nom du groupe d'artistes formé autour des deux artistes, qui se tourna contre la peinture académique et impressionniste sous l'influence du cubisme et de l'orphisme, et chercha à exprimer le « spirituel dans l'art » en un langage pictural abstrait.

Biedermeier Tendance stylistique allemande entre 1815 et 1848. Les sujets caractéristiques en sont les idylles bourgeoises. Principal représentant : C.Spitzweg.

Brücke, die Nom d'une communauté d'artistes expressionnistes (1905-1913). La manière picturale des artistes du groupe « Die Brücke » se distingue par l'intensité des couleurs et une facture grossière, privilégiant des surfaces planes fortement contourées, et apparentée à la gravure sur bois.

Camera obscura Boîte noire trouée qui servit à partir du XVIIe siècle à réaliser les études de perspective, de portraits et de proportions.

Caravagistes Terme désignant les artistes qui dans le sillage du Caravage, reprirent dans leur art sa manière du clair-obscur, son éclairage en crû et direct et le traitement réaliste de ses sujets.

Cinquecento Terme italien désignant Le XVIe siècle (*Cinquecento*, en italien : « cinq cents », dérivé de mille cinq cents (1500)).

Clair-obscur (de l'italien *chiaroscuro*) Manière picturale mise au point à partir du XVIe siècle, qui relègue la couleur au second plan au profit d'un puissant contraste entre l'ombre et la lumière.

Classicisme baroque Tendance au sein de l'art baroque et qui, contrairement au vocabulaire formel enlevé du baroque, se caractérise par une conception s'appuyant sur l'art antique. Un des représentants les plus importants du classicisme baroque est N. Poussin.

Cloisonnisme Style pictural caractérisé par des contours de surfaces de couleur rappelant les fils de plomb du vitrail, et qui fut développé à la fin du XIXe siècle par E.Bernard et P.Gauguin.

Colour-field Painting (anglais : « peinture en champs de couleurs ») Courant de l'expressionnisme abstrait, surtout pendant les années 1960. La couleur y est pur support d'expression et peinte de façon couvrante. D'importants représentants en sont par ex. B.Newman et M.Rothko.

Composition (« *compositio* », latin : « agencement ») Agencement formel s'appuyant sur certains principes. Les principes de composition peuvent être par ex. : rapport entre formes et couleurs, symétrie/asymétrie, mouvement, rythme, etc...

Constructivisme Courant de l'art abstrait depuis le début du XXe siècle et qui, détaché de toute figuration, cherche à construire des structures harmonieuses au moyen de formes géométriques abstraites.

Contour Limite d'une forme manifestée par une ligne peinte ou par un contraste.

Contraposto (lat, italine. : « juxtaposition d'une opposition ») Représentation de figures entières debout dans la position jambe d'appui-jambe libre. Développé dans la statuaire grecque et redécouvert pendant la Renaissance (Cf. Michel-Ange, *David* (p.16)).

Contraste Forte opposition ; en peinture, on distingue le « contraste de clair-obscur », le « contraste de couleurs », le « contraste chaud-froid », le « contraste de couleurs complémentaires » ou, sous une autre forme, le « contraste simultané ».

Contraste complémentaire Contraste de couleurs dans lequel des couleurs complémentaires sont placées côte à côte. Par le contraste complémentaire, des couleurs opposées se renforcent l'une l'autre dans leur effet.

Contraste simultané Forme du contraste complémentaire où une couleur donnée produit toujours et simultanément dans l'œil la couleur complémentaire. Placée dans un certain environnement de couleurs, une surface rouge apparaît ainsi automatiquement à la mémoire ou les yeux fermés comme étant verte, etc...

Couleur locale Teinte effective d'un objet indépendamment des altérations produites par un éclairage particulier.

Couleurs complémentaires Couleurs s'opposant dans le cercle chromatique, dont le mélange additif produit (théoriquement) le blanc, et dont le mélange soustractif produit (théoriquement) le noir : rouge-vert, bleu-orange, jaune-violet.

Couleurs primaires Les couleurs fondamentales rouge, jaune, bleu. Toutes les autres couleurs s'obtiennent par mélange des couleurs primaires, tandis que ces dernières ne peuvent être obtenues par aucun mélange.

Cubisme (de « cube ») Mouvement fondé par P.Picasso et G.Braque (à partir de 1907 env.), dans lequel les objets ne devaient plus être rendus selon l'impression optique, mais décomposés en formes géométriques. On distingue le cubisme « analytique » (jusqu'en 1911 env.) et le cubisme « synthétique » (1912 au milieu des années 1920).

Cubisme analytique Voir cubisme.

Cubisme synthétique Voir cubisme.

Cubo-futurisme Tendance artistique du début du XXe siècle en Russie, dans laquelle se fondent les influences cubiste et futuriste.

Dadaïsme Mouvement artistique apparu pendant la Première Guerre mondiale, et qui se rebella contre les valeurs artistiques traditionnelles par un non-sens délibéré et de nouvelles formes d'expression déclarées « anti-art », tels que le photomontage, le poème phonétiques, etc…

Décalcomanie Procédé de décalque inventé par le surréaliste M.Ernst. Dans la décalcomanie, la peinture encore fraîche est appliquée sur papier par frottement manuel à partir d'un autre support (papier, plaque de verre ou autre).

De Stijl Groupe d'artistes hollandais fondé en 1917 par P.Mondrian et Th.Van Doesburg. Composés de formes géométriques peintes en aplats de couleurs pures, les œuvres de ce groupe constituent une variante du constructivisme.

Détrempe (en italien : temperare, « mélanger ») Technique picturale la plus courante au Moyen Âge et pendant la Renaissance (jusqu'à l'avènement de la peinture à l'huile). Les liants de la détrempe doivent être dissous dans l'eau, mais ne sont plus solubles à l'eau après séchage.

Divisionnisme Méthode de décomposition des couleurs et de la lumière employée par le post-impressionnisme. Les points de couleur portés sur la toile ne recomposent des formes et des accords de couleur que dans l'œil du spectateur.

Dripping (angl. : « égouttement ») Technique picturale dans laquelle la couleur est égouttée spontanément en gestes non contrôlés sur la toile posée à même le sol. Forme de l'Action Painting, le dripping désigne surtout la manière picturale de J.Pollock.

Eau-forte Technique d'impression en taille-douce, comparable à la gravure sur cuivre, mais plus simple d'emploi. La plaque est recouverte d'une couche de cire dans laquelle l'artiste dessine. Elle est ensuite plongée dans un bain d'acide qui creuse le métal.

Ecole de Barbizon Groupement d'artistes français qui se tournèrent vers la peinture de plein air à partir de 1840 et qu'on considère comme les fondateurs de cette peinture.

Ecole du Danube Terme désignant une conception artistique pratiquée au XVIe siècle dans la région danubienne de langue allemande. Les peintres de l'Ecole du Danube développèrent une

nouvelle forme de paysage, dans laquelle l'expérience de la nature est prépondérante, le paysage étant peint pour lui-même et non comme accessoire ou décor de fond.

Ecriture automatique Processus de création artistique s'appuyant sur la psychanalyse freudienne et consistant dans l'écriture non réfléchie – proche de la transe – de dessins ou de textes. L'inconscient doit s'y manifester par la suppression du contrôle de la raison et des normes esthétiques. Moyen d'expression utilisé avant tout par les surréalistes.

Effets de clair-obscur Voir clair-obscur.

Emblème Forme littéraire de l'art pictural. La représentation y devient symbole universel par une sentence ou une brève inscription. Dans le baroque, un grand nombre d'ouvrages devaient aider à déchiffrer ces représentations d'enseignements moraux ou religieux très répandues à l'époque.

Empâté Terme qualifiant une facture particulière (au couteau à peindre ou en touches épaisses) pouvant générer un effet plastique de la couleur (par ex. dans les tableaux de Van Gogh).

Environment (terme anglais) Moyen d'expression artistique de la seconde moitié du XXe siècle. Des espaces y sont l'objet d'une mise en forme artistique, devenant ainsi un objet d'art qui peut être parcouru.

Estampe Terme générique désignant les diverses techniques d'impression graphique telles que la gravure sur bois, la gravure sur cuivre, l'eau-forte, la lithographie et la sérigraphie.

Expressionnisme Mouvement artistique de la première moitié du XXe siècle, où l'accent porte sur l'expérience subjective. Les caractéristiques de l'expressionnisme sont une forte expressivité, un traitement des formes et des couleurs indépendant de la réalité, des couleurs peintes en aplats et négligeant volontairement la perspective tridimensionnelle.

Expressionnisme abstrait Terme générique désignant les diverses tendances non-figuratives de la peinture des années 40, 50 et 60 du XXe siècle, dans lesquelles couleur, forme et facture sont seuls supports de l'expression et du sens.

Facture Particularités d'une écriture personnelle, dans l'application de la peinture chez un artiste (touches, mode d'application, trait).

Fauvisme, « fauves » Groupement d'artistes français constitué vers 1905 autour de H.Matisse. A la décomposition impressionniste des couleurs, le fauvisme opposa des œuvres composées de couleurs pures et négligeant l'exactitude de la représentation.

Figuration, peinture figurative Peinture représentant la réalité.

Fontainebleau, Ecole de Groupe de peintres en majorité italiens, qui furent chargés de la décoration du château de Fontainebleau à partir de 1530. Ils

développèrent un style décoratif et précieux qui se présente comme une déclinaison du maniérisme.

Fresque (de l'italien fresco, « frais ») Peinture murale dans laquelle les couleurs sont appliquées à même l'enduit encore frais, avec lequel elles fusionnent indissolublement au moment du séchage.

Frottage Technique graphique dans laquelle des structures de matériaux (par ex. le bois) sont rendues visibles par frottement sur le papier. Développé en 1925 par M.Ernst.

Futurisme Mouvement artistique inspiré par l'écrivain T.Marinetti et fondé en 1909 par le *Manifeste futuriste*. La position du groupe était anti-académique, son art était déterminé par la technique moderne et l'ivresse de la vitesse.

Glacis Technique consistant à appliquer des couches de couleur fines et transparentes les unes sur les autres ou sur un fond de peinture, qui n'est pas couvert, mais transparait sous la couche, d'où résultent de subtils mélanges et nuances de couleurs.

Gothique (international) Dans l'usage courant, l'art du Moyen Âge qui investit tous les genres et se développa par étapes successives dans toute l'Europe. Partant de l'architecture du XIIe siècle, le gothique était presque exclusivement déterminé par des propos religieux. En Italie, c'est Giotto qui, comme peintre de transition entre le gothique et la pré-Renaissance, introduisit de nouvelles échelles de valeurs.

Gouache Technique picturale utilisant des couleurs solubles dans l'eau qui, à la différence de l'aquarelle, restent opaques après séchage. Le mélange de liants et de blanc couvrant permet d'obtenir des effets de pastels et une surface rêche.

Grattage Procédé développé à partir de la technique du frottage. Un support préparé par des couches épaisses de couleurs est ensuite travaillé par des entailles et des rayures produisant des altérations dans les couches de couleur ainsi que des effets d'ombre et de lumière.

Gravure Terme générique désignant toutes les techniques d'impression graphiques produites à partir d'une plaque gravée par l'artiste. On distingue la gravure au burin, la gravure sur cuivre, l'eau-forte, la gravure sur bois, la linogravure, etc.

Gravure au burin La plus ancienne des techniques d'impression en taille-douce. Le dessin est gravé directement sur une plaque métallique (généralement du cuivre), la couleur est fixée dans les rayures par frottement et transposée sur le papier par pression mécanique.

Gravure sur bois Technique d'impression graphique dans laquelle ce qui doit être imprimé reste en relief sur la plaque de bois (taille d'épargne). Procédé utilisé surtout par les expressionnistes au début du XXe siècle.

Happening (anglais : « événement »)

Forme artistique répandue surtout dans les années 1960, et où c'est une action qui est en fait l'œuvre d'art. Cette action souvent proche de la vie et du quotidien, recherche l'intégration du spectateur. Elle est improvisée, provocante, inattendue et non reproductible.

Hard Edge (anglais : « arête dure ») Tendance abstraite des années soixante et soixante-dix, caractérisée par des surfaces de couleur géométriques, juxtaposées de façon tranchante. Branche du « Colour-field Painting ».

Harmonie Tonalité générale résultant de la somme des couleurs d'un tableau.

Historisme Art faisant appel à des styles artistiques antérieurs pour créer un nouveau style, par ex. le classicisme.

Hyperréalisme Tendance artistique comparable au Photoréalisme, ayant des buts similaires, et dont le principe est l'illusion de la réalité et la réalité de l'illusion.

Icône A l'origine, tableau de l'Eglise orthodoxe grecque qui détermina pendant plusieurs siècles un type sur la base de traditions et de schémas rigoureusement fixés. Dans un sens plus large, parlant d'un tableau, ce terme désigne également un « exemple classique ».

Iconographie Valeur formelle et sémantique de signes picturaux. Désigne également une discipline scientifique qui décrit et classe les contenus picturaux.

Idéalisme Position intellectuelle et mode de création artistique dans lequel la réalité ne correspond pas au concret, mais est rendue au sens d'une idée particulière. On trouve des tendances idéalistes dans la peinture de la seconde moitié du XIXe siècle (par ex. chez A.Böcklin), mais aussi dans la conception idéalisante du « réalisme socialiste ».

Illusionnisme Peinture où la perspective et les moyens picturaux visent à produire l'apparence optique de la tridimensionnalité et de la spatialité.

Impressionnisme (de « impression ») Tendance artistique apparue en France vers 1870 et dont le propos est de représenter l'objet dans son altération par la lumière du moment. Caractérisé par une facture décomposée, des couleurs claires et des cadrages semblant souvent fragmentaires. Les sujets privilégiés de l'impressionnisme furent les paysages et les scènes de la vie urbaine.

Installation Terme désignant un arrangement artistique de grandes dimensions (simple objet ou objets répartis dans la totalité d'un espace) dans l'art contemporain.

Instant Images (anglais : « images instantanées ») Terme désignant les œuvres de Stella qui, à l'instar de panneaux de signalisation, doivent être reconnus directement et sans travail intellectuel par le spectateur.

L'art pour l'art Art créé exclusivement

pour lui-même, indépendamment de considérations morales, politiques, philosophiques ou sociales.

Lignes de fuite Lignes de composition convergeant vers le point de fuite dans un tableau construit en perspective centrale.

Maniérisme Terme désignant l'évolution stylistique de la fin de la Renaissance, et où les formes, les figures et l'agencement de l'espace sont représentés sous une forme exagérément accentuée et allongée. Dans l'usage courant, le mot maniérisme désigne aussi une exacerbation des moyens d'expression, puis un effet déformant, surréel, exalté ou artificiel.

Merz Terme désignant les œuvres composites de K.Schwitters.

Métaphore Mise en image. Image.

Minimal Art Tendance de l'art contemporain. Depuis les années soixante-dix, le Minimal Art réduit le contenu et la forme de l'œuvre d'art à un vocabulaire formel simple et restreint. Un principe important en est la répétition des structures fondamentales, de l'œuvre, généralement géométriques. Exclut toute forme d'illusion, toute métaphore et toute symbolique.

Monochromie Les tableaux monochromes sont réalisés avec une couleur unique (éventuellement avec des dégradés), comme par ex. dans les œuvres de Y.Klein.

Moral Pictures Genre pictural suscité par W.Hogarth, et qui critique d'une façon ouvertement satirique le déclin moral de la société (anglaise) du XVIIIᵉ siècle.

Mythologie Légendes des dieux et des héros, sujet de prédilection de la représentation artistique depuis l'Antiquité. Redécouverte pendant la Renaissance, la mythologie servit de vaste réservoir thématique à la peinture occidentale.

Nabis (« nabi », hébreux : « prophète ») Groupe d'artistes français qui dans le sillage de Gauguin, se tournèrent à la fin des années 1890 vers une thématique symbolique et des modes de création décoratifs.

Naturalisme Tendance stylistique de la seconde moitié du XIXᵉ siècle, qui cherchait à donner une représentation fidèle de l'aspect extérieur d'un sujet. Terme couramment employé aussi comme caractérisation stylistique.

Nature morte Genre pictural. Représentation de choses inanimées tels que des fruits, des fleurs ou des objets de la vie quotidienne. Les nature mortes ont souvent un caractère symbolique. Classé comme « inférieur » dans la hiérarchie académique des genres, la nature morte a connu une apogée dans la peinture hollandaise du XVIIᵉ siècle.

Nazaréens Groupe d'artistes allemands appartenant au romantisme, qui en 1809-1810 se constitua en « confrérie » sur le modèle du Moyen Âge, et tout d'abord à Vienne. Les nazaréens prenaient pour modèle l'art de Raphaël et la peinture allemande de l'époque de Dürer.

Néo-classicisme Tendance stylistique entre 1750 et 1840, qui s'appuie sur l'Antiquité, surtout sur des modèles grecs. La peinture classique est caractérisée par des couleurs claires et une netteté du trait.

Néo-constructivisme Entre les années cinquante et soixante-dix, les artistes du néo-constructivisme associèrent les idées du constructivisme est-européen avec la peinture géométrique du Bauhaus.

Néo-dadaïsme Art des années soixante qui, au lieu de la simple représentation de déchets et d'objets tirés du quotidien, agença ses compositions picturales nouvelles à partir d'objets réels.

Néo-expressionnisme Terme désignant certaines tendances artistiques des années quatre-vingts en Allemagne, et qui dénotent une parenté avec la peinture expressive et gestuelle de l'expressionnisme.

Néo-impressionnisme Voir post-impressionnisme.

Nombre (ou section) d'or Proportion de 0,618 : 1. Il en résulte que le rapport de la petite mesure à la plus grande est le même que celui de la plus grande à leur somme. Ce rapport est perçu comme particulièrement harmonieux. La section d'or était déjà connue de l'Antiquité et fut redécouverte pendant la Renaissance.

Nouveau réalisme Tendance artistique qui, à partir de 1960, voulait ouvrir l'art à la vie quotidienne par l'intégration de biens de consommation, par des installations et des *environments*.

Nouveaux sauvages Terme désignant certains peintres des années quatre-vingts qui se servirent d'une manière expressive et gestuelle sans guère se préoccuper des traditions stylistiques de l'art. Egalement appelées néo-expressionnistes.

Nouvelle objectivité Peinture réaliste au début des années vingt en Allemagne. La nouvelle objectivité oppose le visible objectif au monde de sentiments de l'expressionnisme. Mode de représentation clair et résolument figuratif.

Nu Représentation du corps humain nu.

Objet trouvé Objet isolé de son contexte d'origine et intégré à des collages et des assemblages. Moyen stylistique entre autres du dadaïsme, du surréalisme, du néo-dadaïsme.

Œuvre composite Terme générique incluant le collage, le *Tableau Merz*, le Ready-made et l'assemblage. L'utilisation de différents matériaux comme le bois, la paille, le métal ou encore des objets tirés de la vie quotidienne, vise à obtenir de nouveaux concepts picturaux et une nouvelle perception de la réalité du tableau.

Œuvre Ensemble des œuvres d'un artiste.

Ombre portée Ombre dure que jette tout corps ou tout objet recevant une lumière directe.

Op art (abréviation d'« optical art », anglais : art optique) Forme d'art contemporaine qui connut son apogée dans les années soixante. L'Op art s'intéresse aux effets dynamiques des couleurs et des mouvements. Prenant en compte la paresse de l'œil humain, les structures multicolores y sont perçues comme des éléments plastiques et mobiles.

Orphisme Terme stylistique désignant la décomposition prismatique des couleurs chez R. et S.Delaunay au début du XXᵉ siècle.

Palette Plaquette généralement ovale ou réniforme, sur laquelle on mélange les couleurs avant de les appliquer sur la toile. Au sens figuré : ensemble des couleurs employées par un artiste ; échelle de couleurs.

Paysage Représentation du paysage seul. Le paysage n'ayant été tout d'abord qu'un décor de fond, il se développa vers la fin du XVIᵉ siècle pour devenir un genre pictural à part entière. Au XVIIᵉ siècle, on peignit même des « paysages idéaux » (par ex. les paysages transfigurés de C.Lorrain) et des « paysages héroïques » (par ex. les vues symboliques élevés au pur niveau sémantique chez N.Poussin). Le paysage connut son apogée dans le baroque hollandais et fut révolutionné par l'avènement de la peinture de plein air au XIXᵉ siècle.

Paysage héroïque Voir paysage.

Paysage idéal Voir paysage.

Peinture à l'huile Technique picturale dans laquelle les pigments (couleurs pulvérisées) sont liés avec de l'huile. La peinture à l'huile est souple et onctueuse, elle sèche lentement et permet des mélanges aisés sur la palette comme sur la toile. Apparition au XVᵉ siècle ; depuis, technique prépondérante en peinture.

Peinture d'atelier Contrairement à la peinture de plein air, les sujets ne sont pas peints dans la nature ou d'après elle, mais en atelier, d'après des esquisses ou des études préalables. Ce terme n'est apparu qu'au XIXᵉ siècle en rapport avec la peinture de plein air. Auparavant, cette spécification était superflue dans la mesure où la peinture se pratiquait exclusivement en atelier.

Peinture de chevalet Terme employé par opposition à la peinture murale pour désigner la peinture sur support mobile. Jusqu'au XVᵉ siècle, le support employé était avant tout un panneau en bois. Ce support fut ensuite remplacé progressivement par des toiles tendues sur un châssis en bois.

Peinture de genre Genre pictural représentant des scènes tirées de la vie quotidienne. Considérée comme un « genre inférieur » dans la hiérarchie académique, elle se caractérise par un haut niveau d'emprunt à la réalité et une grande proximité de la vie. Dans la peinture de genre, on distingue les genres rustique, bourgeois et la peinture de cour. La peinture de genre connut son apogée au XVIIᵉ siècle dans les peintures de mœurs de la peinture hollandaise.

Peinture de plein air Tableaux peints dans la nature, par opposition à la peinture d'atelier. La peinture de plein air fut pratiquée pour la première fois par les peintres de l'Ecole de Barbizon, mais ensuite et surtout par les impressionnistes.

Peinture de salon Terme généralement employé péjorativement pour désigner un style qui, vers la fin du XIXᵉ siècle, s'appuyait sur les traditions académiques et visait à satisfaire les goûts artistiques de la bourgeoisie.

Peinture d'histoire Représentation d'événements historiques et de sujets mythologiques, bibliques, religieux ou littéraires traités dans une manière proche de la vie ou bien idéalisée. Jusqu'à la fin du XIXᵉ siècle, le tableau d'histoire fut considéré comme le genre pictural le plus noble, suivi du portrait et des « genres inférieurs » (paysage, peinture de genre et nature morte).

Peinture d'intérieur Représentation d'intérieurs ou de scènes se déroulant en intérieur. Apogée pendant le baroque hollandais.

Peinture en trompe-l'œil Moyen pictural par lequel des objets sont rendus d'une façon si fidèle à la nature qu'ils apparaissent au spectateur comme étant réels, lui donnant l'illusion de la réalité (par ex. le plafond de A. Pozzo *Le Triomphe de Saint-Ignace* (p.33)).

Peinture gestuelle Dans l'art moderne, manière picturale permettant une lecture de l'acte de peindre par l'application légère et mouvementée des couleurs.

Peinture métaphysique Courant italien fondé par G. de Chirico entre 1911 et 1915 sur un arrière-plan philosophique. Dans des tableaux représentant des places vides, des figures sans visage, le tout baignant dans une atmosphère onirique peinte avec grande précision, la peinture métaphysique cherche à jeter un regard « derrière les choses ».

Peinture monumentale Tableaux de grandes dimensions, évoquant un monument.

Peinture naïve Art d'amateurs ; dissociés des traditions académiques, les peintres naïfs développent dans une manière souvent enfantine et maladroite leurs propres rêveries picturales tirées de la réalité ou de l'imaginaire.

Performance (anglais : « présentation ») Forme d'art contemporaine en vigueur depuis le milieu des années soixante-dix, et qui se classe dans l'actionnisme. La performance repose sur une chorégraphie fixée à l'avance. Contrairement au « Happening », elle n'est pas improvisée et ne vise pas la participation du spectateur.

Perspective (du latin *perspicere*, « pénétrer par le regard ») Représentation d'un objet, d'une personne ou d'un espace sur une surface picturale, par laquelle les moyens du dessin et de la peinture éveillent une impression de profondeur spatiale. La perspective fut analysée scientifiquement et appliquée à la peinture pendant la Renaissance. Dans la perspective centrale, toutes les parallèles fuyantes convergent dans le point de fuite (perspective centrale ou linéaire). La taille des objets et des personnes diminue proportionnellement à leur éloignement, selon la trame géométrique résultant des lignes de fuite (prolongement imaginaire des corps picturaux géométriques). Un autre procédé permettant de générer un effet de profondeur dans le tableau est la perspective chromatique, dans laquelle les objets représentés perdent de leur intensité colorée à mesure de leur éloignement, tout en tendant vers le bleu.

Perspective centrale Voir perspective.

Perspective chromatique Moyen d'actualisation de la perspective qui produit un sentiment de profondeur et de spatialité par divers effets des couleurs chaudes et froides. Le premier plan du tableau est souligné par l'emploi du rouge et du jaune, l'arrière-plan par l'emploi du bleu.

Perspective linéaire Voir perspective.

Perspective simultanée Perspective employée pour la première fois par les cubistes pour représenter les objets de plusieurs côtés à la fois.

Perspective symbolique Dans la perspective symbolique, la taille des figures n'est pas déterminée par leur emplacement dans l'espace, mais par l'importance de leur contenu. Les saints seront par exemple représentés de plus grande taille que les donateurs. Pendant la Renaissance, la perspective symbolique sera dépassée par la perspective centrale correspondant à la vision tridimensionnelle.

Photomontage Collage agencé à partir de photos ou de produits de l'imprimerie. Ce mode de création artistique fut introduit par les dadaïstes dans les années vingt.

Photoréalisme Mouvement s'opposant à la peinture abstraite dans les années soixante, les photoréalistes peignirent des tableaux figuratifs caractérisés par une hyper-précision de la représentation. Des modèles photographiques y sont transposés sur la toile (souvent en s'aidant d'un projecteur de diapositives).

Pietà Représentation du deuil de Marie (*mater dolorosa*) accompagnant le corps défunt de Jésus.

Point de fuite Dans la théorie de la perspective, point où les parallèles se rejoignent à l'infini. Ex. : quoique parallèles, les rails semblent se toucher à l'horizon dans le point de fuite.

Point oculaire Voir point de fuite.

Pointillisme (de « point ») Tendance stylistique du post-impressionnisme. La couleur y est appliquée par juxtaposition de petites touches ou taches de couleurs pures, de sorte que le mélange optique se fait dans l'œil du spectateur – et non sur la palette du peintre.

Polychromie Présence de plusieurs couleurs dans une œuvre.

Pont-Aven, École de Communauté d'artistes vers 1880, dont le nom remonte à P.Gauguin, et dont le propos était de renforcer l'expression picturale par la couleur et la simplification des formes.

Pop art Tendance artistique apparue aux États-Unis dans les années soixante. Par l'utilisation d'objets existants (coupures de journaux, brochures publicitaires, articles de marques, etc.) le Pop art créa de nouveaux univers picturaux s'orientant sur le monde de la consommation.

Portrait Représentation d'un être humain. On distingue entre Autoportrait, portrait simple ou double, portrait de groupe.

Postmodernisme Terme emprunté à l'architecture et désignant une position artistique apparue au début des années quatre-vingts. Prolongement de l'art moderne ; mais à la différence de la tradition de l'art moderne, le postmodernisme prône le rejet de toute idéologie et de toute dépendance traditionnelle. Caractérisé par des citations stylistiques et des modes d'expression artistiques individualistes.

Post-impressionnisme (ou encore **Néo-impressionnisme**) Toutes les tendances artistiques qui, partant de la décomposition des couleurs de la peinture impressionniste, mirent l'accent sur la valeur propre de la couleur. Ces tendances constituent le trait-d'union entre l'impressionnisme et l'expressionnisme.

Préraphaélites Groupement d'artistes anglais formé en 1848 autour de D.G.Rosetti, qui contrairement à la doctrine académique de l'époque, prit la peinture italienne d'avant Raphaël comme modèle de mondes picturaux chargés de symbolisme.

Primitivisme Dans l'art du XXe siècle, tendance consistant à s'appuyer sur les arts populaire, africain ou océanien, ainsi que sur les dessins d'enfants, qui lui semblent originels, « non-académiques » et donc « authentiques ».

Proportion Rapport entre les mesures et masses de plusieurs éléments d'un tableau.

Quattrocento Terme italien désignant le XVe siècle (Quattrocento, ital. : quatre cents, dérivé de mille quatre cents (1400)).

Ready-made (angl. : « prêt à l'emploi ») Terme introduit en 1913 par M.Duchamp pour désigner des matériaux trouvés de facture industrielle (par ex. un porte-bouteilles), qu'il déclara « objet d'art » après une modification légère ou en les laissant tels quels.

Réalisme Représentation exacte et fidèle au sens le plus large. Terme désignant aussi une tendance stylistique de la seconde moitié du XXe siècle.

Réalisme critique Tendance stylistique allemande des années soixante, qui se proposait de visualiser des problèmes sociaux par une manière picturale réaliste, parfois déformés jusqu'à la satire et la provocation.

Réalisme fantastique Courant artistique du début des années soixante, caractérisé par une tendance maniériste, superficiellement esthétique et visionnaire.

Réalisme magique Forme picturale de la nouvelle objectivité.

Réalisme socialiste Art officiel des pays socialistes à partir de 1932 (surtout dans ex-URSS et dans l'ex-RDA), qui entendait s'adresser aux masses populaires avec une manière picturale réaliste. Dans ses peintures souvent monumentales, le réalisme socialiste privilégie des sujets du monde ouvrier et présente des scènes du bonheur socialiste.

Régence Style français des années 1715-1722 caractérisé par des formes douces et décoratives qui annoncent le rococo. Principal représentant : A.Watteau.

Renaissance Époque importante de l'histoire de l'art. Apparue vers 1420 en Italie, elle prit pour modèle la philosophie classique de l'Antiquité.

Rococo (du fr. « rocaille » : ornement en forme de coquillage) Courant stylistique européen de 1730-1780. Style avant tout décoratif, le rococo privilégie la légèreté, le ludique et l'accumulation des détails, aspects que souligne un éclaircissement de la palette vers des couleurs douces et des tons pastels.

Romantisme Tendance artistique du début du XIXe siècle. Le sentiment y est déclaré critère suprême. Caractérisé surtout par des paysages aux ambiances très appuyées, mais aussi par des emprunts à l'univers des légendes et à l'histoire du Moyen Âge.

Sécession Ensemble d'artistes quittant une association existante et visant à la constitution d'un nouveau groupe. La première sécession fut fondée en 1892 à Munich ; d'autres sécessions suivirent quelques années plus tard à Vienne et à Berlin.

Sérigraphie Technique d'impression, moyen d'expression important surtout pour les artistes du Pop art et de l'Op art dans les années soixante. Une fine trame de tissus y est préparée et enduite de couleur. On s'en sert ensuite comme d'une pochoir, de sorte que le motif peut être répété ad libitum.

Sfumato (ital. : « enfumé ») Manière picturale développée par Léonard de Vinci, caractérisée par des transitions douces, les contours et les couleurs apparaissant comme atténuées par un voile.

Style sécessionniste Voir art nouveau.

Suprématisme Tendance stylistique développée par K.Malevitch au cours des deux premières décennies du XXe siècle. L'expérience picturale devait y être produite par l'effet de formes purement géométriques et donc abstraites.

Surréalisme Tendance artistique qui fut définie à partir de 1924 par un manifeste d'A.Breton. L'irrationnel et l'incontrôlable devaient être manifestés sous l'impact de la pensée associative et d'explorations psychanalytiques du rêve et de l'inconscient.

Symbolisme Courant artistique de la seconde moitié du XIXe siècle, dont le propos – se démarquant des tendances réalistes – était de prendre pour sujet du tableau non pas la réalité visible, mais le monde des idées, de l'imaginaire, de la vision et du rêve.

Tableau de dévotion (Image de dévotion) Œuvres picturales destinées au recueillement personnel ou à la dévotion. Motifs privilégiés depuis le XIVe siècle : « Passion du Christ et de Marie », « Cène » ou « Lamentation du Christ ».

Tableau de mœurs voir peinture de genre.

Tableau d'histoire voir peinture d'histoire.

Tachisme (de « tache ») Terme désignant une tendance artistique des années quatente et cinquante en France, et faisant partie de l'expressionnisme abstrait. La couleur y est appliquée sur la toile sans conception préalable et selon une action intuitive.

Transavant-garde (de l'italien *Transavantguardia*) Mouvement d'artistes italiens avec lequel commença le postmodernisme en peinture vers 1980. Les artistes de la transavant-garde revendiquent un individualisme extrême, expriment spontanément leurs sentiments et leurs inspirations et composent souvent leurs tableaux à partir de citations picturales.

Trecento Terme italien désignant le XIVe siècle (*Trecento*, italien : trois cents, dérivé de mille trois cents (1300)).

Trinité Les trois personnes divines dans la religion chrétienne : le Père, le Fils et le Saint-Esprit.

Triptyque Tableau en trois parties. Particulièrement, terme désignant un retable à volets.

Vanité (du latin *vanitas* : « vide, vanité, folie ») Symbole de la fugacité, de l'éphémère, comme le crâne, le sablier ou une bougie éteinte.

Vedute Représentation fidèle, objective et exacte d'une ville ou d'un paysage.

Vérisme (« veritas » ; latin : « vérité ») On désigne par vériste un mode de représentation réaliste, fidèle à la vérité. Ce terme caractérise en même temps une tendance au sein de la nouvelle objectivité des années vingt, et repose sur une position socio-critique engagée (par ex. : O.Dix et G.Grosz).

Vernis Liant transparent permettant de « sceller » un tableau peint à l'huile.

INDEX DES ARTISTES CITÉS

Les chiffres en **gras** renvoient à des reproductions

..., les aspects décisifs de son œuvre sont la mesure, les proportions et l'humanité. *6*, *29*, **30**, **31**, *57*

Dyck, Antoine Van (22.3.1599 Anvers-9.12.1641 Londres) Artiste flamand ; ses portraits sensibles et élégants de la noblesse anglaise exercèrent une influence décisive sur le portrait anglais. **38**

École de Fontainebleau : Groupe d'artistes réunis entre 1530 et env. 1600 – peu cohérent par ailleurs – par François Ier pour la décoration du château de Fontainebleau ; la phase tardive produisit les chef-d'œuvres du maniérisme français. *23*, *24*

Ensor, James (13.4.1860 Ostende-19.11.1949 Ostende) Peintre de scènes macabres et sarcastiques chargées de symbolisme et illustrant la solitude de l'homme. *81*, **82**, *83*, *88*

Ernst, Max (2.4.1891 Brühl près de Cologne-1.4.1976 Paris) Artiste allemand le plus important du surréalisme ; avec des techniques nouvelles, il exprima la libre pensée associative. *102*, *103*, **104**, *106*

Estes, Richard (1936 Evanstone) Photoréaliste qui illustra les multiples niveaux de la réalité par l'hyperprécision et les réflexions de la lumière. *115*, **117**

Eyck, Jan Van (vers 1390 Maastricht-9.7.1441 Bruges) Peintre dont les œuvres se distinguent par une observation rigoureuse, il affina la technique de la peinture à l'huile d'une façon décisive ; son réalisme ouvrit de nouvelles voies à l'art. *26*, **27**, *38*

Feininger, Lyonel (17.7.1871 New York-13.1.1956 New York) Peintre germano-américain dont la peinture architectonique est caractérisée par des formes cristallines et des déclinaisons prismatiques de la lumière. *96*, *97*

Feuerbach, Anselm (12.9.1829 Speyer-4.1.1880 Venise) Peintre de paysages idéaux classiques et de figures de tendance héroïques. *68*, *69*

Fontana, Lucio (19.2.1899 Rosario di Santa Fe-7.9.1968 Comabbio) Artiste italien qui illustra la tridimensionnalité par des entailles pratiquées dans la toile. **112**

Fragonard, Jean-Honoré (5.4.1732 Grasse-22.8.1806 Paris) Peintre du rococo ; son œuvre se compose surtout de scènes galantes ou érotiques et de portraits. **47**, *48*

Friedrich, Caspar David (5.9.1774 Greifswald-7.5.1840 Dresde) Représentant le plus important du romantisme allemand, dont les paysages sont sous-tendus par un univers métaphorique complexe. *57*, **58**, *59*

Gainsborough, Thomas (14.5.1727 Sudbury-2.8.1788 Londres) Un des peintres les plus importants du rococo anglais, dont les paysages et les portraits sont im-

prégnés d'une expression sensualiste plus que mythologique. *50*, *51*

Gauguin, Paul (7.6.1848 Paris-8.5.1903 Atuona sur l'île de Hiva Oa) Peintre post-impressionniste et symboliste, il émigra dans les mers du Sud pour y trouver la nature archaïque et originelle. *79*, **80**, *81*, *84-86*, *88*

Géricault, Théodore (21.9.1791 Rouen-26.1.1824 Paris) Précurseur et représentant important du romantisme français, qui se distingue par des compositions mouvementées et des sujets inhabituels. *53*, *60*

Giorgione (en fait : Giorgio da Castelfranco, 1478 Castelfranco-1510 Venise) Peintre de la Haute Renaissance vénitienne ; l'homme est intégré de façon harmonieuse dans ses paysages idylliques. **20**

Giotto di Bondone (vers 1267 Colle di Vespignano-8.1.1337 Florence) : Précurseur important de la peinture de l'époque moderne par sa conception réaliste de l'espace pictural et des figures. *6*, *7-9*

Gleizes, Albert (8.12.1881 Paris-24.6.1953 Avignon) Peintre et théoricien du cubisme. *94*

Gogh, Vincent Van (30.3.1853 Groot Zundert-29.7.1890 Auvers-sur-Oise) Post-impressionniste et précurseur de la peinture moderne par sa facture pâteuse, vivante et expressive, et par la dynamique du trait. **78-79**, *80*, *84-86*, *88*, *106*

Götz, Karl Otto (22.2.1914 Aix-la-Chapelle) Artiste du tachisme allemand. *108*

Goya, Francesco de (en fait : Francisco José de Goya y Lucientes, 30.3.1746 Fuendetodos-16.4.1828 Bordeaux) Peintre espagnol ; comme peintre de la cour d'Espagne et observateur critique des conditions sociales, il peignit des tableaux dont les couleurs et la facture annoncent la peinture moderne. *20*, *53*, **54-55**, *71*

Greco, Le (en fait : Domenikos Theotokopoulos, vers 1541 en Crète-7.4.1614 Tolède) Post-maniériste important, dont le style extatique et visionnaire se manifeste par le traitement flamboyant et irréel de la lumière et de formes étirées. *24*, **25**, *88*

Gris, Juan (23.3.1887 Madrid-11.5.1927 Paris) Représentant du cubisme dont les tableaux se distinguent par une grande clarté architectonique et une structure picturale soigneusement pesée. *94*

Grosz, George (26.7.1893 Berlin-6.7.1959 Berlin) Peintre de tableaux incisifs et extrêmement socio-critiques. *89*, *91*, **100**, *106*

Grünewald, Mathias (en fait : Mathias Neidhard Gotthard, vers 1480 Wurtzbourg-avant le 1.9.1528 Halle/Saale) Artiste de la Renaissance ; son emploi inhabituel des couleurs et sa représentation

réaliste de sujets bibliques créèrent une nouvelle expression picturale du mysticisme. *29*, *30*, *31*, *88*

Hals, Frans (1581/1585 Anvers-1.9.1666 Haarlem) Peintre hollandais qui donna des impulsions importantes au portrait par une conception nouvelle de l'humain et une grande liberté du trait. *40*

Hamilton, Richard (1922 Londres) Artiste important du Pop art anglais. *114*

Haring, Keith (4.3.1958 Kutztown-16.2.1990 New York) Peintre-bombeur américain. *119*

Hausmann, Raoul (12.7.1886 Vienne-1.2.1971 Limoges) Dadaïste audacieux qui donna d'importantes impulsions à ce mouvement. Inventeur du photomontage avec Hannah Höch. *100*

Heartfield, John (en fait : Helmut Herzfelde, 19.6.1891 Berlin-26.4.1968 Berlin) Représentant important du dadaïsme berlinois, qui créa des photomontages engagés contre le militarisme, le capitalisme et la Guerre. *100*

Heckel, Erich (31.7.1883 Döbeln-27.1.1970 Hemmenhofen) En tant que cofondateur du groupe « Die Brücke », un des plus importants expressionnistes allemands. *87*

Höch, Hannah (1.11.1889 Gotha-31.5.1978 Berlin) Artiste dadaïste qui travailla surtout sur le collage et le photomontage. *100*

Hockney, David (9.7.1937 Bradford) Représentant de l'hyperréalisme ; faisant parfois preuve d'un grand réalisme du détail, il peint l'homme dans des espaces stériles. *114*

Hofer, Carl (11.10.1878 Karlsruhe-3.4.1955 Berlin) Peintre allemand qui peignit la désespérance de la guerre et la misère de l'après-guerre sous une forme très poignante. **107**

Hogarth, William (10.11.1697 Londres-25.10.1764 Londres) Graveur sur cuivre et peintre anglais dont les œuvres réalistes, souvent satiriques et moralisatrices, les « Moral Pictures », fondèrent la peinture de genre anglaise. *49*, *54*

Holbein, Hans le Jeune (1497 Augsbourg-29.11.1543 Londres) En tant qu'un des derniers grands peintres de la Renaissance, il allia dans ses portraits un sens aigu de la caractérisation et une grande précision du détail. *29*, *30*, *31*, *44*

Honthorst, Gérard Van (4.11.1590 Utrecht-27.4.1656 Utrecht) Caravagiste hollandais qui parvint à la célébrité par ses tableaux nocturnes aux clair-obscur très marqué. *35*

Hopper, Edward (22.7.1882 Nyack-15.3.1967 New York) Artiste américain qui décrivit la solitude et l'anonymat de l'homme dans des tableaux réalistes. *107*, *117*

Ingres, Jean Auguste Dominique (29.8.1780 Montauban-14.1.1867 Paris) Chef de file du classicisme français, fondant son art sur le dessin linéaire, le but de l'art était pour lui la beauté et l'harmonie. *53*, *61*, *72*, *73*, *93*

Jawlensky, Alexej von (13.3.1864 Torschok-15.3.1941 Wiesbaden) Peintre germano-russe ; influencé par le fauvisme, il peignit des portraits abstraits proches de l'icône. Membre du « Blaue Reiter ». *89*

Johns, Jasper (15.5.1930 Allendale) Artiste américain dont les peintures de « drapeaux » interrogent l'identité des choses et du tableau en soi. *104*, *113*, **114**, *116*

Kahlo, Frida (6.7.1907 Mexico-13.7.1954 Mexico) Surréaliste mexicaine, qui représenta l'histoire de sa maladie et ses états d'âme dans des tableaux éloquents. *102*

Kalf, Willem (3.11.1619 Rotterdam-3.8.1693 Amsterdam) Peintre de natures mortes hollandais qui se distingue par ses couleurs lumineuses et des effets de lumière chatoyants. *45*

Kandinsky, Wassily (4.12.1866 Moscou-13.12.1944 Neuilly-sur-Seine) Expressionniste important ; chef de file du « Blaue Reiter » et théoricien, il prépara la voie à l'art abstrait. *89*, *90*, **91**, *98*, *104*, *105*, *107*, *109*

Kiefer, Anselm (8.3.1945 Donaueschingen) Auteur d'œuvres composites grand format comportant une charge mystico-héroïque et composées de sable, de métal ou de paille. *118*, **119**

Kirchner, Ernst Ludwig (6.5.1880 Aschaffenburg-15.6.1938 Davos) Cofondateur du groupe « Die Brücke » et représentant important de l'expressionnisme allemand, qui peignit la vie urbaine dans un style nerveux et anguleux. *87*, *88*

Klee, Paul (18.12.1879 München-buchsee près de Berne-29.6.1940 Locarno) Artiste qui partant de tableaux figuratifs, trouva la voie d'un langage pictural de tendance abstraite composé de signes picturaux souvent humoristiques et délibérément enfantins. *89*, **97**, *107*

Klein, Yves (28.4.1928 Nice-6.6.1962 Paris) Cofondateur du « nouveau réalisme », il travailla sur divers matériaux et créa des tableaux monochromes. *112*

Klimt, Gustav (14.7.1862 Vienne-6.2.1918 Vienne) Cofondateur de la Sécession viennoise et représentant le plus important de l'art nouveau viennois avec un style plan et ornemental. *83*

Kooning, Willem de (24.4.1904 Rotterdam) Représentant de la première génération de l'expressionnisme abstrait américain ; ses œuvres sont marquées par un travail intense sur la figure humaine, qui le conduira finalement à des formes planes abstraites et non-figuratives. *108*, **109**

La Tour, Georges de (1593 Vic-sur-Seille-30.1.1652 Lunéville) Peintre connu surtout pour ses scènes nocturnes éclairées par une source lumineuse cachée à la manière des caravagistes et composées de chauds contrastes de clair-obscur. *35*

Leibl, Wilhelm (23.10.1844 Cologne-4.12.1900 Wurtzbourg) Représentant du réalisme du XIXᵉ siècle, particulièrement dans les domaines du portrait et de la peinture d'intérieur. *67*

Le Lorrain : voir Claude Lorrain

Léonard de Vinci (15.4.1452 Vinci-2.5.1519 Amboise) Artiste universaliste de la Haute Renaissance et personnalité artistique de premier plan. L'invention du « sfumato », qui atténuait les contrastes, fit de lui un précurseur dans le domaine de la peinture. *13*, **14-15**, *16*, *18*, *19*, *21*, *23*, *25-27*, *73*, *108*

Lichtenstein, Roy (27.10.1923 New York) Un des artistes les plus importants du Pop art américain, qui dériva ses tableaux des mass médias et des « comics ». **115**, *115*

Lissitzky, El (22.11.1890 Potchinok-30.12.1941 Moscou) Artiste dont les formes stéréométriques aux effets architecturaux influencèrent la peinture constructiviste européenne. *98*

Lorenzetti, Ambrogio (on trouve sa trace à Sienne entre 1319 et 1347) : Peintre siennois qui peignit des sujets religieux et des vues urbaines dans une manière narrative friande de détails. *8*

Macke, August (3.1.1887 Meschede-26.9.1914 Perthes-les-Hurles) Artiste du « Blaue Reiter », ses univers picturaux sont caractérisés par la décompositions des surfaces de couleurs. *89*

Magritte, René (21.11.1898 Lessines-15.8.1967 Bruxelles) Représentant du surréalisme dont les tableaux déroutants remettent en cause la réalité. *102*, *104*, **105**, *113*

Malevitch, Kasimir (23.2.1878 près de Kiev-15.5.1935 Leningrad) Représentant le plus important du suprématisme ; il rejeta toute représentation réaliste et voulait déclencher l'expérience picturale par l'emploi exclusif de formes géométriques. *97*, **98**

Manet, Edouard (23.1.1832 Paris-30.4.1883 Paris) Peintre français important qui, renonçant à l'illusion spatiale, souligna la répartition des surfaces et des couleurs et leur effet purement pictural. *20*, *39*, *67*, *70*, **71**, *74*, *93*

Mantegna, Andrea (1431 Isola di Carturo-13.9.1506 Mantoue) Peintre important des débuts de la Renaissance en Italie du nord par son intérêt pour la statuaire antique. *12*, *13*

Marc, Franz (8.2.1880 Munich-4.3.1916 Verdun) Cofondateur du « Blaue Reiter » qui plaça surtout l'animal, symbole de l'unité cosmique, au centre de son œuvre cristalline aux couleurs lumineuses. *85*, *89*, **90**

Masaccio (en fait : Tommaso di Ser Giovanni di Simone Guidi Cassai, 21.12.1401 San Giovanni Valdarno-1428 Rome) Peintre de la Renaissance ; par son emploi de la perspective centrale, il établit l'harmonie entre le corps et l'espace. *8*, **9**, *10*

Matisse, Henri (31.12.1869 Le Cateau-3.11.1954 Nice) Chef de file du fauvisme, il éleva la couleur pure au rang de support sémantique et moyen de composition exclusifs. *77*, *84*, **85**

Menzel, Adolph von (8.12.1815 Breslau-9.2.1905 Berlin) Représentant important de la peinture d'histoire allemande ; ses représentations réalistes des débuts de l'ère industrielle et la liberté de facture annoncèrent les moyens stylistiques de l'impressionnisme. **67**, *68*

Metzinger, Jean (24.6.1883 Nantes-1.11.1956 Paris) Peintre et théoricien important du cubisme, auquel il donna ses fondements philosophiques en 1910 avec Picasso, Braque et d'autres cubistes. *94*

Michel-Ange (en fait : Michelangelo Buonarroti, 6.3.1475 Caprese-18.2.1564 Rome) Peintre, sculpteur et architecte de la Haute Renaissance ; son œuvre extrêmement diverse exerça une influence décisive sur le maniérisme et le baroque. *13*, **16-17**, *18*, *19*, *23*, *25*, *27*, *38*, *65*

Millet, Jean-François (4.10.1814 Gruchy-20.1.1875 Barbizon) Représentant du réalisme, il travailla à la représentation réaliste de la vie quotidienne de son époque. **65**, *78*, *79*

Miró, Joan (20.4.1893 Barcelone-25.2.1983 Palma de Majorque) Peintre de signes mystico-ludiques enjoués en suspension dans l'espace, et comportant des allusions au monde concret. *102*, *103*, **104**, *105*

Modigliani, Amedeo (12.7.1884 Livourne-25.1.1920 Paris) Peintre de nus féminins et de portraits ayant un caractère d'icône et une intensité empreinte de lyrisme et de maniérisme. *84*, *85*

Moholy-Nagy, László (20.7.1895 Bácsborsod-24.11.1946 Chicago) Professeur au Bauhaus ; son travail pictural porta sur la lumière et le mouvement, ce qui le conduisit finalement à un art cinétique de l'objet. *98*, *99*, *106*, *111*

Mondrian, Piet (7.3.1872 Amersfoort-1.2.1944 New York) Cofondateur du groupe néerlandais « De Stijl » ; dans ses peintures géométriques composées de couleurs pures et des non couleurs noir et blanc, il était à la recherche d'une harmonie universelle sous-tendant toutes choses. *96- 98*, *99*, *106*

Monet, Claude (14.11.1840 Paris-6.12.1926 Giverny) Artiste et chef de file de l'impressionnisme ; son œuvre est caractérisée par un travail intensif sur les jeux de la lumière et les altérations de la couleur. *70*, *72*, *73*, **74-75**, *77*, *89*, *108*

Morisot, Berthe (14.1.1841 Bourges-2.3.1895 Paris) Artiste impressionniste dont les tableaux aux couleurs claires et douces décrivent la vie d'intérieur. *72*

Motherwell, Robert (24.1.1915 Aberdeen) Représentant important de l'expressionnisme abstrait avec des tableaux extatiques et dynamiques. *108*

Mueller, Otto (16.10.1874 Liebau-24.9.1930 Breslau) Peintre expressionniste de figures du milieu tzigane dans des couleurs douces. *87*

Munch, Edvard (12.12.1863 Loten-23.1.1944 Ekeley) Artiste norvégien et précurseur de l'expressionnisme, ses tableaux décrivent les expériences existentielles de l'homme telles que l'angoisse, l'horreur et la mort. *81*, **82**, *83*, *88*

Münter, Gabriele (19.2.1877 Berlin-19.5.1962 Murnau) Membre du « Blaue Reiter », peintre de tableaux lumineux aux surfaces de couleurs cernées de contours noirs. *89*, *91*

Murillo, Bartolomé Estéban (1.1.1618 Séville-3.4.1682 Séville) Peintre du baroque ; à côté de madones et de sujets religieux, il peignit aussi des tableaux réalistes. **39**

Nay, Ernst Wilhelm (11.6.1902 Berlin-8.4.1968 Cologne) Représentant de l'art informel ; ses compositions soulignant les lois propres de la couleur, sont constituées de taches de couleur rondes et lumineuses. *108*

Newman, Barnett (29.1.1905 New York-4.7.1970 New York) Représentant le plus important du Colourfield Painting ; ses tableaux grand format génèrent une spatialité qui doit être perçue de façon méditative. *107*, **110**

Noland, Kenneth (10.4.1924 Asheville) Représentant du Colourfield Painting, qu'il transposa dans des formats parfois extravagants, intégrant des parties laissant la toile visible et nue. *111*

Nolde, Emil (en fait : Emil Hansen, 7.8.1867 Nolde-15.4.1956 Seebüll) Représentant important de l'expressionnisme allemand ; ses aquarelles, peintures à l'huile et gravures sur bois aux couleurs souvent stridentes, riches en contrastes, dénotent une facture passionnée. *87*

Overbeck, Johann Friedrich (3.7.1789 Lübeck-12.11.1869 Rome) Membre du groupe des nazaréens ; ses tableaux manifestent une fervente nostalgie de l'Italie. *56*, *57*

Parmesan, Le (en fait : Francesco Mazzola, 11.1.1503 Parme-28.8.1540 Casalmaggiore) Peintre important du maniérisme en Italie du nord ; Son œuvre se distingue par des figures étirées et des couleurs froides. *23*, *24*

Pechstein, Max (31.12.1881 Zwikkau-29.6.1955 Berlin) Membre du groupe d'artistes « Die Brücke ». *87*

Pforr, Franz (5.4.1788 Francfort-16.6.1812 Rome) Représentant des nazaréens ; ses tableaux puisent largement dans des sujets tirés de l'ancienne Allemagne. *57*

Picasso, Pablo (25.10.1881 Málaga-8.4.1973 près de Cannes) Un des artistes les plus importants du XXᵉ siècle, fondateur du cubisme, novateur important et inspirateur des générations d'artistes ultérieures. *90*, **92-93**, *94*

Piero della Francesca (vers 1420 Borgo San Sepolchro-12.10.1492 Borgo San Sepolchro) Artiste de la Renaissance dont les œuvres se distinguent par un traitement particulier de la lumière et la composition spatiale en perspective. *11*, **12**, *102*

Pissarro, Camille (10.7.1830 St. Thomas-12.11.1903 Paris) Peintre et graveur de l'impressionnisme *70*, **72**, *74*, *77*

Polke, Sigmar (13.2.1942 Oels) Peintre du réalisme capitaliste, qui traite les manifestations de la culture de masse d'une façon ironique. *115*

Pollaiuolo, Antonio (1431 Florence-4.2.1498 Rome) Peintre de la Renaissance qui travailla à la représentation la plus naturelle possible des personnages et de la composition. **11**

Pollock, Jackson (28.1.1912 Cody-11.8.1956 East Hampton) Premier artiste américain de l'Action Painting, sa peinture spontanée, le « Dripping », ouvrit des voies nouvelles à la peinture américaine. *105*, *108*, *109*, *113*

Pontormo, Jacopo da (24.5.1494 Pontormo-2.1.1557 Florence) Peintre du maniérisme toscan. **22**, *23*

Poussin, Nicolas (juin 1594 Les Andelys-19.11.1665 Rome) Représentant important du néo-classicisme ; ses œuvres sont imprégnées de mythologie antique. **36**, *37*, *46*, *52*, *77*

Pozzo, Andrea (30.11.1642 Trente-31.8.1709 Vienne) Peintre, sculpteur et architecte dont les peintures murales et les plafonds portèrent à sa perfection le traitement illusionniste de l'espace. **33**

Puvis de Chavannes, Pierre (14.12.1824 Lyon-24.10.1898 Paris) Artiste dont les figures oniriques et les paysages aux ambiances marquées exercèrent une influence décisive sur le néo-classicisme et le symbolisme français. *68*

Raphaël (en fait : Raffaello Santi, 6.4.1483 Urbin-6.4.1520 Rome) Artiste important de la Haute Renaissance, ses œuvres sont caractérisées par l'équilibre de la composition, la douceur du modelé des figures et des paysages aux ambiances marquées. *18, 19, 23, 24, 27, 32, 38, 69, 71*

Rauschenberg, Robert (22.10.1925 Port Arthur) Précurseur du Pop art par ses collages et ses assemblages ; avec ses Combine Paintings, il créa des tableaux tendant vers l'objet. *113, 114, 116, 117*

Reinhardt, Ad (en fait : Adolf Reinhard, 24.12.1913 Buffalo-30.8.1967 New York) Peintre américain qui créa des « Tableaux de méditation » peints généralement dans des couleurs noires aux formes rectangulaires. *109, **110***

Rembrandt Harmenszoon Van Rijn (15.7.1606 Leyde-4.10.1669 Amsterdam) Peintre, graveur et dessinateur le plus important du XVIIe siècle ; son emploi du clair-obscur et son sens psychologique augmentèrent la peinture baroque d'une dimension supplémentaire. *40, 42-43, 79*

Renoir, Pierre-Auguste (25.2.1841 Limoges-3.12.1919 Cagnes) Cofondateur de l'impressionnisme qui recouvrit ses univers picturaux d'un voile de couleurs chatoyantes. *70, 73, 74, 77*

Répine, Ilia (5.8.1844 Tchougouiev-29.9.1930 Répino) Peintre réaliste russe dont les tableaux d'histoire sont des études de milieu psychologiquement très pertinentes sur l'époque du changement de siècle. ***66***

Reynolds, Sir Joshua (16.7.1723 Plymton-23.2.1792 Londres) Portraitiste important de la société anglaise du XVIIIe siècle. ***50***

Richter, Gerhard (9.2.1932 Dresde) Peintre et graveur dont les tableaux réalisés d'après des photographies, illustrent le rapport entre la réalité picturale et la possibilité de représenter la réalité concrète. *115, **117**, 118*

Riley, Bridget (24.4.1931 Londres) Représentante importante de l'Op art avec des systèmes linéaires rythmiques aux effets spatiaux illusionnistes. *111*

Rodchenko, Alexandre (15.12.1891 St. Pétersbourg-3.12.1956 Moscou) Précurseur de l'art moderne russe par ses compositions abstraites et son engagement constructiviste. *98*

Rossetti, Dante Gabriel (12.5.1828 Londres-8.4.1882 Birichton-on-Sea) Représentant important des préraphaélites, précurseur de l'art nouveau par ses représentations humaines esthétisantes et idéalisatrices. *68, **69***

Rothko, Mark (25.9.1903 Dvinsk-25.2.1970 New York) Artiste américain qui donna d'importantes impulsions à la tendance méditative de l'expressionnisme abstrait et au Colour-field Painting avec ses tableaux grand format aux rectangles de couleurs imprécis. *109, 110*

Rousseau, Henri (dit Le Douanier, 20.5.1844 Laval-4.9.1910 Paris) Artiste français dont les tableaux poétiques et naïfs représentent des univers oniriques le plus souvent exotiques. *81, 82*

Rubens, Peter Paul (28.6.1577 Siegen-30.5.1640 Anvers) Peintre flamand le plus important du baroque ; son œuvre associe la représentativité, les jeux de la lumière, la sensualité et la richesse des couleurs. *20, 37, **38**, 39, 43, 46, 52, 60, 62, 63, 77, 79*

Ruysdael, Jacob Van (1628/1629 Haarlem-14.3.1682 Amsterdam) Paysagiste hollandais, auteur de nombreux paysages côtiers, de vues urbaines et de paysages hivernaux. ***45***

Schad, Christian (21.8.1894 Miesbach-25.2.1982 Stuttgart) Représentant important de la nouvelle objectivité ; ses portraits reflètent la froideur, le narcissisme et l'anonymat de l'homme du xxe siècle. ***101***

Schinkel, Karl Friedrich (13.3.1781 Neuruppin-9.10.1841 Berlin) Peintre et architecte important du classicisme en Allemagne ; dans ses paysages, il se voua essentiellement à une conception romantique. *56, **57***

Schlemmer, Oskar (2.9.1888 Stuttgart-13.4.1943 Baden-Baden) Artiste du Bauhaus, peintre, sculpteur et décorateur de théâtre ; sa conception géométrique, abstraite, iconique de la sculpture, se prolonge aussi dans ses tableaux et ses décors de théâtre. *97*

Schmidt-Rottluff, Karl (1.12.1884 Rottluff-10.8.1976 Berlin) Cofondateur du groupe d'artistes expressionnistes « Die Brücke » ; à l'instar du jeune Heckel, il se servit de tonalités lumineuses de rouge et de vert. Son sujet principal fut le paysage. *87*

Schwitters, Kurt (20.6.1887 Hanovre-8.1.1948 Ambleside) Un des artistes les plus importants et les plus prolixes du dadaïsme ; ses œuvres composites et ses collages le conduisirent à développer l'art « Merz ». *99, 100, 113*

Sérusier, Paul (1864 Paris-6.10.1927 Morlaix) Cofondateur des « Nabis » ; à côté du paysage et des tableaux de figures, il se consacra également à des sujets religieux. *81*

Seurat, Georges (2.12.1859 Paris-29.3.1891 Paris) Fondateur et représentant le plus important du pointillisme après une étude scientifique approfondie de la théorie des couleurs. *76, 84, 85, 111*

Sonderborg, K.R.H. (en fait : Kurt Rudolf Hoffmann, 5.4.1923 Sonderborg) Peintre et graveur, représentant de l'art informel ; il exprime le mouvement et le rythme par l'écriture automatique de signes. *108*

Spitzweg, Carl (5.2.1808 Munich-23.9.1885 Munich) Peintre du Biedermeier ; ses tableaux humoristiques et ironiques de petit format, sont des peintures de genre bourgeois. *59*

Stella, Frank (12.5.1936 Malden) Représentant important du Colour-field Painting ; ses œuvres géométriques en forme de demi-cercle, de rectangle ou de losange, jouent avec le caractère d'objet du tableau. *111, **113***

Steen, Jan (1626 Leyde-3.2.1679 Leyde) Peintre hollandais aux multiples facettes, auteur de scènes de cuisine, de sujets historiques et de peintures de genre anecdotiques. ***44***

Tiepolo, Giovanni Battista (5.3.1696 Venise-27.3.1770 Madrid) Peintre de fresques et de plafonds représentatifs et animés, avec de douces couleurs pastel et un traitement audacieux de la lumière. ***48***

Tintoret, Le (en fait : Jacopo Robusti, 1518 Venise-31.5.1594 Venise) Maître le plus important de la Renaissance vénitienne ; avec des perspectives inhabituelles, des raccourcis et un traitement théâtral des effets de lumière, il parvint à une expression dramatique du mouvement. *21, **24**, 25, 32*

Titien (en fait : Tiziano Vecellio, vers 1477 ou 1490 Pieve di Cadore-27.8.1576 Venise) Peintre important et précurseur de la Haute Renaissance vénitienne ; son œuvre se distingue avant tout par le traitement de la couleur. *19, 20, 21, 25, 38, 39, 62*

Toulouse-Lautrec, Henri de (24.11.1864 Albi-9.9.1901 château de Malromé) Peintre, graveur et dessinateur dont les études de milieu et les affiches présentent une image très pertinente du Paris de la fin du XIXe siècle. *78, 92*

Turner, Joseph Mallord William (23.4.1775 Londres-19.12.1851 Londres) Grand paysagiste, chez qui les atmosphères et les évocations d'une nature décomposée en phénomènes lumineux influencèrent la peinture de la lumière des impressionnistes. *63, 74, 75*

Uccello, Paolo (vers 1397 Portovecchio-10.12.1475 Florence) Artiste important des débuts de la Renaissance ; ses tableaux montrent un travail intensif sur la perspective. *10, 102*

Vasarely, Victor (9.4.1908 Pécs) Artiste franco-hongrois, auteur de tableaux optico-cinétiques. *110, **111***

Vélasquez, Diego (en fait : Diego Rodriguez de Silva y Velázquez, 6.6.1599 Séville-6.8.1660 Madrid) Peintre espagnol du baroque et peintre de la cour d'Espagne ; dans ses compositions parfois très élaborées, il fixa avant tout les effets de lumière et de couleur dans une facture douce soulignant la matérialité des choses. *38, **39**, 45, 60, 71, 93*

Vermeer de Delft, Jan (31.10.1632 Delft-15.12.1675 Delft) Maître le plus important de la peinture hollandaise du XVIIe siècle par l'application minutieuse de la perspective et les brillants effets de lumière de ses scènes d'intérieur. *40, 41, 44*

Véronèse, Paul (en fait : Paolo Caliari, dit Paolo Veronese, 1528 Vérone-19.4.1588 Venise) Peintre vénitien dont la peinture illusionniste plaçait des scènes religieuses dans le contexte contemporain et mondain de l'époque. *21, 38, 48*

Vlaminck, Maurice de (4.4.1876 Paris-11.10.1958 Rueil-la-Gadelière) Paysagiste et auteur de natures mortes peintes dans une manière fauve. *84*

Warhol, Andy (en fait : Andrew Warhola, 6.8.1928 Pittsburgh-22.2.1987 New York) Artiste le plus important du Pop art, qui éleva les objets banals du quotidien au rang d'œuvre d'art. *114, 115, **116**, 117*

Watteau, Antoine (10.10.1684 Valenciennes-18.7.1721 Nogent-sur-Marne) Premier peintre des « Fêtes galantes », scènes de la société de cour, et de la commedia dell'arte. *46, 48*

Wesselmann, Tom (23.2.1931 Cincinnatti) Représentant important du Pop art ; il créa une esthétique froide par des collages, assemblages et environnements parfaitement arrangés. *114*

Weyden, Roger Van der (1399/1400 Tournai-18.6.1464 Bruxelles) Peintre néerlandais ; la plasticité de ses figures et l'expressivité de ses portraits préparèrent la peinture allemande et hollandaise. ***26***

Wols (en fait : Wolfgang Schulze, 27.5.1913 Berlin-1.9.1951 Paris) Représentant du tachisme qui créa des compositions de tendance fantastique en travaillant sur le prolongement de l'écriture automatique. ***108***

Wright of Derby, Joseph (3.9.1734 Derby-29.8.1797 Derby) Peintre anglais qui réalisa entre autres des représentations réalistes d'expériences scientifiques peintes dans des ambiances aux clair-obscurs dramatiques. *51*

CRÉDITS PHOTOGRAPHIQUES